ТТ-33 (СССР)
Производитель: государственные оружейные заводы
Тип: автоматический пистолет (с отдачей ствола)
Боеприпасы: патрон 7.62 мм "русский"
Общая длина: 196 мм
Масса без патронов: 910 г
Ствол: 115 мм, нарезной
Магазин: сменный, коробчатый, на восемь патронов

Тульский-Токарев — 2003
(Россия)
Производитель:
Андрей Константинов
Тип: мужской роман
Боеприпасы: главные герои —
Артур Тульский, Артем Токарев
Общая длина: одна жизнь на двоих
Масса без патронов: время от
заката империи до звериного
капитализма
Ствол: на две судьбы, сменный
Магазин: постоянный, обойменного
заряжания, на два героя

А. Константинов

А. КОНСТАНТИНОВ

ТУЛЬСКИЙ ТОКАРЕВ

Санкт-Петербург

ТОМ 1

СЕМИДЕСЯТЫЕ
ВОСЬМИДЕСЯТЫЕ

Издательский Дом «Нева»
2003

ББК 84(2Рос-Рус)6
К 65

Константинов А.

К 65   Тульский — Токарев: В 2-х тт. Т. 1. — СПб.: Издательский Дом «Нева», 2003. — 384 с.

ISBN 5-7654-2811-8
ISBN 5-7654-2809-6

ББК 84(2Рос-Рус)6

Авторское предисловие

Эта книга, которую Вы, Уважаемый Читатель, держите сейчас в руках, далась нам нелегко. Нам — потому что делал я ее вместе с Евгением Вышенковым, моим другом, с которым в 1980 году мы поступили на восточный факультет Ленинградского университета. Я потом стал военным переводчиком, а Евгений ушел работать в уголовный розыск. Много чего случилось в наших жизнях, прежде чем мы стали работать вместе в Агентстве Журналистских расследований — я директором, а Евгений — заместителем директора. Приключений разных было много — и смешных, и страшных. Всяких. В том числе и таких, о которых не хочется вспоминать. Если Вы, Уважаемый Читатель, знакомы с романом «Мент» — то Вам, наверное, любопытно будет узнать, что прототипом Александра Зверева как раз и был Евгений. Он не захотел, чтобы его имя было вынесено на обложку. Почему — думаю, об этом надо спросить его самого. Я лично объясняю это специфическими особенностями его характера. Имеет право. Тем более, что у меня характер тоже не сахар.

Нам было интересно работать, и это было честное соавторство. Что из нашей работы получилось — судить Вам, Уважаемый Читатель.

Если кто-то заметит в книге что-то очень знакомое и лично его касающееся — сразу предупреждаю, что книга все-таки художественное произведение, а стало быть, ее фактура не может быть использована в суде. Заранее прошу прощения за использование грубых и ненормативных выражений — но из песни слова не выкинешь, некоторые фразы иначе просто не построишь. Вернее — построить-то можно, но такая «политкорректная» переделка, с моей точки, зрения будет попахивать ханжеством. Некоторые истории можно рассказать только специфическим языком, особенно если рассказывается мужская история...

Андрей Константинов

15 февраля 2003 года,
Санкт-Петербург

Часть I

СЕМИДЕСЯТЫЕ

...Кажется, что давно это было, очень давно. И не потому, что с тех пор прошло много лет, а потому, что тогда была другая цивилизация. Жизнь устраивалась и складывалась совсем по-другому. И Петербург уже и еще назывался Ленинградом. Это был другой век и совсем другая жизнь... Она была настолько другой, что много лет спустя, уже в самом начале следующего века, один из героев этой истории в разговоре с приятелем случайно обмолвился, вспоминая учебу в школе, из которой выпустился в «олимпийском» восьмидесятом году: «А я не помню, каким был тогда... Каким-то другим, а каким — не помню... Это ж так давно было — еще до войны»... Сказал — и осекся, смутился, потому что ни в Афганистане, ни в Чечне, ни в иных-прочих интернациональных и горячих точках не был. Но собеседник понял: «Все ты правильно сказал. Действительно, — до войны... Какая разница, как ее называть — гражданская, бандитская или социальная...»

Да, это было другое время и другая музыка жизни... Но Город все равно был Питером, и Васильевский остров так же называли Васькой. И еще было много того, что осталось и сохранилось, — но спряталось потом до поры, до того момента, когда понадобится вспомнить... и увидеть мосты в то время, которое никуда не исчезло. Главное — это выбрать правильный мост и успеть пройти по нему в правильном темпе.

Итак, Питер, Васильевский остров, семидесятые...

Жили тогда на Острове (а именно так, кстати говоря, многие жители Васьки и называли свой район) два мальчика — очень не похожие друг на друга, родившиеся в разных семьях и по-разному воспитывавшиеся. Но оба они с раннего детства не любили, чтобы их называли мальчиками, предпочитая слышать другие слова: ребята, пацаны или еще какие-то — не в словах, в общем-то, суть... Они росли, не зная друг друга, и при всей несхожести жизней детство у обоих было счастливым, правда, оба они об этом совершенно не задумывались. До поры... Одного из них звали Артуром Тульским, а второго — Артемом Токаревым. И, естественно, оба они даже и догадываться не могли, что Судьба свяжет их в неразвязываемый узел.

Тульский — Токарев... Если убрать тире, то получится словосочетание, ставшее культовым с конца восьмидесятых и в течение почти всех девяностых не только в Питере, но и по всей России, потому что именно так звучит полное название пистолета «ТТ», излюбленного оружия киллеров и братков всех мастей, полюбивших в годы Великой Криминальной Войны «тэтэху» за высокую убойную силу (бронежилет как иглой прошивался), за дешевизну и доступность. Всего этого мальчики знать в начале семидесятых, естественно, не могли. Да и не только они — кто, в каком мистическом бреду мог тогда нафантазировать, что Город сложит две судьбы, чтобы получить необходимое оружие, — хотя бы для одного, но беспощадного выстрела...

Был, правда, и еще один мальчик — также ровесник Тульского и Токарева и, не появись он на свете, может быть, и не было бы необходимости двум судьбам сливаться в одно оружие (у Судьбы ведь не только орудия есть, имеется и оружие), но... Но не хочется пока называть имени этого третьего. Рассказываемая история — это история Тульского — Токарева, а третьему в ней достанется место похожего на тире прочерка...

ТУЛЬСКИЙ

10 апреля 1972 г.
Ленинград, В.О., Галерная гавань.

Обыкновенный питерский двор-колодец жил своей обыкновенной жизнью. Чуть ли не треть окон завешано разнотонным, но в целом почему-то бесцветным бельём на просушке, пригашивавшим звуки коммунальных кухонь и впитывавшим вылетавшие оттуда же запахи — очень разные, но с преобладанием аромата жаренной на шипящем сале картошки. В таких дворах почти никогда не бывает тихо, хотя шумы смысловые (вроде женского голоса, звавшего Леву домой немедленно) прорезали фоновый гул-ворчание не так уж и часто. В Питере климат не разрешает кричать долго и много, как на Юге, — горло застудить легко. В Питере принято разговаривать приглушенно — как правило, потому что бывает, естественно, по-всякому...

Вот и шпанская гаванская ватага, приютившаяся на разжеванных скисшим снегом скамейках во дворе, вела себя не шумно. Кто-то забыл, а многие и не знали никогда, что питерские шпанские ватаги того времени были почти национальностью, — с характерными отличительными чертами.

Непередаваемые ухмылки, сопровождаемые неподражаемым сплевыванием через зуб — догадайся с двух заходов, сколько раз нужно было без очевидцев цыкнуть, упражняясь, чтобы потом плевок в обществе получился естественным и уместным? Да при этом нужно было еще ненавязчиво и тактично продемонстрировать забытые ныне фиксы — целая наука... А кепки? Правильно их носить могла только шпана, потому что лишь настоящий матрос умеет, не надрываясь, удерживать на затылке бескозырку.

А еще шпана умела говорить глазами, и взгляды их школьницы из приличных семей не держали.

Почти на всю скамейку разбушлатился посреди молодых взрослый мужчина — не молодой и не старый, но вряд ли бы кто дал ему уже прожитые сорок пять — а сколько из них он подарил Хозяину, надо было проверять по специальным учетам.

Взрослый пользовался многими именами, но звали его Варшавой, и он был настоящим вором, потому что и воры бывают по-настоящему талантливыми в своем деле. Легенд о нем ходило много; рассказывали, например, что в ресторанах умел Варшава перекусывать зубами золотые цепочки с полных шей взопревших от волнения торговых дам. Если кто не верит — может проэкспериментировать, чтобы убедиться — умение такое враз не выстрадаешь. А если оставить сдачу романтике — то был Варшава правильным вором, то есть таким, который к слову «карман» ну никак не мог добавить прилагательное «чужой», который если уж вынимал из кармана финку — то не для того, чтобы «попужать». Жизнь за Варшавой угадывалась страшная, но на широту его души не повлияло (вернее — повлияло в плюс) то, сколько раз он был бит и проловлен.

Варшава мог легко, с настроения, «отломить» местной бабульке все вот только сейчас «воткнутые» дензнаки — без свидетелей и бубнового будущего интереса. Наворочавшись на нарах, навырывавшись и выковавшись в Личность, Варшава легко, порой с одного взгляда, делил сотрудников милиции на «цветных» и «легавых», причем к последним, как это ни странно, в глубине души относился с симпатией. Бывалый взгляд мог увидеть за его обтянутыми сухой, словно дубленой, кожей скулами несколько этапов в сталинских эшелонах. Сам же Варшава умел смотреть собеседнику сквозь лицо, упираясь в затылок. От такого взгляда становилось крайне неуютно, казалось, что он мог видеть дырки на носках через ботинки. Разговаривать с ним было непросто, потому что стержень разговора он хватал сразу и потом буквально наматывал на этот стержень фразы — и свои, и собеседника. Интересная у него имелась привычка: в словесном споре Варшава откидывался чуть назад, прикрывал ладонью глаза, потом раздвигал пальцы, прищуривался-прицеливался в просвет, а потом, растягивая по-блатному гласные, начинал вдруг швырять (как поленья) короткие и очень емкие мысли.

Несмотря на все прожитое, тело вора оставалось сильным и витым, но без дерганой лагерной истеричности, а ростом он вышел выше среднего. Силу давала горячая кровь, полная энергии, и нутро, рожденное быть зависимым только от своей совести. Интересно, что за все лагерные годы, когда холодно было лишь летом, а зимой — жутко, он не приобрел ни одной чернильной точки под кожей. Этим, кстати, несмотря на ортодоксальную воровскую татуировочную традицию, заслужил себе Варшава скрытое и не всегда приязненное уважение своих.

На его мировоззрение сильно повлияли два устных рассказа и одна книга. Он был восьмилетним беспризорником, когда услышал случайно и запомнил сетования старого вора: «...раскатали веру, як тесто. Можно политических щемить теперича! И это — дошло до того, что блатные святую пайку отбирают у очкариков!* Трясина... Если гэпэушники потакают — значит, их выгода! А на кону-то: воры исполняют волю власти... Конец идее. Мне — скоро в рай. Вам хлебать».

Много позже, на пересылке в Ивдельлаге, зацепил ухом Варшава второй рассказ — и тоже о блатном и об Идее: «...Чилиту расстреляли через несколько месяцев, но уже в Ветлаге. Он филонить стал при кочегарке и убил какого-то зэка, закопал его в снегу, отрезал по кускам и ел. Вскрыли это случайно. Начальник 20-го лагпункта Ветлага с оперуполномоченным Мисиным дали команду его расстрелять. Не судили, вывели прямо за КСП... Ой, как он кричал!»

В Ивдельлаге Варшава еще застал булькающую в крови, отворенной заточками, сучью войну — там он окончательно все понял про Воровскую Идею. Изменить, однако, он ничего не пытался... Что же касается книги, которая помогла ему выстроить внутренний мир, то это был «Морской волк» Джека Лондона. Впервые прочитав ее еще в досудимом возрасте, Варшава много раз потом перечитывал этот роман в лагерях.

Во дворике, среди молодежи, Варшава оказался не случайно: именно этот двор был ему особенно дорог (хотя он сам и не согласился бы с таким

---

* По воровскому закону хлебная пайка считается неприкосновенной.

утверждением), поэтому инстинктивно он часто назначал серьезные встречи именно здесь. Может быть, даже слишком часто — но ведь он не был профессиональным разведчиком...

А дожидался Варшава двух жуликов с улицы Шкапина, они днем раньше интересно предложились. А от Варшавы зависело решение — его прерогативой было произнести необратимое «ДЕЛАЕМ». Однако что-то в этом предложении Варшаву настораживало. Хотя предлагали не сберкассу лохматить, а реальное — ломануть дачу известного хирурга профессора медицины Годлевского. Кураж-то был, но чуйка беспокоила... А Варшава всегда боялся перепутать чутье с обычным страхом. Вор что-то говорил, улыбаясь, пацанятам, вившимся вокруг него, а сам напряженно думал: «За дачу светилы Крошка поет кудряво. И вор Кроха хваткий. Что ж сам-то не слазает, зачем в долю позвал? Устал? Это ладно... А вот в глаза не дает забегать... Надо бы об душе навести справки...»

Вор досадливо встряхнул головой и сказал, как сплюнул:

— Докука — метнулся!

Юркий паренек прямо с корточек одним движением перевалил через штакетник и побежал за водкой. Варшава улыбнулся и подмигнул самому младшему в ватажке — беленькому пареньку лет десяти, смотревшему на вора широко распахнутыми серыми обожающими глазами. Из-за этого пацаненка, жившего в седьмом подъезде на третьем этаже вдвоем с матерью, Варшаву и тянуло именно в этот двор.

Взгляд вора, в котором было много невысказанного, перехватил молоденький «крадун» по прозвищу Обоснуй — из тех, кто подхватывает на лету и далеко идет во всем.

— Шесть нуль семь, — кивнул Обоснуй на новые дорогие часы, украшавшие правое запястье Варшавы. — Не опасаешься, что котлами заинтересуются?

— Не пропадем, но горя хватим, — усмехнулся Варшава. Часы были чистыми, но не объяснять же?..

— А горе — это когда два столба с перекладиной? — солидно, тренируя усталую этапную манеру, поинтересовался будто невзначай Обоснуй.

— Две доски вместо постели — уже не козыри, — автоматом с ходу ответил Варшава и лишь потом вздернул вверх брови, удивившись к месту вставленной мальцом фразе.

— Когда правый висок сбривают — тоже не рахат-лукум, — встрял в серьезный разговор, цепляясь за филологию, а не за смысл, Гога — сосед по коммуналке убежавшего Докуки. Гоге вор казался старым, а Обоснуй — взрослым.

Варшава не выдержал и расхохотался в голос:
— Э-э, рысь нерчинская!

Указательным пальцем правой руки вор легко щелкнул Гогу в нос, а остальными одновременно сбил козырек кепки мальчишке на глаза — тому реакции хватило только моргнуть.

Встав со скамейки и хрустко потянувшись, Варшава вдруг гулко ухнул на весь двор — как в ржавый рупор на буксире:
— Эй, Токарев, я тебя не боюсь!

А потом добавил тише, словно сам с собой разговаривал:

— Пацаны шуршат — в государевом санатории бедуешь в пижаме... Не потеряйся, пинчер!

Компания взорвалась смехом. Объяснений не требовалось. Все откуда-то знали, что Токарев — характерный оперуполномоченный местного уголовного розыска — обещал подловить Варшаву. К этому двору опер имел отношение через шестой подъезд, где на втором этаже обитала официантка Зина, волновавшая шпану длинными ногами и смачной, но подтянутой задницей.

Пользуясь настроением, Обоснуй придвинулся к вору ближе и попытался обозначить волновавшую его проблему:

— Тебе видней, Варшава, а только зря мы вчерася центровых отхлестали. Хлопотно может статься...

— Боишься или опасаешься? — вор спрятал улыбку, оставил только незаметную язвительную усмешку на дне прищурившихся глаз.

— Я к тому, что надо было бы... — Обоснуй, не замечая подвоха, начал было развивать мысль, а вор помог ему дорулиться, якобы добродушно покивав:

— Один мой знакомый квартальный посадил как-то жану на пятнадцать суток за мордобой посуды в местах приема пищи. И изрек: «Жакон есть жакон!» Мудрый человек! Опорный пункт власти блатные, крестясь, обходили...

— Вот и я про то же... — Обрадовался Обоснуй и прям-таки полез в яму, в два удара выкопанную ему вором. — Заранее если бы поддержку нашли у...

Свалиться в яму окончательно Варшава ему не дал, звонко перебив:

17

— Библия не нами писана! Коммунары, которые на маленькую букву «бе» — видал, как за свою идею в харю целются?! Дорога на Воркуту впритык костями троцкистов-утопистов застлана! И потому власть их — как кол в мерзлом грунте — не расшатаешь! А тут каждный фраер на вора кожу морщить будет! Сначала с цветными все «по делу» договариваются, а потом? Нишкни от греха!

— Да что ты, что ты? Я и права не имею... — мигом отшатнулся от него к тут же отвернувшимся пацанам Обоснуй.

— С чего начинается биография вора? — утратив интерес к Обосную, Варшава обвел глазами всех, но остановился на Гоге.

— С малолетки сидеть, в армии не служить и... и... — Гога начал чеканить, словно молодой рядовой, но запнулся и завертел головой, ища поддержки. Взгляд его упал на Обосную, но тот только ниже опустил голову. Гога перестал дышать.

Варшава насупился, но потеплел и, сбивая накал, сказал серьезно, давя морщинами улыбку:

— И под хвост не баловаться...

Компания хрустко, навзрыд заржала, а вор, прячась в общем смехе, снова перевел погрустневший взгляд на неуверенно улыбавшегося беленького десятилетнего паренька, мало что понявшего в случившемся на его глазах уроке словесного фехтования.

«А еще — не иметь семьи: ни жены, ни детей», — эту мысль Варшава озвучивать не стал — уж больно невпопад сердце екнуло.

Под угасавший уже смех очень вовремя нарисовался Докука с «беленькой» за пазухой — пацан обернулся мигом и сдержанно гордился тем, что даже не запыхался.

Бутылку опрокинули быстро — по кругу от старшинства. Докуке и Гоге досталось лизнуть, а младшего, сероглазого Варшава и вовсе предостерег:

— Погоди, малой, тебе еще рано. Ежели начнешь не в свое время — баловство будет не в радость, а в слабость. Успеешь.

Сероглазый улыбнулся в ответ и не подумал усомниться в справедливости сказанного.

Какой кураж без лирики? Одной рукой Обоснуй извлек из-за скамейки видавшую виды гитару и ударил по струнам, не глядя на вора, но обращаясь явно к нему. Пытаясь зализать свой давешний промах, парень явно не сек, что Варшава инцидент уже «проехал»:

Вот раньше жизнь!
И вверх и вниз
Идешь без конвоиров, —
Покуришь план,
Идешь на бан
И щиплешь пассажиров.
А на разбой
Берешь с собой
Надежную шалаву,
Потом за грудь
Кого-нибудь —
И делаешь Варшаву...

Вор, словно не услышав песню, вдруг придвинулся к самому маленькому — к тому самому сероглазоединственному, и провел жесткой рукой по светлым волосам. Мальчишка задохнулся от счастья, и в глазах его вот-вот — но все же не появились слезы — от радости соприкосновения со своим героем.

А Варшава, разглядывая его лицо, вдруг заговорил совсем уж непонятно:

— Ишь — взгляд-то не рабский... И мать твоя — не тетка, а барышня. Потом поймешь, в чем разница... Каково сладишь с жизнью? И чего больше соберешь — ошибок или попыток?

В окружении ворохнулся было смешок, но вор передернул бровями, как затвором, и смешок умер. Никто ни в чем не разобрался, но лица скроили понимающие — от греха подальше, и, к чертовой матери, зауважали все наперед.

(Много времени спустя подросший мальчишка увидит у артиста Глебова, сыгравшего в фильме «Тихий Дон» Мелехова, похожий залом брови. Отпрянув от телевизора и потемнев серыми глазами, он неожиданно для самого себя проговорится: «Варшава так умел».)

Во дворе нарисовались фигуры шкапинских жуликов. Вор шагнул было к ним, но снова обернулся к светловолосому. На глазах у всей обалдевшей компании он снял с языка настоящую бритву — оказывается, он незаметно гонял ее во рту весь разговор. Это было особое воровское умение, особый воровской шик — прятать острую бритву во рту, чтобы в нужный момент плюнуть ею или, зажав зубами, резануть в драке противника по лицу или по шее.

— На память, — Варшава авторитетно протянул сталь мальчишке и добавил: — Необходимая порой вещица. Учись тупой мойкой. В лихую минутку стеганешь гада.

Ватага только ахнула.

Варшава упругими шагами шел к «шкапинским» — внутренне он все уже для себя решил — кураж победил чутье, и победа эта подарит вору новые пять лет лагерей. Но он этого еще не знал и шел упруго и чуть картинно, лопатками чувствуя восхищенный взгляд мальчика. Сероглазого звали Артуром Тульским, и он был действительно счастлив. А рядом стояли Гога и Докука (в миру обычные школьники — Бычков и Лукша) и добавляли в бочку счастья свою боязнь попросить подержаться за подарок. У всех троих судьбы сложатся поразному, но странное дело эта сцена, как вор дарит лезвие бритвы, врежется в память каждого навсегда — как что-то очень важное и настоящее.

Начальнику УЩ-249/12
Майору внутренней службы
Шатило М.Т.

Рапорт

Довожу до Вашего сведения, что 7 ноября 1989 года ос.Лукша Анатолий Евграфович (Докука), 1956 г.р., отбывающий наказание по ст.144-3 и помещенный в ПКТ за злостные нарушения режима содержания, вскрыл себе вены неустановленным режущим предметом. После чего напустил в миску кровь из вскрытой вены, накрошил туда хлеб и съел эту «тюрю».

Самоистязание было прервано только при вызове наряда ДПНК. Ос.Лукше была оказана медицинская помощь в 21.45 силами санитара санчасти ос. Ольшанского.

Вследствие оказания неповиновения ос. Лукшой законным требованиям представителей администрации к нему были применены спецсредства.

Считаю целесообразным доложить, что вышеуказанные действия ос. Лукши не продиктованы прагматической целью — попасть в больницу. По оперданным, ос. Лукша стойко придерживается воровских традиций, и его выходка с поеданием собственной плоти — лишь способ устрашить администрацию учреждения.

Ос. Лукша в беседах с оперативными сотрудниками неоднократно заявлял, что работать он категорически отказывается и на «красной зоне долго не засидится».

Среди осужденных, не вставших на путь исправления, ос. Лукша является неформальным лидером, всячески мешает работе воспитательного и режимного отделов колонии.

Исходя из вышеизложенного, полагал бы поставить вопрос перед судом г.Ивделя об изменении режима содержания ос. Лукше с этапированием последнего в учреждение тюремного типа г. Соликамска.

Ст.оперуполномоченный УЧ-249/12
Ст.лейтенант вн.службы

Луценко В.В.

Газета «Советская Латвия»
от 21 августа 1980 года.

«Как были спасены
советские моряки».

...В минувшую пятницу на энской погранзаставе произошел случай, о котором сообщила наша газета. Отважные пограничники спасли в открытом море восемь советских моряков. Наш корреспондент встретился с отважными пограничниками. Они рассказали о том, как все произошло.

— Мы несли вахту в море, — начал свой рассказ капитан-лейтенант Борис Петрович Михеев. — ...Прозвучал сигнал тревоги, и мы, изменив курс, направились к месту, указанному в радиограмме... на волнах вверх дном плавала баржа... аварийная команда во главе с инженером капитан-лейтенантом Синицей немедленно начала спасательные работы.

...

Под воду пошел матрос Георгий Бычков — отличник боевой и политической подготовки, заканчивающий в этом году службу в погранвойсках. Одетый в легкий водолазный костюм, он уже был наготове и быстро спустился под воду. По веревке, привязанной к кубрику инженером Синицей, Бычков быстро добрался до цели. Так как женщина по-прежнему не хо-

тела выходить из кубрика, он снял с
себя кислородную маску и предложил
ей. Лишь после этого она согласилась следовать за ним и вскоре всплы-
ла на поверхность. Это была 24-лет-
няя Валентина Португкиде, мать трех-
летней девочки.

...

На рассвете вблизи потерпевших
аварию проходил транспорт «Кап-Ва-
ленте», принадлежащий ФРГ...

— *Как могли они не заметить бар-
жи? — удивляется матрос Георгий
Бычков...*

— *Очевидно, моряки этого транс-
порта не считали себя обязанными
помочь людям, попавшим в беду. Бес-
совестно это!*

Мы полностью согласны с Георги-
ем.

———

...Варшава не оглядываясь уходил со «шкапинскими» в подворотню, а Артур завороженно смотрел ему вслед, крепко стискивая в кулаке подарок
и не замечая того, что порезался. Артуру очень хотелось, чтобы Варшава оглянулся, но уже тогда, в
десять лет, он если не понимал, то чувствовал: уходя, нельзя оборачиваться...

ТОКАРЕВ

Октябрь 1976 г.
Ленинград, В.О., 15-я линия.

...После того как родители развелись, Артем Токарев ни разу не пожалел, что остался с отцом в коммуналке, а не с мамой в отдельной двухкомнатной квартире. Нет, маму он, конечно, любил, но с отцом было интереснее. Интереснее и уютней... И потом — мать все время говорила с ним, как с ребенком, а с отцом Артем чувствовал себя почти взрослым. После развода Василий Токарев обнял сына за плечи, посмотрел в глаза и серьезно сказал:

— Ну что, Темка, — вдвоем не соскучимся? Мы — мужики, нам легче, а мама — она еще молодая, ей жизнь устраивать надо... Чего под ногами путаться...

Одиннадцатилетний Артем понял все по-взрослому и быстро привык видеться с матерью раз в неделю-две. Навещая мать, он почему-то всегда чувствовал себя в ее квартире, как в музее, — хотя мебель там стояла современная «гэдээровская», а кухня — чешская. В их с отцом комнате дышалось намного легче, и этой легкости дыхания никак не мешал крепкий сталинский стол, дореволюционный диван и вовсе старинное истертое кресло, в которое не запрещалось прыгать даже с монстрообразного шкафа. Впрочем, детские игры в индейцев и буденновцев Артему надоели быстро — гораздо интереснее была работа отца, старшего оперуполномоченного уголовного розыска. По работе своей Василий Токарев сыну ничего специально не объяснял, но присматриваться не препятствовал и никогда не говорил фраз типа: «Ты еще маленький, тебе еще рано об этом знать», — на крайний случай обходился шутками, никак не давившими детское самолюбие...

Артему было хорошо. Он с интересом рассматривал истрепанный альбом со старыми фотографиями, который принес с работы отец. Токарев-старший присутствовал тут же — вместе со своим другом, напарником и совладельцем общей уборной в коммуналке Андреем Богуславским, который только в отделе кадров числился старше Василия — по должности и званию. Мужчины выпивали — повод был законный, Богуславскому сняли предыдущее взыскание и тут же — с интервалом в сутки — объявили новое. Артем еще не научился до конца понимать, почему отец и Андрей Дмитриевич на выговоры всегда реагировали добрее и веселее, чем на благодарности и награды. Может быть, потому, что взысканий было больше?

Начальнику Управления кадров
ГУВД Леноблгорисполкомов
Полковнику милиции
Матюшину А.Т.

Рапорт

Довожу до Вашего сведения, что 1.10.1976 года через заместителя начальника 7 отдела УУР Богуславского мною был вызван ст. операполномоченный 7 отдела УУР капитан милиции Лавров Е.В. для проведения съемок его на доску почета ГУВД согласно Вашему распоряжению от 26.09.1976 года.

В разговоре со мной начальник 7 отдела УУР Богуславский заявил, что «постарается найти Лаврова и убедить его в необходимости участия в столь важном для работы карманного отдела мероприятии». (привожу дословно). Тон Богуславского был явно издевательский. Также тов. Богуславский заявил о невозможности прихода Лаврова в парадной форме в связи с полным отсутствием таковой.

2.10.1976 года оперуполномоченный Лавров не явился в указанное время, чем не исполнил Ваше указание.

5.10.1976 года около 20.00 сотрудник Лавров случайно увидел меня в ресторане «Корюшка», где я с коллегами по работе отмечал юбилей уголовного розыска. Я, поздравив его, сделал замечание о халатном отношении к обязанностям офицера милиции. Сотрудник Лавров театрально подошел к нашему столику, самолично налил себе рюмку водки, выпил ее со словами: «За здоровье Вашего превосходительства! Ротмистр Лавров!». После чего взял со стола бутылку коньяка и удалился. На наше возмущение он по-хамски ответил: «Кыш!». При этом сотрудник Лавров еле стоял на ногах.

Прошу Вас принять меры к оперу-
полномоченному 7 отдела УУР Лавро-
ву за оскорбительное поведение по
отношению к старшему по званию и
должности, а также к заместителю
начальника 7 отдела УУР Богуславскому за попустительскую политику
в отношении подчиненного ему личного состава.

Зам.начальника
2 отдела УК ГУВД ЛО
Майор милиции
Чуриков Д.С.
6.10.1976 года

И Токарев-старший, и Богуславский, испытывая наркотическую зависимость от работы, пато-
логически не желали правильно выстраивать карьеру и отношения с начальством. Оба, не разговаривая много на эту тему, полагали, что есть в
жизни вещи намного более значимые. Постепенно Артем учился — нет, не понимать, а скорее чувствовать, — что они имели в виду.

...Однажды Богуславский притащил откуда-то
протоколы допросов одиннадцати сотрудников
Ленинградского НКВД, арестованных и расстре-
лянных в 1936-м за отказ выполнять секретное
предписание о возможности применения мер фи-
зического воздействия к подследственным. Почти
целую ночь Богуславский и Токарев читали вслух
эти протоколы и пили «во помин», не чокаясь. Артему эта ночь дала больше, чем год уроков истории в школе...

Артем вынул из альбома одну фотографию с надломом и щелкнул ею, как игральной картой, по необъятному ореховому столу:

— Отец... А почему у них лица такие... землистые и непримиримые?

Токарев-старший встрепенулся, оторвался от рюмки, в которой что-то разглядывал, и улыбнулся сыну:

— Нет, просто снимки три на четыре, шесть на восемь — это ж на туаменты. Знал бы ты, как эти строгие человеки любили жизнь, как чудили...

— Чудили ли? — ухмыльнулся Богуславский. — Эти-то вот?

— Але, дети на проводе, — попытался отодвинуть тему Токарев.

— Где дети?!! — поперхнулся последними недопитыми десятью граммами Богуславский. — Нет, а где дети-то?!! Вот это? Это уже не дети, это уже нормальные сволочи... Вась, ты б лучше рассказал наследнику, как надысь с лавсаном материю у жулья подмели...

— Уймись ты, — добродушно налег на плечо друга Василий Павлович.

— Батя, колись! — Артем возликовал и, поддев край отцовского пиджака, игриво перещупывая пальцами материал, приготовился слушать очередную историю, совсем не похожую на «следствие ведут знатоки».

Отец отмахнулся, но Артем наседал:

— Дядя Андрей! — попросил. — Подмогни!

— Отставить! — прихлопнул ладонью по столу Токарев-старший. — Сгоняй-ка лучше... Да найди слезу, не как в прошлый раз — аж волосы потом болели. «Бэхи» — черти, только параграфы штампуют по кельям, а то, что народ левой водкой травят — им до фонаря!

Артем вздохнул — но с ироничным достоинством — и «подорвался» в магазин. Съезжая по перилам (самое главное было — до первого этажа не коснуться ни разу ногой ступенек), он декламировал, словно пионерскую речевку выкрикивал:

— Впереди идет ОУР — вечно пьян и вечно хмур.

Следом движется ГАИ — всюду пьют не на свои.

Позади — БХСС, мягко спит и сыто ест.

А в конце — участковый уполномоченный — всеми...

Артем прервался, налетев на трещину в перилах. Проверил — не порвались ли штаны, потер задницу и со злостью рявкнул-договорил:

— ...Задроченный.

В магазин Артем бежал со всех ног, переживая, что без него взрослые начнут говорить про «самое интересное»...

А взрослые, пользуясь его отсутствием, заговорили как раз о нем:

— Слышь, Палыч, а Тема у тебя — успевай только раненых оттаскивать, — убежденно качал головой Богуславский.

— Да вижу, — с чуть деланой досадой согласился Токарев. — Харей, конечно, не показываю, но... Дерзости природной — через край... Ну, да это годы поправят.

— Или вправят, — невесело усмехнулся Богуславский. — Тут либо одно — либо все остальное.

Помолчали. Потом Токарев-старший вздохнул и попытался перевести разговор на другой уровень.

— Знаешь, я иногда жалею, что когда Темка работать начнет, такие, как Женя-физик, Кое-как и Варшава — останутся, конечно, на линиях, но... Но в то же время их как бы уже и не будет.

— Не понял, но тему поддержать попробую, — Богуславский насупил брови, поразмышлял несколько секунд, «догнал» и обиделся за своих «крестников»:

— Ишь, любимчики у него! А Шкварка, а Бултых?!. А... а Губоню — запамятовал?! Да Губоню в Сочи два поста наружки с четырьмя операми водили... Результат: пара срезанных кошельков! В оконцовке — хрен да лука мешок! Губоня за один перегон по два раза в сумки нырял!

Токарев странно покосился на друга и взял его за плечо:

— Да брось ты, Андрюха... Успокойся... Ты, ты его взял...

— Да я не о том, — отмахнулся Богуславский и замолчал, давя в себе вроде бы давно уже перегоревшую обиду.

Сгустившуюся над столом горечь легко разогнал своим появлением Артем, принесший пару бутылок «Столичной». С сомнением посмотрев на старших, он с видимой неохотой выставил добычу на стол:

— Ежели этого не хватит — тогда не то что волосы потом — и ногти заболят.

— И без сопливых склизко, — Токарев-старший не упустил возможность добродушно щелкнуть сына по носу. — Сбегал — и уже герой? Не по шерстке провели — так уже и взрослых строить? Ты характер-то попридержи, перед людьми неловко — что подумают-то...

— Ничего-ничего, — великодушно прощая Артему лишь намек на раздражение, махнул рукой Богуславский (словно поп из старого кино — грехи отпустил). — Я тоже начинал с «разрешите бегом?») — и тоже не всегда с радостью. Потом оценил. Для самого Черняховского бегал... Это тебе, брат, не кот чихнул.

— А кто это? — спросил Артем, залезая с ногами в старинное кресло. Щеку он подпер ладонью — чтобы слушать было удобнее.

— Черняховский? У-у, брат... Он — такая глыбища. Еще в НКВД начинал работать. Гениальный мужик. Ге-ни-аль-ный. Расскажу потом как-нибудь. Про него по трезвости рассказывать надо. Вот у кого тебе поучиться бы, отец Артээмий.

...Выдержка из автобиографии Черняховского Георгия Ивановича, написанной в 1983 году по просьбе сотрудников Музея милиции:

«...родился я в голодном 1923 году в Калуге, день и месяц потом уточняли, потому что вышла путаница.

...в 1945 году благополучно (легкое ранение) вернулся с фронта...

...До войны мечтал поступить на юридический факультет ЛГУ им. А.А.Жданова. Мечту в окопах не потерял. Успешно сдал экзамены в 1946 году. Как и многие — учился, работал.

...На третьем курсе по вульгарному доносу подонка Манова И.Ю. (ныне юрист крупного предприятия «Спектр» — не могу не уточнить) был арестован по ст.58-10 (за язык), осужден на 6 лет и отправлен в колонию.

Восемь месяцев и двадцать четыре дня провел за решеткой. Из них почти семь шел этапом в Нагаево и обратно — удивительно, но разобрались, извинились, реабилитировали, восстановили.

...на бесконечных пересылках и в трюмах, чуть ли не участвовал в сучьей войне... иногда думалось — легче вновь от Луги до Кенигсберга, чем...

...В 1952 окончил университет, попросился в НКВД. Снова, к моему изумлению, приняли на должность оперуполномоченного Куйбышевского райотдела. Еще силен был закал фронтовика, думал: многое могу исправить...

...В 1954 перевелся в уголовный розыск...

Артем хмыкнул:

— А я и так — если научусь половине вашего — генералом буду. Как Черняховский. Он же генерал?

— Кто? — удивился вместо того, чтобы закусить, Богуславский.

— Видишь ли, сын, — Токарев-старший также проигнорировал закуску и сильно втянул в себя воздух ноздрями. — Работенка наша и вышитые звезды — вещи почему-то не очень совместимые.

— Генералом?! — дошло наконец и до Андрея Дмитриевича, моментально осерчавшего. — Ты, эта, помочь, винти на территорию, там раздуга-дуга.

Выпили еще, успокаиваясь.

Токарев-старший закинул руки за голову, блаженно прищурился в потолок, будто вспоминал что-то очень приятное:

— Нет, даже жаль, что Варшава в лагерях. Куражу стало не хватать... И угорел ведь по-человечьи... Помнишь, как он мне тогда в Гостином коленом промеж ног?.. Убил бы тогда... У тебя из куртки выпорхнул и у нас же упер ее через пару дней из отдела... Вот ведь... Черт — жулье вагонное!

— Пап, да ты ведь им восхищаешься?! — подал голос из кресла затихший было Артем.

Богуславский нашелся раньше Токарева и по-профессорски отрезал:

— Своего героя надо любить, голубчик.

Артем хмыкнул со всезнанием молодости:

— Кто герой? Варшава-то?

Андрей Дмитриевич покрутил головой:

— Да не он герой... А жулик для сыщика должен быть героем, чукча! Не будешь его любить — как повадки узнаешь, как брать будешь, как доказывать — без нахаловки? Э-эх, что говорить...

— Да ладно, — инстинктивно встал на защиту сына Василий Павлович. — Ему четырнадцать — тебе нет, дотумкает.

— Дотумкает? Тогда переводи ему: ворвался законный вор в барак и семь сук топором зарубил! Давай!

— Вас, блатных, не поймешь! — Артем соскочил с кресла, радуясь, что понемногу начинает говорить на этом странном и таком красивом языке избранных, что уже чувствует уместность и органичность фраз, их внутренний смысл. Артем вышел в коридор, неплотно прикрыл за собой дверь. Из комнаты доносились обрывки былинных разговоров: «...корки... барабан... яма... по низу...». Подслушав, было трудно понять, о чем спорят эти два красивых человека.

На кухне его встретила старушка-соседка — Дарья Ивановна Панаева, про которую говорили, что она «еще из бывших». Как-то раз Артем заглянул к ней в гости в комнату, и пока Дарь-Ванна уходила на кухню ставить чайник — успел прочитать страничку в старой тетрадке, лежавшей открытой на столе. Артем почти ничего не понял, но с тех пор почему-то слегка побаивался старушку. Токарев-старший и Богуславский считали ее «сурьезным человеком».

«Из записной книжки Панаевой.

У русских точно по несколько жизней, раз они так легко ее отдают за царство нескольких сотен мерзавцев. Может, не у русских, но у советских? Все же у русских — куда денешь девятьсот пятый, оба семнадцатых.

14 декабря, 1941 год — я на год старше. Вокруг головы злющий нимб.

131 год назад на Сенатской ожиревшим от безделья не удалось разворовать империю.

Вошла в мир, когда уже миллионы нравственно самых здоровых мужиков резали друг дружку во имя процветания кафешантанов в трех-четырех столицах.

В двадцать лет только обрадовалась — полоумный Николаев попал-таки в плебейский затылок «нашего Мироныча»!

А-а-а — не долго... У них не поухмыляешься!

Кажется, навечно в Кокчетавской области, пгт Кзылту. Доросла до учительницы младших классов.

— *Молоденькие казахи, почему надо обожать старого грузина?*

Дико.

«КОКЧЕТАВПГТКЗЫЛТУ» — оно! Козлячье комиссарское арго.

———————————

— Господа офицеры гуляют? — светски поинтересовалась Дарья Ивановна. Артем молча кивнул, стесняясь, но совсем чуть-чуть.

— Ну что же, — старушка поправила очки. — Тогда будем пить чай. Полагаю, что это надолго.

Дарья Ивановна была человеком опытным, на жизнь смотрела трезво-философски и ошибалась редко. Не ошиблась она и в этот раз: «господа офицеры» еще раз сбегали, потом добили соседскую наливку, потом добрались до спиртовой заначки, которую не стали бодяжить водой. Ближе к ночи к ним за стол воткнулся еще один сосед — Пал Палыч, мудрый каторжанин, трудившийся последние восемь лет водителем трамвая, потерявший в свое время в тайге все зубы, но не жизненную энергию. Прозвище Пал Палыча — Рафинад — хорошо сочеталось со вставными железными зубами. Когда через некоторое время Пал Палыч побрел в туалет, то из одежды на нем были только застиранные «в ноль» синие треники и новенький капитанский китель Токарева. Два мента и бывший зэк долго еще что-то азартно бубнили друг другу, а закончилось все лирично-разудалым хоровым пением: «Па-а тундре, па-а железной дороге, где мчит курьерский «Ва-арр-ркута — Ленинград»!

К этому времени на кухню вышел еще один жилец коммуналки — начинающий профсоюзный работник товарищ Смоленков. Он возмущенно сопел, кривил губы, однако громко высказываться не решался — в прошлый раз уже высказался, ох и не под настроение попал...

Дарья Ивановна, видя его переживания, попыталась успокоить вслух (скорее себя, чем соседское невысказанное возмущение):

— Потерпи, партия и правительство, скоро уже угомонятся, по тексту определяю.

К финалу Богуславский, выходя из туалета, вышиб дверь вместе с защелкой, сам понял, что перебор, тут же обнял старушку и начал подлизываться:

— Елки-моталки, Дарья Ванна, не серчай, я с премиальных весь твой оконный укроп скуплю... А?..

— Позволю заметить Вашему Высокоблагородию, что Ваше Высокоблагородие несколько пьяны-с, — строго, по-учительски отрезала Панаева, но тут же, помягчав, добавила: — Завтра очухаетесь — гриб между окнами... Буденновцы...

— Имперский сыск! Не! Похмеляется! — рявкнул, как на баррикаде, Богуславский и нагнулся над раковиной, завертев в обе стороны медный краник. Холодная вода полилась ему на голову, он фыркал, как тюлень, и головой расшвыривал брызги по всей кухне. Освежающая процедура родила очередные ассоциации, и Андрей Дмитриевич затянул, не вынимая голову из-под крепкой струи:

— «Дождь нам капа-ал на рыла! И на дуло нага-ана!..»

Смоленков не выдержал наконец, по-дуэлянтски шагнул вперед левой ногой, взгорбил грудную клетку и пискнул:

— Товарищ Богуславский! Оправьтесь, вы же майор...

Богуславский затих. Секунды на две — столько понадобилось, чтобы завернуть кран.

— Перхоть штабная, — ласково сказал Андрей Дмитриевич и вдруг, растопырив жульмански пальцы и ссутулившись, попер на соседа: — «му-...усора окружили — Руки в гору! — крича-ат...»

Смоленков мгновенно забился в расщелину между шкафчиками, зачем-то схватив полотенце и инстинктивно им загораживаясь:

— Дарья Ивановна, ну вы-то хоть скажите... ему!

Панаева презрительно сморщила носик. Ее социально далекие глаза не выражали никакого сочувствия к репрессируемой партийно-хозяйственной номенклатуре. Травлю и глумление пресек вовремя появившийся Токарев-старший. Он ловко, будто и не пил вовсе, развернул друга лицом к коридору и потащил в комнату:

— Неправильный подход к снаряду! Все. Исчезаем. Мадам Даша — па-ардонте-с...

Богуславский не сопротивлялся, но по дороге в комнату начал горячим шепотом объяснять свое антиобщественное поведение:

— Нет, Вася, ну кто бы носом шмыгал?! Мне — красному командиру?! То-ва-арищ...

И у самых дверей комнаты вдруг заорал в голос — чтобы на кухне услышали:

— Да такие товарищи лошадь в овраге доедают! Укутайся в резолюцию, регламент!

А в комнате их поджидал сюрприз. Бывший зэк, а ныне вагоновожатый сидел на корточках на широком подоконнике, утонув в милицейском френче и заложив руки на затылок.

— Сильно, — сказал без особого, впрочем, удивления Токарев-старший. — Ты, Пал Палыч, хорошо бы смотрелся голым — но в пулеметных лентах. Окабанел, что ли?

— Слышь, вертухай, орать будешь — завалю! — по-совиному буркнул Рафинад.

— Ну все, приплыли, — вздохнул Токарев, удерживая одной рукой обмякшего Богуславского. — Занавес, граждане — товарищи и господа!

Вскоре коммуналка затихла.

Артем долго не мог уснуть, ворочался, потом встал, подошел осторожно к столу и вынул из висевшего на стуле отцовского пиджака красное удостоверение — в свете уличного фонаря оно казалось темно-бордовым. Он считал годы, когда ему дадут такое же, с каллиграфически выведенной тушью должностью «оперуполномоченный уголовного розыска». Годы не торопились, и пока что Артем, стесняясь, тайком перечитывал отцовское удостоверение. Ему так хотелось быть таким же, как отец, что он даже досадовал на свою внешность, в которой было больше от матери: карие глаза и темные волосы и нос с легкой горбинкой — против веселой отцовской зеленоглазой курносости — разве же это внешность для будущего опера? Впрочем, эта разница в чертах лица съедалась забавной идентичностью походок и вообще манеры двигаться, так что окружающие часто лили Артему бальзам на сердце: «Копия отца, ну просто копия...» Токарев-старший тоже балдел от таких утверждений.

Артем любил рассказывать одноклассницам услышанные от отца и Богуславского истории об удалых налетчиках — про Юнкера, про Два нагана, любил показывать им в трамваях и троллейбусах щипачей... Когда его недослушивали, он страшно обижался, хотя и не показывал виду. Впрочем, однажды парень из старшего класса, услышав обрывок очередной байки, попытался съязвить по поводу отца. Красный, как пожарная машина, Артем сбил левой боковой сваей обидчика с ног, и тот несколько дней не показывался в школе. (Токарев-старший привел сына, когда ему исполнилось двенадцать, к Юрию Евгеньевичу — хорошему тренеру по боксу, и удар у Артема был поставлен правильно...)

Артем положил удостоверение обратно в пиджак, поправил одеяло на разметавшемся во сне на узкой кровати отце и вернулся на свой диван. Улыбаясь от воспоминаний минувшего вечера, он не заметил, как заснул...

ТУЛЬСКИЙ

Март 1978 г.
Ленинград, Васильевский остров.

...Варшава стоял, прижавшись спиной к стене дома на углу 12-й линии и Среднего проспекта и дожигал последней затяжкой окурок. Пять лет последней отсидки мало что изменили в его внешности и повадках — стороннему наблюдателю могло показаться, что нестарый сухощавый мужчина просто праздно щурится на слабое еще мартовское солнышко, а вор между тем лихорадочно просчитывал варианты помощи бывшему сокамернику. Сокамерника прозывали Кое-Как, и его только что с поличным взяли опера «на кошельке». Возможность помощи стремилась к нулю. Откуда-то слева под локоть Варшаве вывернулся Артур и, ожидая от вора хотя бы легкой тревоги, выдохнул:

— Тепло!

— Из носа потекло, — прокомментировал внешне спокойно ситуацию Варшава. Ловить было нечего. Артур повел взглядом: зажатый операми Кое-Как «уводил себя из весны», отчаянно сохраняя достоинство. Вариант был один — рвануться и попробовать на характере передышать сотрудников в проходняках. Но тут из рыбного магазина выскочил третий опер, довольно улыбаясь, а четвертый уверенно вел под локоть женщину, которая растерянно и громко объясняла неизвестно кому, что она пережила и перечувствовала за последние десять минут. Оперативник, в котором Варшава с тоской узнал Витю

Андреева, потерпевшую, разумеется, не слушал, но поддакивал и настойчиво вел под руку в нужном направлении.

Взгляд Кое-Как пометался и начал гаснуть, видно было, что заняли его мысли приземленные, как коврик у двери: сколько денег в кармане, дадут ли позвонить до КПЗ, как скоро кореши передадут сидор в изолятор. Дорога привычная, но все равно — тоскливая, и солнышко — не в настроение.

Несколько секунд поджавшийся Артур напряженно смотрел на происходящее, наконец спросил, как выдохнул:

— Отобьем?

— Себе ребра, — по-товарищески сокрушенно вздохнул Варшава. Безнадежная решимость Артура его обрадовала, но она была тем малым хорошим, что всегда есть в большом плохом.

Артур несогласно мотнул головой.

— Не бывает так... ну, чтобы ничего.

Варшава хмыкнул и посоветовал без злости, а лишь с ироничной умудренностью взрослого:

— Вот про енто и распишешь к майским в школьном сочинении — как бороться и искать, как найти и не сдаваться...

Артур промолчал, внутри него нарастала куражливая дрожь — так копится энергия для поступка. Варшава чувствовал изменяющуюся энергетику, но молчал.

Из ниоткуда вдруг возник и стал протискиваться специально между ними балагур и драчун Гоша:

— И что вы между мною вертитесь? — специально по-одесски весело поприветствовал он знакомых.

— Гога, пару слов! — жесткой интонацией Артур мгновенно погасил игривый настрой приятеля. Георгий посерьезнел:

— Где что не так, где маленьких обидели?

Тульский мотнул головой:

— Огрызнуться и пару зубов выплюнуть — есть настроение?

— Александровские, что ли, опять напутали? — «догадался» Гоша. Артур быстро развернул его за плечи в нужном направлении и зашептал торопливо:

— Сфокусируй — Кое-Как с ментами... Въехал? Без рукопашной. Обгоняем. Ты — немой. Делаешь, как я. Тереть некогда.

Гога кивнул, не думая:

— Ну, Тульский, будем тонуть — без тебя не захлебнусь. Поперло!!!

И вдвоем они с места рванули через проходные.

До оставшегося на углу вора долетели обрывки выдохнутых на бегу фраз:

— Если тонуть, Гаврюша, то лучшая позиция — рыбья. За группу — больше дают.

— Не учи моченого!

— Не тявкай.

Варшава задумчиво посмотрел им вслед, вздохнул и побрел на 5-ю линию к знакомому банщику, в прошлом имевшему прозвище Есаул — из-за кавалерийской осанки и постоянно снисходительного тона.

Жизненный опыт показывал Варшаве, что в лучшем случае он увидит ребят к вечеру — в синь избитых.

— Ничего, — сказал вслух вор, давя в себе переживания, — мусора в грунт втопчут, но ведь не покалечат...

Между тем Артур и Гоша, промчавшись по лабиринту проходных дворов (на Васильевском надо родиться, чтобы не блуждать в проходняках), осторожно выглянули из подворотни метрах в пятидесяти перед оперативниками.

Артур чуть шатнулся назад за смятую постоянными пинками молодежи водосточную трубу и выровнял дыхание.

— Все, Гога, не дыши.

Чинно и благородно они вдвоем не спеша вырулили на улицу.

...Кое-Как, уже приняв свершившееся за факт, не особо сопротивлялся, но куражился вовсю, смущая и сбивая с панталыку интеллигентски-рефлексирующую потерпевшую:

— Дамочка, вы обратите внимание — получается-то как: кошель якобы я взял, а топорщится он почему-то в левом кармане гражданина начальника!

Витя Андреев действительно подобрал скинутый кошелек за сиденьем в трамвае и сунул себе в брючный карман, и тот купеческой мошной обвис чуть выше колена. Если бы Кое-Как резанул сумку у рыночной торговки — она бы нашлась, как ответить, но сейчас Андреев придерживал за локоток особу воспитанную и думающую, работать с такими потерпевшими было и проще, и сложнее — нравственность, она штука тонкая.

— Игорек, у-го-мо-нись, — по слогам выговаривал Витя Андреев, но Кое-Как угомониться не желал:

— Не надо! Я, может, желаю гимн Родины... Граж... — Тычок под ребра заставил его поперхнуться.

Оперативник Жаринов без злости, с одним лишь только мудрым провидением негромко предупредил:

— В камере с махрой — остро, не скули потом.

Кое-Как не внял и снова заблажил:

— Гражданочка, нет, вы заметьте: как придем, вы — писать, чего не видели, а деньги ваши выкрошат из меня. Вы, я вижу, университет... Ах ты ж!.. — Кое-как согнуло от боли в вывернутом указательном пальце. Жаринов укоризненно покачал головой.

Потерпевшая между тем смущенно думала о том, что кошелек действительно украл вот этот вот мазурик, хотя она и впрямь ничего не видела. Запомнила лишь давку и потом — рубашку сотрудника, выскочившую из брюк, когда тот ползал между сиденьями и искал кошелек. Потерпевшей было неловко, все эти люди вокруг — и опера, и карманник были явно беднее и неустроеннее ее. Она бы с удовольствием отодвинулась ото всей этой ситуации в сторону, но — как оскорбить защитников? Из-за нее ведь старались...

Артур и Гоша, скроив лица начинающих пионервожатых, вплотную приблизились к живописной группе.

— Ага, доблатовался! — обрадовано воскликнул Артур и, поняв, что употребил не очень комсомольское выражение, тут же повернулся к Гоше:

— Михаил, я же тебе говорил — ворюга — а ты: просто тряхнуло, кошелек сам вывалился...

Гоша неопределенно кивнул.

— Ну вот, Игорек, — мгновенно среагировал Андреев, торжествуя от удачи. — Случайно и свидетели наклевываются!

Вор, узнав ребят, весь подобрался, готовясь к свалке.

— Ребята, вы понятыми поприсутствуете? Тут рядом, — спросил Жаринов.

— Обязательно, — кивнул Артур и вцепился в локоть Кое-Как. — И довести поможем. А то — как людей грабить, так артист, а как «здравствуй, милая моя», — так и растерялся.

Карманник скосил глаза, ожидая сигнала, но Артур несколько раз успокаивающе незаметно сумбурной азбукой Морзе прожал ему локоть.

Ничего не понимая, Кое-Как молча поплелся дальше. Гоша, чувствовавший себя полным дебилом, жизнерадостно улыбался всем подряд.

До дежурной части добрались без приключений. Переступая знакомый порог, Кое-Как поднял голову и процедил в пространство:

— Терпила хуже мента...

Потерпевшая, на которую вроде бы уже перестали обращать внимание, вздрогнула и нервно сжалась. Услышанную фразу она поняла не до конца, но ей стало неприятно и тревожно — пахнуло вдруг чуждой и недоброй верой, совсем незнакомым ей злым миром.

— О! Привели касатика! — привычным приветствием, без особого злорадства встретил всю компанию дежурный.

Жаринов вместо ответа попросил его вызвать следователя. В коридоре отдела уголовного розыска группа развалилась — Андреев, отечески обнимая потерпевшую, повлек ее в отдельный кабинет для написания заявления. Жаринов завел понятых Артура и Гошу и напряженного от непонимания ситуации Кое-Как в свои хоромы.

Когда все расположились, Жаринов, насвистывая веселый мотивчик, шлепнул кошелек, который забрал у Андреева, на стол и начал, практически не думая, составлять акт изъятия. Гоша назвался Михаилом Ивановым, Артур —Валерием Карповым.

— Ну что? — Жаринов поднял голову от листа и переспросил на всякий случай: — «Гражданин Перевозников пояснил, что кошелек сотрудники милиции подбросили ему при задержании, от подписи отказался»?

Кое-Как важно кивнул. Когда «понятые» расписались в акте, Жаринов разулыбался, потер руки и поинтересовался у карманника:

— Все правильно? Чего притих-то?

— Контора... Рупь дадут, а два запишут, — пожал плечами Кое-Как.

— Полностью разделяю, — ханжески закивал головой Жаринов, поднялся из-за стола и приглашающе повел рукой. — Маэстро, пожалуйте в пердельник-с!

Выводя Кое-Как в коридор, опер обернулся к «понятым»:

— Ребята, подождете немного? Я — быстро.

— О чем речь! — великодушно согласился Артур. Гоша изо всех сил сдерживался, чтобы не заржать.

Ведя задержанного по коридору, Женя Жаринов по-доброму подколол его:

— Ну что? Запахло кедровой делянкой?

— Да уж зашлете, — процедил жулик. — ...Где летом холодно в пальто.

— Обиделся! — хмыкнул Женя. — Так не я лес сажал.

— А я пилять его не собираюсь! — гордо вскинул подбородок Кое-Как — словно князь, ведомый на расстрел большевиками.

Через короткую паузу из Жариновского кабинета осторожно вышли «понятые». Артур уносил на груди кошелек, Гоша — акт изъятия...

Отведя Кое-Как в «аквариум», Жаринов в самом добром расположении духа вернулся. Кабинет был пуст.

— Ага, — сказал Женя и, перестав насвистывать, заглянул в кабинет к Андрееву. Тот что-то горячо говорил потерпевшей. Компанию дополнял их третий напарник — Арцыбашев, вольготно разлегшийся на убитом диване (предварительно он, правда, испросил у дамы разрешение. Некоторое время Арцыбашев даже стеснялся закидывать ноги в ботинках на спинку, но быстро освоился.)

— А... куда понятых дели?

Арцыбашев открыл правый глаз:

— Так дежурный следак вроде приехал...

Женя кивнул и тихонько прикрыл дверь. Постояв в коридоре и потерев виски ладонями, он начал дергать дверные ручки всех кабинетов подряд. На последней двери Жаринов психанул и в свою комнату влетел уже злой, как черт. С досады Женя подсек рукой бумаги на столе — привыкшие, они устало слетели на пол. Жаринов сел на стол и закурил. Тут же встал, начал собирать листы. В кабинет постучали. С последней дикой надеждой Женя метнулся к двери: на пороге стоял опер из квартирного отдела. Надежда выпала из рук вместе с бумагами, разлетевшимися теперь уже по коридору. Квартирный опер, с ходу прочувствовав настроение, стал помогать — больше комкая, чем собирая листы:

— Что? Опять не слава Богу?

Женя сглотнул с усилием ком в горле:

— Через мою проходную только что вынесли семиметровую трубу...

Опер, не удивляясь (в УРе вообще редко удивляются), посоветовал:

— Тогда — гони за вазелином.

Пару бумаг им помог поднять с пола какой-то незнакомый дядька, видимо, кем-то вызванный в ОУР. Жаринов, забирая у него листы, строго сощурился:

— Так... Сов.секретно... Ознакомился?!

— Так ведь... Я же — случайно... — сконфузился посетитель.

— Слу-уча-айно... Случайно срок с пола поднимают! Это же... Это же — «перед прочтением — съесть». Эх ты, бедолага... Загубил жисть.

Посетитель дико глянул на оперов и метнулся куда-то по коридору. Жаринову немного полегчало. Выждав еще на всякий случай минут пятнадцать, Женя зашел в кабинет напарников. Андреев и Арцыбашев пили пиво. Потерпевшей тоже предлагали, но она деликатно отказывалась, с натянутой улыбкой слушая бред о безопасности личного имущества, излагаемый Арцыбашевым. Женщина пыталась выбрать момент, чтобы сказать: «Извините, я могу идти?» — но все никак не могла решиться. «Выручил» ее Жаринов:

— Вера Андреевна! Вы будете смеяться, но понятые сбежали — с вашим же кошельком.

Андреев поперхнулся пивом, Арцыбашев заготогал, но тут же заткнулся.

— Как же так случилось? — спросила потерпевшая, скорее желая как-то заполнить нехорошую паузу, чем услышать ответ.

— Ну, так... Магнитная буря — каромультук называется. Можете жаловаться.

Вера Андреевна встала и неуверенно пошла к двери. Ее никто не останавливал.

— Я не собираюсь... Я все видела... Зачем вы так? Я — пойду?

— До свидания. В голову не берите, Вера Андреевна, бывает...

Андреев поскреб в затылке и крякнул:

— Так, всем постам — отбой... Жень, веди сюда Кое-Как — поворкуем...

...До карманника случившееся дошло не сразу, но когда все-таки дошло, то он гордо парировал обращенный к нему длинный текст Жаринова одной-единственной, но емкой фразой:

— Делов не знаю.

После чего замкнулся с видом оскорбленной добродетели. Крыть было нечем, и Жаринов пошел провожать Кое-Как на улицу — волю.

Вдохнув свежий воздух свободы, жулик посмотрел на хмурое лицо опера и с суровым пониманием, что «наши козыри», произнес:

— Евген! Я — мазурик отошедший... Может, хватит мучить друг друга? Вот, как солдат... — тут Кое-Как хрюкнул, — ...солдата прошу! Мы ж с тобой — с одного года в системе Эм-Ве-Де...

И так это он душевно сказал, что Жаринов не выдержал и рассмеялся, подобрев лицом:

— Ладно... Чапай, от греха.

Кое-Как светски наклонил голову:

— Водка кончится — заходите в «Бочонок». Мы наверняка там праздновать будем.

Опер хмыкнул:

— Еще скажи, что нальешь!

Карманник пожал плечами:

— Во церемонии! У меня монета кончится — ты угостишь.

— Ага... девок снимем — в кабинет ко мне поведем?

— А что у тебя — вагон для некурящих?

— Нет... Я представил картину маслом: мы, вы, тетки, вино-колбаса и... внезапная проверка из главка.

Кое-Как покрутил носом и прищурился:

— И что? Во-первых, временно ты будешь очень известен. Во-вторых, и обо мне слух до чистопольской крытки дойдет. В-третьих, через пару лет где-нибудь в пермских лесах: я на поселке, а ты — прапорюгой при женской бане. Смяшно будет...

— Обхохочешься, — кивнул Жаринов. — Убедил. Обормотам этим передай... А, ладно, ничего не говори. Свидимся. Бывай.

В отдел Женя вернулся почему-то с неплохим настроением. К нему тут же заглянул уже знавший ситуацию замнач ОУРа.

— Ну? Докладывай!

— Ну, не прокатило, — Жаринов вздохнул и развел руками:

— При чем здесь — «не прокатило»? — начальство с трудом давило в себе смех.

Женя рванул рубаху на груди:

— Ну не было презервативов, когда мои родители познакомились!

— Понесло, — начальник махнул рукой и забыл об инциденте. Оперов своих он понимал и любил.

Из письма Веры Андреевны Яковлевой подруге:

...без историй я не могу прожить и недели: недавно в трамвае у меня вытащили кошелек. Жулика схватили почти сразу! Долго рассказывать — интересные и грустные впечатления, но двое молодцов из их шайки вызвались понятыми и из кабинета в милиции унесли и мой кошелек, и какие-то протоколы! Карманника, думаю, отпустили. Я уже дома почувствовала: а ведь лихой сюжет!

Ирина, ты накинешься, что я поэтизирую, ничего не вижу вокруг, но они мне все безумно понравились.

И еще. Если большинство ворует по чуть-чуть, прикидываясь «честными», то лишь единицы сделались настоящими ворами. Но в том-то вся и «штука», что — «настоящий» в данном случае синоним «честный»! Ира, ведь он морально чище, чем работяга, чем партийный функционер, которые тоже тащат, но при этом делают вид, что «строят социализм»...

...А в «Бочонке» вечером действительно отмечали. Гоша и Артур смотрелись именинниками, Кое-Как по пятому разу рассказывал о своих переживаниях, пиво лилось рекой, водка — ручейками. Варшава сидел рядом с Артуром и, казалось, думал о чем-то своем, улыбаясь невпопад. Когда Гога на бис начал изображать всю историю в лицах, Варшава положил ладонь Тульскому на затылок и заглянул в глаза:

— А ты — вырос...

Вор хотел добавить еще какое-то слово, но в последний момент поперхнулся.

ТОКАРЕВ

Май 1978 г.
Васильевский остров

... Артем откровенно маялся за партой, не слушая учительницу, проводившую урок-консультацию перед экзаменом за восьмой класс по алгебре и геометрии. С алгеброй у Артема было в общем-то все в порядке, на крайний случай он надеялся на помощь сидевшей перед ним Ани — круглой отличницы. Так что экзамена Токарев не боялся, на доску не смотрел, а поглядывал из окна на бульвар — там деревья уже шелестели призывно молодой листвой. Артем решал про себя более сложную задачу, чем алгебраическую, — пригласить Аню после занятий в кино или так — погулять. Финансовое состояние голосовало за «просто погулять». Но «просто погулять» уже было, и к тому же в темноте кинозала как-то проще перейти к более активным действиям... Вдруг Артем насторожился, почувствовав смутное беспокойство. Сфокусировав взгляд, понял, что зацепило его внимание: у скамейки на бульваре напротив школы сконцентрировались трое явно блатных — постоянно крутясь у отца на работе, Токарев-младший уже научился по внешнему виду выделять эту категорию граждан почти безошибочно. Подперев для удобства щеку рукой, Артем стал с интересом смотреть за троицей — словно по телевизору фильм хороший начали показывать. Разговор ему, разумеется, не был слышен. Между тем разговор происходил достаточно любопытный...

На скамейке сидел квартирный вор по прозвищу Присяга, а к нему подошли налетчики Жора-Тура и Тельняшка, широко известные в узких кругах. Присяга, кивнув подошедшим, неторопливо, с достоинством первым протянул руку. Жора, однако, свою не подал, лишь «по-фюрерски» вскинул вверх правую ладонь. Тельняшка же, чтобы избежать рукопожатия, начал рыться в карманах брюк, якобы ища спички, а потом обернулся к проходившей мимо пожилой женщине:

— Бабусь! В твоих кутулях спичек нет?

Женщина, не отвечая, ускорила шаг.

Присяга дернул бровями, медленно убрал так и не пожатую руку в карман, передвинулся на край скамейки. Расслабленность мгновенно ушла из его позы. Жора присел рядом с ним, уперев локти в колени и чуть косясь на руки соседа. Тельняшка опустился напротив них на корточки — по-арестантски. Какое-то время молчали. Потом Жора закурил и выдохнул вместе с дымом:

— Макая химический карандаш в Баренцево море, Аврора мне отписал за рыжье. Интересуемся: сам отдашь, али сбегать куда?

Присяга стал еще более напряженным, но головой покачал легко:

— Жора, ты человек уважаемый, но пока это — одни слова — козыри.

Тельняшка, медленно и тягуче сплюнув себе под ноги, с нехорошей улыбочкой поинтересовался:

— За кого себя держишь, если маляву каторжанина под сомнение берешь?

Присяга вопрос значительно более молодого по возрасту Тельняшки демонстративно проигнорировал, и скривив рот, бросил второму:

— Ну, так передай повестку?..

Жора-Тура кивнул и ехидно согласился:

— Это я мигом, всегда ж со мной.

Присяга поднял плечи:

— Через пару дней твое предложение качнем — при всех.

Жора несогласно цыкнул зубом и встал:

— В городе отсвечивать не хотелось бы.

— Что так? — усмехнулся Присяга. — Погода душная?

— Потею, — еле сдерживая себя, кивнул Жора-Тура.

...Наблюдавший эту сцену из окна класса Артем пробуждающимся инстинктом охотничьего щенка почувствовал, как изменилась и загустела энергетика вокруг скамейки на бульваре. Волнами пошедший в кровь адреналин окончательно погасил все звуки в классе. Да и самого класса уже как бы не было — была только скамейка на бульваре и трое сжавшихся, как пружины, блатных...

...Тельняшка между тем выдвинул еще один аргумент:

— Вчерась на съемной хате хипеш с шухером нарисовались...

— Мои соболезнования, — ответил в пространство Присяга. — Но! ...без общего мнения ничего не верну. Пару дней.

Тельняшка опустил голову, снова сплюнул себе под ноги и сказал в землю:

— Крыса хуже опущенного...

Присяга чуть вздрогнул, но сжал зубы и встал со скамейки медленно и спокойно, не вынимая, правда, правой руки из кармана. По его ощерившемуся лицу было видно, что произнесенные слова он запомнит...

...Артем Токарев, не отрывая взгляда от скамейки на бульваре, как лунатик, начал выбираться из-за парты. Удивленно оглянулась что-то писавшая на доске учительница...

...Присяга процедил, почти не разжимая зубов:

— Каждый волен поступать, как посчитает нужным. А язык ты зря замарал. Не бережешь себя. Совсем.

На Тельняшку он по-прежнему не смотрел, тот, не поднимаясь с корточек, прошипел:

— А не опасаешься...

— Попробуй, если получится!

В этот момент Жора-Тура вдруг улыбнулся и примиряюще махнул рукой:

— Ладно, ладно... Будь по-твоему...

И протянул первый Присяге руку, словно решив все-таки хоть попрощаться по-человечески. Не ожидавший такого быстрого изменения в его настроении Присяга вынул из кармана руку. Жора крепко стиснул ее:

— Может, твоя правда...

Быстро сориентировавшийся Тельняшка, по-прежнему не вставая с корточек, начал пальцами смахивать пыль с ботинок Присяги:

— Ну, извини, все ж на нервах.

Присяга брезгливо опустил взгляд на его затылок, не понимая еще, что уже попался в ловушку. Через мгновение Тельняшка резко качнулся вперед и с глухим внутренним подвывом крепко обхватил руками колени вора, одновременно кусая его за бедро. Присяга зашипел и левой рукой ухватил его за волосы, отчаянно пытаясь выдернуть правую руку из Жориной клешни. Ему не хватило доли секунды — Жора выхватил что-то из-под пиджака и, пряча удар, прильнул всем телом к недавнему собеседнику. Присяга, дернувшись, успел обнять Жору за плечи, и они вместе осели на скамейку. Еще через секунду Жора и Тельняшка, не сговариваясь, молча побежали в разные стороны. На сучившего ногами вора они ни разу даже не оглянулись...

Токарев с грохотом распахнул окно и, пользуясь тем, что класс располагался на первом этаже, выпрыгнул на улицу. Инстинктивно Артем выбрал из двух более щуплого Тельняшку и побежал за ним, видя только спину убегавшего. Молодой налетчик погони не видел, но, ощутив опасность лопатками, шмыгнул в подворотню. Артем, перед тем как броситься туда же, остановился и выровнял дыхание. Быстро огляделся — рядом никого не было, но он словно услышал сказанные когдато отцом слова: «Запомни, сын, осмотрительность и осторожность — эполеты храбрости»... Артем схватил с земли большой грязный кирпич и тут же отбросил его в сторону, вытирая руки...

Во двор Токарев зашел медленной походкой праздно гуляющего. Двор был пуст.

Озираясь, Артем заметил в окне первого этажа пожилую женщину, напряженно смотревшую на него. Знаком быстро показал ей, мол, звоните, звоните скорее. Женщина кокетливо кивнула и поспешила вглубь комнаты к телефону. Старушку звали Кристиной Сельмовной Лиймата, она была дочерью финна и армянина, доживая свой век, она постоянно от скуки звонила дежурному отделения милиции — там ее все знали, как местную достопримечательность и особо бдительную гражданку. Дозвонилась она на удивление быстро и, понизив голос, поинтересовалась в трубку:

— Товарищ Вуоксов?

На другом конце провода дежурный устало вздохнул и ответил:

— Нет, Кристина Сельмовна, это товарищ Воксов. А Вуокса — это река, которую мой папа отобрал в тридцать девятом у вашего папы!

— Сейчас вам не тридцатые! Поприжали гэпэушников-то! — заверещала в трубку гражданка Лиймата.

Дежурный вздохнул еще более обреченно:

— Кристина Сельмовна, нам сюда иногда и другие граждане звонят. Давайте побыстрее. Что опять у вас стряслось?

Старушка от возмущения аж притопнула ножкой в войлочном тапке:

— А вы меня не понукайте! Я блокадница, ветеран! У нас, слава Богу, Советская Власть!

На том конце раздалось хрюканье, одновременно напоминавшее и смех и плач, но дежурный быстро взял себя в руки:

— Я сейчас интернационал спою! Что случилось?!

Кристина Сельмовна шмыгнула носом и через секундную паузу призналась:

— Я забыла... Ты, Вуоксов, меня специально запутал.

Дежурный с тихим воем положил трубку...

...Между тем Артем, не зная о развертывавшейся за окном драме, вышел на середину двора, расставил широко ноги и свистнул, задрав голову. Никто не отреагировал. Выждав немного, Токарев заорал, кося глазом по парадным:

— Эй, Наташка! Горю!

Дверь парадной напротив медленно, со скрипом, открылась и оттуда вышел Тельняшка. Губы его были испачканы свежей кровью — потому как Присяге в бедро он вогнал свои клыки достаточно глубоко. Токарев как-то интуитивно понял, чья эта кровь, хотя сам процесс кусания почти не видел — и от этого понимания ему стало знобко, страх начал парализовывать волю, и мальчишке понадобились почти физические усилия, чтобы порвать паутину ужаса и придать лицу глуповато-добродушное выражение.

— Во! — обрадовался Артем, двигаясь ему навстречу: — Дал бы пня сестре, а то она...

— Обознался, гимназист! — хмыкнул налетчик. Расстояние между ними стремительно сокращалось. Тельняшка начал что-то понимать и, увидев спортивную фигуру Токарева, быстро сунул руку в карман. На расстоянии удара блатарь резко швырнул школьнику в лицо горсть грязи и песка. Артем опоздал зажмуриться и ударил левой вслепую... Ему повезло — он удачно попал в челюсть... Отскочив и протерев глаза, проморгавшись, Токарев увидел, что Тельняшка сидит на асфальте, переживая нокдаун.

Быстро оценив обстановку, Артем понял, что через несколько секунд противник придет в себя.

— Ах ты... Глаз высосу!

Тельняшка начал привставать, упираясь в асфальт ладонями, но левый апперкот и правый боковой лишили его сознания окончательно — налетчик упал, сильно ударившись затылком об асфальт, и замер...

...Кристина Сельмовна, пронаблюдав этот бой из окна, снова бросилась к телефону. На этот раз она решила звонить не дежурному, а по «02».

— Милиция, служба «02».

— Во дворе дома номер 68 по Пятнадцатой линии бандиты убивают и раздевают людей. Прямо сейчас! Обратите внимание, часы показывают 11.45! Не таежная ночь! А дежурный 16-го отделения милиции Вуоксов категорически отказывается регистрировать и пугает сталинскими репрессиями...

...Через несколько минут дежурному 16-го отделения Воксову позвонил дежурный РУВД:

— Воксов, что, не можете задницу приподнять? Слетайте в 68-й дом по Пятнадцатой. Заявка пришла через «02», на контроле! Все!

Воксов обреченно вздохнул, повесил трубку и, закусив губу, сказал помощнику:

— Отправь наряд во двор к Лиймоте!

Помощник пожал плечами и начал вызывать наряд по рации:

— Ладога-4, Ладога-4, ответь... У нас заявочка...

Телефон зазвонил снова. Воксов посмотрел на него затравленно и гаркнул:

— Герой Советского Союза! — снял трубку и договорил: — старший лейтенант Воксов, дежурный 16-го отделения!

— Ну что, Вуоксов, — спросила Кристина Сельмовна, — начальство шею намылило?

— Понижен в звании и отстранен, — признался дежурный.

— Отлично! Процесс...

— Процесс движения за укрепление сотрудничества с заявителями?

— Не хамите! Вы скоро прибудете?

— Через 14 секунд! Впереди следует пожарная машина!

С удовлетворением услышав короткие гудки, Воксов, не кладя трубку на аппарат, обернулся к участковому, проводящему с каким-то ханыгой воспитательно-профилактическую беседу:

— Серега... У твоей жены первый муж в КГБ работает... Спросил бы у него — может, есть какое-нибудь антифинское подполье в Питере. Я бы примкнул. Взносы бы платил регулярно. Адресочек интересный мог бы им черкануть...

Участковый не понял, в чем дело, и, встряхивая гопника за воротник, буркнул:

— Какое, в жопу, КГБ?.. Ты, урод! Долго еще безобразить в своей коммуналке будешь? Долго будешь двери ломать? Сгною в Сибири!

Ханыга заверещал:

— Сергей Сергеевич, я не хотел... Случайно ручка от двери отвалилась, знаете, как у нас все делают — наверное, в конце месяца план гнали... Я завтра же в Лупполово уеду шабашить, ну ее к дьяволу!

Услышав слово «Лупполово», Воксов озверел и, выскочив из-за стола, схватил коммунального скандалиста за грудки:

— Серега, да он же финн!

— С какого перепугу? — удивился участковый, но Воксова было уже не остановить — запихивая гопника в «аквариум», он довольно сопел и приговаривал:

— Не финн, так карел! Я тебе покажу Лупполово!..

Главному инспектору
Гону МВД России
Генерал-майору
Урченко В.Н.

РАПОРТ.

Докладываю, что заявление гражданки Лиймата К.С. (исх.№ М-3125 от 15.07.02), проживающей по адресу г. Санкт-Петербург, 15 линия, дом 68, квартира 87, по фактам преследования ее со стороны банды сотрудников органов внутренних дел и прокуратуры, направленное на Ваше имя, рассмотрено.

Лиймата К.С. зарегистрирована по вышеуказанному адресу, в отдельной однокомнатной квартире. Ранее она неоднократно обращалась во все возможные инстанции с жалобами, носящими бредовый характер, на то, что «организована охота» как за ней, так и за ее квартирой. В мае 2002 года в Василеостровском РУВД было рассмотрено очередное ее заявление, адресованное начальнику ГУВД Санкт-Петербурга и Ленинградской области в связи с «бандитским разгулом работников МВД и посягательствами на ее квартиру». Были тщательно изучены аналогичные, ранее поступившие ее заявления на имя Министра МВД РФ — вх. № М-87 от 11.02.02 г., на имя губернатора Санкт-Петербурга — вх.№ М-200 от 01.04.02. г., в

ПВС ГУВД СПб и ЛО — вх. М-86 от 11.02.02 г., в 16 отдел милиции — вх.№ 398 от 2001 г., вх. № 405 от 2001 г. В ходе проводимых проверок указанные факты не нашли своего объективного подтверждения.

Могу дополнить, что я лично знаю гр-ку Лаймата с 1977 года как склочницу и интриганку.

В связи с чем 15.05.2002 г. было проведено заседание постоянно действующей комиссии УВД Василеостровского района Санкт-Петербурга по работе с письмами и заявлениями граждан, где было принято решение в соответствии с п.3.34 Приказами МВД РФ № 790-00 г. считать дальнейшую переписку с Лаймата К.С. нецелесообразной.

Первый заместитель
начальникаГУВД
Начальник КМ ГУВД
Санкт-Петербурга и ЛО
Генерал-майор милиции
                                        А. А. ВОКСОВ.

...Тем временем Токарев выдернул ремень из брюк неподвижно лежавшего Тельняшки, стащил с него ботинки и отбросил в сторону. Потом расстегнул на налетчике брюки, приспустил их, содрал пиджак на локте, предварительно ощупав карманы. В карманах не было ничего, кроме финки и мятого комка денег. Финку Артем положил к себе в форменный синий пиджак, над деньгами немного поразмышлял. Отец не раз ему детально объяснял, в чем разница между краденым и «взятым в бою». Богуславский, присутствовавший однажды при таком разговоре, добавил назидательно, как будто закон сформулировал: «Имперский сыск — запомни, вьюнош, — взяток не берет! Но! Но военная добыча — это святое! Даже у штрафников энкэвэдэшные заградотрядовцы не сразу отбирали то, что они в захваченных окопах надыбали!»

Решив, что в данном случае имеет место быть несомненная «военная добыча», Артем забрал деньги себе. Захлестнув кисти рук налетчика ремнем, Токарев набросил другой конец Тельняшке на шею и сильно потянул, упираясь коленом в спину лежащему. Тельняшка закряхтел, приходя в себя, завозился, пытаясь приподняться.

— Не шебаршись! — Артем потянул за ремни еще сильнее.

— А то?.. — прохрипел пленный.

— Прическу попорчу.

— Ну, тузик...

Налетчик отчаянно рванулся, но ремень так врезался в шею, что Тельняшка тут же обмяк...

Подышали. Потом блатарь снова подал голос:

— Ты, сучонок, до масти не дорос — в семейные дела суваться... Что за маскарад?.. Договоримся не в армии, у нас — не присягают.

Токарев промолчал — он не знал прозвище убитого, поэтому и не понял последних слов. Тельняшка заскрипел зубами:

— Слышь, с кем ты? Промычи. Время позднее, нам тут обнюхиваться... А?!

— Абвер, — усмехнулся Артем. Адреналиновый азарт у него еще не прошел, радости победы он пока не чувствовал.

— У-у-у... Какие слова знаем!... Не всегда спасает!

— Имеем связи наверху? — поинтересовался Токарев — эту фразу и именно с такой интонацией он слышал от одного опера, работавшего вместе с отцом.

— Откуда нам, убогим... Но жизнь — штука бугристая... Ну, отпусти!

Двор наполнило пыхтение въезжавшего в подворотню старенького милицейского газика.

— Все, — вздохнул с облегчением Артем. — Выходи строиться!..

Из газика выскочили два сержанта и младший лейтенант, который сноровисто надел наручники на Тельняшку и лишь потом обернулся к отряхивавшемуся (чуть картинно) Артему:

— Младший Токарев, хоть объяснишь, чего тут?

— Сейчас, — Артем деревянно кивнул, пытаясь унять нараставшую «отходняковую» дрожь, — сейчас... Там, напротив школы — на скамейке, — должен лежать мужик. Они его зарезали.

Младший лейтенант присвистнул и обернулся к сержантам:

— Проверьте.

Один из сержантов побежал к скамейке, второй остановился у входа в подворотню — так, чтобы видеть первого и одновременно держать под контролем двор. Первый добежал до скамейки, перевернул Присягу и закричал:

— Может, и живой еще! «Скорую» вызывай!

Артем помог младшему лейтенанту затолкать Тельняшку в газик.

— Босой-то он чего? — удивился офицер.

— Виноват!

Токарев сбегал за ботинками налетчика и закинул их в газик. Задним ходом машина выехала на улицу, развернулась и доехала до скамейки, где сержант вынимал из кармана Присяги пистолет «ТТ».

Младший лейтенант присвистнул еще более протяжно и внимательно посмотрел на Токарева:

— М-да... Тут правды не сыщешь...

Артем устало пожал плечами.

На улице сержант отгонял набежавших откуда ни возьмись прохожих:

— Проходим, проходим! «В мире животных» будете по телевизору смотреть!

...По приезде в 16-е отделение Тельняшку сразу провели к дежурному оперу ОУРа, а Артем зашел к отцу. Василия Павловича недавно назначили на должность заместителя начальника отделения по розыску, и теперь у него был отдельный кабинет.

Токарев-старший выслушал сына, ни разу не перебив, а когда рассказ закончился (сын старался быть по-военному кратким), долго молчал, со странным выражением на лице глядя на Артема — так, что тот даже забеспокоился:

— Пап, я разве не...

— Нормально, Тем, — не дал ему договорить Василий Павлович. — Все нормально, сын... Я... Ты молодец... Я просто смотрел сейчас на тебя и думал, как быстро летит время... Вроде совсем ведь недавно... Когда тебе было года полтора, ты научился говорить слово «дым» и ужасно радовался этому... Показывал на мои папиросы и кричал: «Дым, дым, дым», — и смеялся... А твоя мама говорила мне: «Вася, видишь, даже ребенок ругается, что ты дома куришь»...

Повисла пауза. Токарев-младший не знал, что сказать, потому что таким он отца почти никогда не видел — Василий Павлович сентиментальностью не отличался, сюсюканья не переносил и разными «сясями-масясями» сына не баловал. Артем, надо сказать, отсутствием нежности (в общепринятом смысле этого слова) никак не тяготился, хотя почему-то вдруг перехватило дыхание после нехарактерных для отца слов, произнесенных с совсем нехарактерной интонацией. Токаревы молчали, испытывая какую-то странную неловкость, потому что один не умел правильно говорить родительские нежности, а второй — отвечать на них. Не готовыми они оказались к застигшему их моменту. Положение спас резкий звонок телефона. Василий Павлович с облегчением схватил трубку, привычно буркнув:

— Слушаю, Токарев.

Звонила бывшая супруга — она была настолько рассержена, что даже не поздоровалась:

— Василий!!! Мне только что звонила...

— Во-первых, здравствуй, Алка, — перебил ее бывший муж, — всегда рад тебя слышать. А сегодня — особенно. Сын-то у нас...

— Как раз об Артеме и речь! Василий! Мне только что звонила Алиса Гивановна, его завуч! Артем выпрыгнул из окна во время консультации! Я... Я... Ты же обещал мне... Немедленно, слышишь, немедленно...

— Подожди, Алла, — косясь на сына, стал повышать голос и Токарев. — Ты же не в курсе... Артем все сделал правильно, и я...

— Правильно?!! — трубка заверещала так, что даже Артем расслышал. — Ну, тогда ты сам и...

— Алла! — рявкнул, сорвавшись, Василий Павлович. — Орать ты будешь на нового мужа!

Он бросил трубку на рычаги и закурил, отворачиваясь к окну.

— Мама? — спросил Артем, чтобы чем-то заполнить неловкую паузу. Отец кивнул, избегая смотреть сыну в глаза:

— Извини.

— Да ты что, папа, — пожал плечами Артем. — Я же все понимаю... Она... Мама просто из-за моей учебы переживает сильно, боится, что я «серым валенком» буду...

— Как я? — хмыкнул Токарев старший, по-прежнему глядя в окно.

— Нет, пап... — окончательно смутился сын, — просто мама...

— Да ладно, — вздохнул Василий Павлович. — Все понятно, сын... У всех своя правда...

Он посопел, пошмыгал носом, размышляя напряженно о том, как разруливать возникшую проблему с завучем. Открыв ящик стола, быстро вытащил оттуда старый теннисный мячик и без предупреждения швырнул в сына. Артем ловко нагнулся, и мячик ударил в стену напротив, на которой висел плакат, изображавший бравого милицейского старшину. Мячик попал прямо в середину плакатного лозунга: «Твоя культура — твой Авторитет». Видно было, что в плакат уже неоднократно попадали предметами разной формы и веса.

— Птица! — заорал Токарев-старший. — Птица, твою мать!

Из кабинета за стенкой выскочил оперативник Птицын, отворил без стука дверь к Токареву и просунул внутрь лохматую голову:

— Че орешь, как потерпевший? Здорово, Темыч!

Василий Павлович выскочил из-за стола и вышел с Птицыным в коридор. Вкратце объяснив оперу ситуацию, Токарев поставил задачу:

— Короче! Нужно допросить учительницу и завуча — обязательно — как косвенных свидетелей. Возьми поручение от следователя и дуй в школу.

— Говно вопрос, — кивнул Птицын и пошел по коридору.

— Пурги нагони! — крикнул ему вслед Василий Павлович и, повеселев, вернулся в свой кабинет. Некоторое время он молча смотрел на сына, а потом сказал — жестко и безо всяких сентиментальных ноток:

— Ты — молодец. Ты все сделал, как надо. В школе мы все проблемы утрясем. Но! Самое главное — чтобы ты не стал героем. Понимаешь? В школе начнутся охи-крики, но ты должен помнить и понимать главное: то, что ты сделал — не подвиг. Ты просто все сделал нормально. И не более того.

— Пап, да я и не...

— Все, закрыли тему, — махнул рукой отец. — Пойдем лучше «крестника» твоего посмотрим...

...Тельняшку мурыжили через три двери от Токаревского кабинета. Когда отец с сыном вошли, там стало достаточно тесно. Тельняшка с деланно равнодушным видом разглядывал потолок, руки у него по-прежнему были в наручниках, ботинки стояли рядом на полу.

— ...Имя у него такое, — сказал налетчик, видимо продолжая начатую до прихода Токаревых фразу, — заумное...

— Не Марчелла Зосипатоорыч? — задушевно спросил оперуполномоченный Ткачевский, усаживаясь на стол за Тельняшкой и складывая руки на груди.

— Точно! — обернулся к нему задержанный.— Сергеем звали!

Ткачевский молча, без замаха, отвесил блатарю звонко-сочную оплеуху.

— Понимаю, — сказал Тельняшка, восстановив равновесие на стуле. — Не доверяете!

Старший оперуполномоченный Евгений Жаринов его перебил:

— Приметы?!

Налетчик ухмыльнулся:

— Как же это я сразу-то не сказал: на груди портачка в виде свинки, играющей на скрипке.

— А на спине? — Жаринов подошел к задержанному вплотную.

— А на спине: «Маня, прости меня. Коля Климов».

Жаринов сразу же ударил Тельняшку кулаком под ребра, содрал себе кожу на костяшке о пуговицу на пиджаке, слизнул кровь с кулака.

— Не жалеете вы себя совсем, — прокряхтел налетчик. — ...Они, может, кровные братья. Не при делах я. Вот, школяр ваш подтвердить может — грызня между ними получилась.

Токарев-старший кивнул:

— Он и подтверждает — ты ноги-то сцепил?

Тельняшка покачал головой:

— Небось, рóмансы читает на переменках... Не-а... Полжизни на корточках, а равновесие потерял — бывает... Уткнулся ему в копыта... Для плохослышащих — еще раз: я никого не убивал!

— Для складноговорящих! — рявкнул Жаринов, отвесив Тельняшке сильную затрещину по уху. Тот, явно ерничая, заскулил:

— Ой, дяденька, больно-то как!

— Прекрати! — поморщившись, бросил Токарев-старший оперу. — Без толку...

В кабинет зашел, по-свойски кивнув всем, седоволосый мужчина, лет под шестьдесят. Это был Семен Артемьевич Жейков, вышедший на пенсию пару лет назад, но, будучи оформленным «рюкзаком», продолжавший буквально жить в кабинетах ОУРа. Судя по заданному вопросу, ветеран тоже уже был «в теме»:

— Палыч, тебе этот фокус с коленями что напоминает?

— Соучастие в убийстве, — буркнул Токарев-старший, пристально глядя Тельняшке в глаза.

— А я чую закваску мордовских лагерей, — сказал Семен Артемьевич. — Как твое фамилие?

Тельняшка обернулся к вновь вошедшему и, уловив его опытность, цыкнул зубом:

— А-а, старый пес конвойный!

— Ну, все, доблатовался, — вздохнул оперуполномоченный Ткачевский. Он не спеша встал, снял со спинки стула милицейскую рубашку без погон и начал сворачивать ее в жгут.

Тельняшка втянул голову в плечи:

— Боюсь-боюсь! Признаюсь: был! Был на оккупированной территории!

Жейков вздохнул:

— Идейный, стало быть, лесоповальных замесов...

— Наговариваете на меня, — во весь рот ощерился задержанный. — Сроду не обучен.

— Оно и видно, — кивнул Семен Артемьевич.

— Погоди, — Токарев-старший чуть притормозил Ткачевского и обратился к Тельняшке:

— Последний шанс. Финка всегда при тебе?

— Э-э... Своему орудовцу подарите УПК за подвиги... Кто ее видел? Откуда, как нарисовалась? То-то! Без зимы на сегодня!

Ткачевский рванул Тельняшку за ворот:

— Какая зима? Косить начинаешь? Глумишься?

— «Зима» — это нож, — устало сказал Семен Артемьевич, прищуривая глаза. Налетчик подмигнул ему:

— Не сдюжишь ты к ноябрьским с преступностью с ентими комсомольцами.

— Все, хватит! — махнул рукой Токарев-старший. — Красавца — в клетку. Устанавливайте его данные, как хотите. Жаринов! Своим ходом ствол с потерпевшего — на экспертизу. Купи бутылку коньяка но, чтоб результат был сегодня! Ткачевский! Ты— в ту же сторону. Мне нужны результаты с рукоятки отвертки, которой его закололи. Остальные будут помогать прокуратуре.

Ткачевский покачал головой:

— Ты инструмент видел? Там ручка такая, что какие там отпечатки...

— Да, продумали, значит... Ну, тогда не неси!

Оперативники выволокли Тельняшку из кабинета и повели его в дежурную часть, Василий Павлович направился туда же, потащив за собой и Артема. Приобняв сына за плечи, он шепнул ему:

— По поводу финки — в голову не бери, но потом обсудим... Сбегай-ка, купи что-нибудь пожрать. Сейчас я тебе денег дам...

Артем солидным жестом остановил отца:

— Не надо, пап, я осилю.

Василий Павлович удивленно-иронично взметнул вверх брови, но тут к нему обратился дежурный Воксов:

— Товарищ самый оперативный начальник! К вам из Средней Азии — человек восемь!

— И все за талонами на повидло? — удивился зам по розыску.

— Нет, — ухмыльнулся Воксов. — Все принесли по подушке и хотят найти фокусников, которые их им впарили вместо афганских платков.

Токарева аж перекосило всего:

— Какая скотина науськала их хороводом жаловаться?

Воксов пожал плечами:

— Так Птица по гостинице развесил объявление, чтоб гости города трех революций звонили нам, как кто-нибудь предложит на продажу платки.

— Так ДО звонить надо, а не ПОСЛе! — заорал в голос Токарев.

Дежурный удивленно посмотрел на него и чуть нахмурился:

— Я фиников не люблю, а ты будешь не любить узбеков. Вот на них и срывайся!

Василий Павлович обернулся в коридор ОУРа и рявкнул:

— Арцебашев? Гостиница — твоя земля?

Из кабинета, чуя недоброе, высунулся оперуполномоченный Арцыбашев:

— Это как посмотреть. Считается, что моя, но, с учетом вакансий в отделе и отпуска Терещенки...

Токарев-старший перебил его, категорически мотнув головой:

— В дежурку! Там толпа узбеков правду ищет. Извивайся как хочешь, но чтобы все заявления были зарегистрированы как один материал.

— Это каким же образом?

Проигнорировав вопрос опера, Василий Павлович обернулся к сыну:

— Ты еще здесь? Дуй за харчами! Да, в школу сначала забеги, извинись там. Вперед — марш!

Артем выбежал из отделения, потянулся на солнышке и, не особо торопясь, направился к школе. Занятия там уже закончились, и по дороге он встретил Аню Торопову — одноклассницу, с которой были планы на поход в кино. Аня шла домой, помахивая портфелем, — увидев Артема, она округлила глаза и прижала ладонь ко рту:

— Темка! Ты что натворил? В школе шухер такой был, когда ты в окно выпрыгнул... Брунгильда сразу к Алисе побежала, вся в истерике... А сейчас к ним обеим из милиции пришли, допрашивают в учительской... Что случилось-то? Тебя же до экзаменов могут не допустить.

— Допустят, — улыбнулся Артем и уверенно, солидно добавил: — Решим проблему.

В Ане пробудилась известная женская любознательность, именуемая отдельными мэйл-шовинистами любопытством:

— Тема, ну расскажи! Что случилось-то? Говорят, убили кого-то?

Артем интригующе молчал сколько мог, а потом, нарочито нехотя, кивнул:

— Вообще-то это секрет... Причем не мой, а служебный, но... Так и быть — скажу. Но с одним условием.

— С каким? — оживилась Аня, ощутив возможность первой в классе узнать какую-то сногсшибательную новость. — Честное слово, я никому...

— Поцелуй! — перебил ее Артем. — За поцелуй — скажу.

Аня смутилась, потупилась и даже подалась назад.

— Ну, как знаешь, — с деланым равнодушием пожал плечами Артем и сделал вид, что собирается отправиться дальше. Этого Аня пережить уже не смогла — тайна уплывала прямо из рук:

— Подожди, — решительно сказала она и оглянулась.. — Но не здесь же... Не на улице же...

Они забежали в подъезд, поднялись на один пролет... Одним поцелуем, разумеется, все не обошлось... Целовались долго, неумело, намяв друг другу губы до боли, компенсируя неумелость юношеским пылом. Когда ошалевший вконец Артем, уже не чувствуя собственных губ, попытался непослушными пальцами расстегнуть на груди Ани нерасстегивающиеся декоративные пуговицы, она, тяжело дыша, оттолкнула его от себя:

— Не надо... Погоди... Ты... Ты обещал... Рассказать...

Артем мотнул головой, провел рукой по взмокшим (как на тренировке) волосам и выдохнул:

— Ну, раз обещал... Знаешь, отец читал в детстве мне сказки про драконов, которые едят людей, и всегда говорил при этом, что их не суще-

ствует... А сегодня я понял, что они есть... А значит — где-то есть и их логово. Не понимаешь?..
Ну, тогда без лирики... Там мужика закололи на
скамейке. А я одного из его убийц поймал.

Он улыбнулся — и эта улыбка его и подвела.
Аня решила, что одноклассник над ней издевается. Ее глаза мгновенно налились обидой:

— Дурак ты, Токарев! И... И...

Топнула ножкой и помчалась вниз, к выходу из
подъезда.

— Ань, подожди, но я правда... — бросился
было за ней Артем, но вдруг, вспомнив случайно
улышанный сегодня разговор отца с матерью,
остановился. Поскреб в затылке, вздохнул, вышел
из подъезда и направился в школу. Там он забрал
из пустого класса свой брошенный в суматохе пор-
тфель и поднялся на второй этаж, где располагалась учительская и кабинет завуча. Кабинет Али-
сы Гивановны оказался незапертым, но в нем никого не было. А вот через наполовину застекленную
дверь учительской доносились голоса. Токарев осторожно подошел, чуть шире приоткрыл дверь,
заглянул внутрь через полупрозрачное стекло.
Увиденная картина радовала — веселый оперупол-
нооченный Птицын что-то втолковывал Брун-
гильде — симпатичной математичке — и Алисе Ги-
вановне. Обе смеялись и даже слегка кокетничали с Птицей — так уж он был устроен, с ним
почему-то кокетничали все женщины — от школьного возраста до пенсионного. Во взгляде Птицы-
на удивительным образом сочетались детская без-
защитность и накладываемая профессией бруталь-
ность. Представительницам прекрасного пола
немедленно хотелось начать заботиться о Птице —

таким он выглядел неустроенным. Конкретные проявления заботы очень быстро заканчивались постелью — причем даже трудно было понять, кто же кого туда в итоге затащил...

Алиса Гивановна Сакоян — строгая армянка лет сорока пяти — сидела на столе(!), кокетливо закинув ногу на ногу — так, что выше приличной нормы задралась узкая юбка, — и хохотала:

— Это ПЭРПЭТУМ МОБЭЛЭ какой-то... Растим ВЫТЯЗЭЙ! Нэт, я горжусь... Мэня допрашивают!

Птица виновато, неустроенно и в то же время игриво улыбался. Токарев-старший знал, кого послать в школу...

Артем помялся, улыбаясь, а потом решил, что извиниться за то, что, ничего не объяснив, выпрыгнул в окно, сможет и завтра. Да и Алису в неловкое положение ставить не хотелось — при школьниках она никогда не позволяла себе сидеть на столе. Честно говоря, Токарев-младший вообще не предполагал, что она может сидеть на столе и шерудить ногами перед мужиком, поскольку всем в школе завуч казалась дамой очень строгой во всех отношениях...

...Обратно в 16-ое отделение Артем вернулся через пару часов, нагруженный едой и пивом. Пиво ему удалось купить не без проблем — оно в те времена, между прочим, продавалось не всегда и не везде, да и возраст Токарева-младшего был еще совсем не «пивным». Но он справился с проблемой — ему очень хотелось сделать что-то приятное для отца плюс к тому же, по оперской традиции, с первого «крестника» полагалось проставляться, так что Тельняшкины капиталы пришлись весьма даже кстати...

...В дежурке жизнь текла своим чередом. В клетке на скамейке развалился Тельняшка, не обративший на вошедшего Артема никакого внимания; другой задержанный — по виду обычный гражданин, никак не связанный с преступным миром, — стоял у решетки и пытался договориться с помощником дежурного — не молодым уже старшиной:

— Товарищ старшина, позвоните жене, пожалуйста... У меня и так неприятности будут... Ну пожалуйста, ну что вам стоит...

— Не скули! — оборвал его презрительно Тельняшка. — От тебя падалью смердит!

Задержанный испуганно отшатнулся от решетки и присел в углу прямо на пол, так как все место на скамейке было занято налетчиком.

Тельняшка потянулся и крикнул старшине:

— Командир! Папироску бы!

— Перетопчешься, — зевнул в ответ старшина. — Оперчасть подаст.

— Так ведь скоро уже за амбар поведут стрелять! — возмутился Тельняшка и даже сбросил ноги со скамейки.

— Отстань, — беззлобно ответил что-то писавший старшина, — вот зарегистрирую эту белиберду, выйду...

Налетчик с надрывным завывом вздохнул-всхлипнул после короткой паузы:

— Да-а, вот умер товарищ Сталин, так за нас теперь и заступиться некому!

Из коридора ОУРа вышел дежурный Воксов, усмехнулся и протянул Тельняшке беломорину и одну спичку:

— Не туши только о стены.

— Благодарствую, — с достоинством ответил Тельняшка и тут же зажег спичку о свои брюки. В сторону Токарева-младшего он так ни разу и не взглянул. Артем угостил старшину и Воксова пивом и пошел к отцу в кабинет.

Василий Павлович, увидев принесенную сыном снедь, улыбнулся и присвистнул:

— Растем!

В этот момент зазвонил телефон. Артем начал выгружать припасы на стол, а Токарев-отец схватил трубку:

— Узбекфильм!

— Гюльчатай Прокуроровна беспокоит! — ехидно ответила трубка, и лицо Василия Павловича немедленно приобрело умильно-виноватое выражение.

— Лариса, как ты вовремя... А у нас тут...

— Черт, Токарев! Хоть бы раз соврал красиво, — на другом конце линии обозначился явственный вздох.

— Позвольте, — забормотал Токарев-отец, косясь на сына. Артем сделал вид, что ничего не слышит и не понимает, хотя мысленно усмехнулся, сообразив, кто звонит. Помощник прокурора района Лариса Михайловна Яблонская надзирала за милицией. Мало для кого явилось тайной то обстоятельство, что Токарева-старшего и Яблонскую связывали не только служебные отношения. Ходили даже слухи, что несколько лет назад, когда Лариса Михайловна была еще следачкой, а Василий Павлович — опером, их застукали на диване в одном из кабинетов ОУРа. На том диване с интервалом в месяц постоянно кого-нибудь застукивали...

— Короче говоря, — сказала Лариса Михайловна, — у меня есть новости. Новость первая: я проверила материалы только по 16-му отделению, и мне хватило. Обнаружено к сотне грубейших, ты слышишь — грубейших— нарушений, из которых семьдесят две — откровенные фальсификации.

— Лариса, опомнись, — забубнил Василий Павлович, вертясь на стуле, как на иголках. — Где ты слышала...

— Не слышала, а видела, — непримиримо оборвала его представитель надзирающего органа. — Причем все семьдесят две фальсификации — с земли твоего Птицы. Любимчика твоего, донжуанчика скромного...

Артем по-прежнему, пряча улыбку, делал вид, что не слышит разговора. Токарев-старший, похоже, был уже готов залезть под стол:

— Лара, Лара... Ну что ты, как с цепи сорвалась?..

— С цепи? Я просто хотела тебя проинформировать, что мне все надоело, и все семьдесят два материала я возбуждаю.

— Лара! — отчаянно возопил Василий Павлович, но абонент не знал жалости:

— Вы бы хоть потрудились укрывать по-умному...

— Лара! — Токарев выскочил из-за стола, обежал его кругом и повернулся к сыну спиной, видимо, полагая, что так разговор будет менее слышен. А может, он просто не хотел, чтобы Артем видел его лицо:

— Лариса! Если ты возбудишь все семьдесят два КП... Лара, мы будем не последние в городе, а последние в мире!

— Зато научитесь надолго!

— Лара, послушай, это не телефонный разговор... Я сейчас с трупом разберусь... Не вру — твой же следак работает! А? Посидим за кофе, там-сям, обсудим, как вывернуться...

— Там-сям за кофе я и сама могу, — сказала Яблонская, — а выворачиваться не мне нужно...

— Все, — в голосе Токарева явственно прозвучали капитулянтские нотки, — все, понял... Лар, кончай лютовать, свои же люди... Ну что ты...

— Свои.. — хмыкнула Лариса Михайловна после паузы. — Когда это было... Я только не могу понять одного: почему я должна все эти каракули читать, потом потворствовать абсолютно явным нарушениям, и все — по большому счету — для того, чтобы с тобой встретиться.

Токарев оглянулся воровато на сына, потом махнул рукой, развернулся и сел на стол, решив, видимо, что все его конспиративные попытки со стороны выглядят просто смешно:

— Лара, ты... Ты не сердись на меня... Я, конечно, скотина... Ты знаешь, у меня ну все так... Давай на выходные в Выборг съездим... А? Поехали? Честно. Ну поехали, и возбуди ты все эти КП, чтобы ты не подумала... Ой, нет, Лара, не надо возбуждать — иначе петля...

Яблонская помолчала, а потом сказала совсем иным тоном — женским, а не прокурорским, как до этого:

— В субботу утром тогда заедь за мной... Если нет — то я выкручусь и специально напишу хвалебный отзыв о 16-м. Целую тебя.

Василий Павлович положил трубку и виновато посмотрел на сына. Артем, закончивший к этому моменту сервировку стола, ободряюще улыбнулся отцу:

— Да ладно, пап, не переживай... Я ж все понимаю. С женщинами всегда все не слава Богу. У меня вот сегодня — тоже... Ты, главное, в голову не бери...

Токарев-старший открыл рот, слушая свое чадо, но что-либо внятное вымолвить смог не сразу.

— Растем... — покрутил головой Василий Павлович. — Ладно, я пойду ребят позову...

ЗАКЛЮЧЕНИЕ

по результатам проверки
заявления гражданина
Кругликова Антона Игоревича
(вх. № К-7 от 11.11.1980 г.)

11.11.80 г. в Василеостровское РУВД поступило заявление от гр-на Кругликова А.И. о том, что 10.11.80 г. в 21.45 в туалете кафе «Сфинкс» по адресу 2-я линия, дом 15, он был незаконно задержан сотрудниками 16-го отделения милиции Токаревым В.П. и Птицыным П.А., находившимися в состоянии сильного алкогольного опьянения, якобы за торговлю с рук в неустановленном месте и что в момент задержания ему были нанесены побои.

Проведенной проверкой установлено, что зам. нач-ка по опер. работе 16 о/м Токарев В.П. и о/у 16

о.м. Птицын П.А. 10.11.80 г. около
21.00 прибыли в кафе «Сфинкс», на-
ходящееся на обслуживаемой ими территории, по оперативной необходимости — для перекрытия канала сбы-
та краденого в местах концентрации
антиобщественного элемента. В 21.40
они заметили гр-на Кругликова А.И.,
знакомого им как официанта ресторана г-цы «Гавань», который пред-
лагал какую-то вещь неустановлен-
ному посетителю кафе.

Сотрудники Токарев В.П. и Птицын П.А. приняли решение под залегендированным предлогом попросить
гр-на Кругликова А.И выйти из зала
кафе в гардероб для того, чтобы в
беседе выяснить, что продает последний. На предложение выйти и после ознакомления с удостоверениями
сотрудников милиции (хотя в своей
жалобе гр-н Кругликов А.И. указы-
вает, что знал сотрудников в лицо)
он ответил нецензурной бранью. Во
избежание конфликтной ситуации в
кафе во время отдыха посетителей
гр-н Кругликов А.И. в вежливой форме
был препровожден в туалет кафе. В
туалете сотрудники объяснили гр-ну
Кругликову А.И. цель их визита в
кафе, необходимость подобных про-
филактических бесед и предложили
показать им содержимое сумки. По-
боев гр-ну Кругликову А.И. нанесе-
но не было. Гр-н Кругликов А.И. согласился и добровольно вынул из

сумки два блока сигарет импортного производства «Мальборо», пояснив, что он их случайно обнаружил 9.11.83 г. в ресторане г-цы «Гавань» после своей смены. При этом гр-н Кругликов А.И. продолжал выражаться нецензурной бранью, на замечания сотрудников не реагировал.

Сотрудники Токарев В.П. и Птицын П.А. приняли решение доставить гр-на Кругликова А.И. в дежурную часть 16 отделения милиции за продажу с рук в неустановленном месте, мелкое хулиганство, а также отработать гр-на Кругликова А.И оперативным путем на причастность к кражам у иностранных граждан в г-це «Гавань». Что и было сделано.

На гр-на Кругликова А.И. был составлен протокол об административном правонарушении, два блока сигарет импортного производства «Мальборо» изъяты и уничтожены в присутствии понятых как продукты питания, не подлежащие сдаче в торговую сеть. Причастность гр-на Кругликова А.И. к иным правонарушениям не подтвердилась.

Также установлено, что в последующих объяснениях гр-н Кругликов А.И. пояснил, что его не избивали и что в настоящее время он никаких претензий к сотрудникам милиции по поводу его задержания не имеет.

На основании вышеизложенного и руководствуясь ст. 5 п. 2 УПК РСФСР

ПОСТАНОВИЛ:

1. Материал сдать в архив Василеостровской прокуратуры, дальнейшую проверку прекратить.

2. О принятом решении уведомить гр-на Кругликова А.И.

Заместитель прокурора
Василеостровского района.

Яблонская Л.М.

...К вечеру, когда в ОУРе рабочая суета достигла апогея, Артем с Семеном Артемьевичем Жейковым покинули 16-е отделение. Семен Артемьевич жил неподалеку от Токаревых, так что было непонятно — кто кого провожает до дому. Они медленно брели по улице, довольные закончившимся днем.

— Дядь Семен, — нарушил молчание Артем, — а вы что, в Мордовии служили?

— В Мордовии? — удивился Жейков. — Почему в Мордовии? А-а... Это ты, когда я «крестнику» твоему про лагеря?.. Нет, это просто присказка такая. Уж больно люто там раньше, в Мордовии, было. И те из блатных, кто там не ломался, они... они как бы печать на себе несли...

— А сейчас? Как там?

— Тоже не мармелад...

Помолчали еще.

По лицу Токарева было видно, что его мучает какой-то вопрос, который давно уж вертелся на языке, но все не получалось его задать. Наконец Артем решился:

— Дядь Семен, убийца, которого я поймал... случайно... он кто?

— С каких же щей — случайно? — не согласился с токаревской скромностью Жейков. — Такого упырька случайно не возьмешь... Ребята там дорабатывают, но, похоже, что взял ты некоего Тельняшку, я слыхал за него краем уха... Он рыбина крученая, из блатных, стремящийся...

Артем чуть порозовел от удовольствия и тут же задал новый вопрос:

— Не сильно ему досталось?

Семен Артемьевич слегка мотнул головой:

— Сначала ты навалял ему за дело и в погоне. Это не считается. А потом... Не гоняй.

— Он угрожал мне, — буркнул Артем, вспомнив, как сидел на спине Тельняшки — казалось, что это было уже давно — вчера или позавчера...

— Пустое, — махнул рукой Жейков. — Хотя... Токарев чуть напрягся.

— А воры... Они что — все такие?

Пенсионер посмотрел на мальчишку с улыбкой:

— Не вор он, я же сказал: стремящийся... А воры... Тема сия мудреная, враз не объяснишь... Расскажу тебе случай. Запоминай. Было это в 1947 году, как сейчас помню, зимой, в ивдельских лесных лагерях. Тогда чернее зон по Союзу не сыскать было. Места там, я тебе скажу, укромные... На лагпункт привели этап — человек эдак четыреста. Так вот — из зоны блатные кричат: «Сколько людей?» А в ответ: «Шесть человек!» Это значило, что на весь этап — шесть воров. Теперь вдумайся: вор, по-ихнему получается, — синоним человеку. Следовательно, не вор — не человек. Вот и вся недолга. Я в сорок седьмом срочником был, но эти крики запомнил...

В этот момент пенсионер и школьник поравнялись с еще работавшим пивным ларьком. Семен Артемьевич хищно втянул носом воздух, уловил приятный дух:

— Все, завязываем о непростом болтать. Давай-ка лучше по пивку...

...Себе Жейков купил большую кружку, Артему — маленькую. Сдувая пену на асфальт, Семен Артемьевич сказал серьезно:

— Тема, я вроде как дистанцию соблюдаю, ну и воспитываю тебя. Так что кружки не равны.

— Ни на что не влияет, — солидно отозвался Токарев и тут же спросил: — Дядя Семен, а правда, что у вас медаль «За отвагу» есть? Ребята говорили... А за что?

— А-а, — отмахнулся Жейков. — Одного мазурика задержал... Он меня подстрелил легонько — в руку... Ничего такого-растакого... Бежал за ним долго... Ладно, Артем Васильевич, с починым тебя. Будем!

И Жейков легонько стукнул своей большой кружкой по маленькой, с которой Артем пытался по-взрослому сдуть пену. Пена обрызгала Токареву нос — она была холодной и приятно щекоталась.

— Будем! — ответил Артем и улыбнулся...

«Известия»
от 12.05.1963 года.

УКАЗ
**Президиума Верховного Совета СССР
О НАГРАЖДЕНИИ капитана милиции
Жейкова С.А. медалью «За отвагу»**

За мужество и отвагу, проявленные при охране общественного порядка и задержании вооруженных преступников, наградить:

Медалью «За отвагу»

Капитана милиции Жейкова Семена Артемьевича.

Председатель Президиума
Верховного Совета СССР

Л.Брежнев.

Секретарь резидиума Верховного
Совета СССР   *М.Георгадзе.*

Москва, Кремль,
10 мая 1963 г.

Сотрудник ленинградского уголовного розыска Семен Жейков встретился с вооруженным преступником в пути. Проезжая на мотоцикле своего знакомого через село Крукеничи Львовской области, где находился у матери во время очередного отпуска, он услышал призыв о помощи. Кричала кассир сельпо т. Кундис, у которой неизвестный отнял чемодан с деньгами. Эти деньги — 2.430 рублей — были предназначены для сдачи в отделение Госбанка. Милиционер отправился в пого-ню. Преследование было недолгим. Жейков уви-дел человека с чемоданом в руке и малокалибер-ным ружьем. Заметив, что его догоняют, преступ-ник пустил в ход оружие. Семену перебило руку. Он уже не мог вести мотоцикл. Оставив его, Жей-ков не прекратил погони, задержал грабителя и доставил его в сельский Совет.

Бандит привлечен к уголовной ответственнос-ти.»

ТУЛЬСКИЙ

Июнь 1978 г.
Ленинград, Васильевский остров.

...В добротной четырехкомнатной квартире Сочивановых Артур себя чувствовал не то чтобы совсем уж неуютно, но, как говорится, элемент скованности присутствовал...

Все второе полугодие восьмого класса Тульский пытался обратить на себя внимание Дины Сочивановой из параллельного класса. Не сказать, что девочку Бог одарил неземной красотой, но — фигура, осанка, надменный взгляд огромных серых глаз, иронично-интеллигентская манера говорить плюс папа — профессор, преподававший в Горном институте, — все это превращало Дину, по мнению многих мальчишек, чуть ли не в принцессу. Артур исключением не был, хотя и кривился скептически, слушая сопливые вздохи одноклассников по мадемуазель Сочивановой. Сам Тульский вздыхал тайно, злился непонятно на что — скорее всего, на собственную же нехарактерную для него робость — он, легко сходившийся с людьми и прекрасно чувствовавший себя в конфликто-экстремальных ситуациях, не мог придумать, как завязаться с Диной. Это безумно раздражало и приводило даже к тому, что пару раз Артур отпустил вслед Сочивановой грубовато-подковырочные замечания — под льстивый смех одноклассников.

Некое подобие отношений сложилось только после выпускного вечера, венчавшего окончание экзаменов за восьмой класс. Артур, кстати, к удивлению многих учителей и родителей, полагавших, что такому — место только в ПТУ, был переведен в девятый класс. А поскольку восьмых классов в их школе было четыре, а девятых — только два, то судьба свела Сочиванову и Тульского в одном классе...

На выпускном вечере Артур пригласил Дину на танец, и она, несказанно удивив многих, приглашение приняла. А потом еще и сама пригласила Тульского на «белый» танец. Тут уж все окончательно обалдели. Новость о «романе» главного хулигана школы и профессорской дочки обсуждали между собой на все лады не только школьники, но и некоторые родители.

После выпускного Дина с Артуром пару раз погуляли по набережным (Тульский даже за руку взять девушку так и не решился), а потом последовало приглашение в гости. Чтобы не было ненужных иллюзий, Сочиванова сразу предупредила, что «родители будут очень рады». Тульскому, конечно, интереснее было бы остаться с Диной в квартире наедине, но... Не все сразу, как говорится...

Профессорская квартира чуть придавила Тульского своей роскошью — старинная мебель, картины, какие-то карты на стенах, — в таких домах ему еще не доводилось бывать. Дине очень нравилось то, под каким впечатлением находился примолкший гость. Она-то чувствовала себя раскованно и уверенно на своей территории, да и родители были рядом — в общем, все преимущества наличествовали.

Она быстренько накрыла на стол в гостиной, подала чай в старорежимных чашках, варенье в специальной вазочке, печенье на блюде...

Чай пили чинно, почти по-светски, коротко переговариваясь вполголоса. Артур изо всех сил старался вести себя воспитанно. В принципе, у него получалось, вот только горячий чай он втягивал в себя со слишком громким хлюпаньем, не замечая, как улыбается на это Дина...

Долго усидеть за столом Тульский, разумеется, не смог. Он встал, подошел к книжным стеллажам — книг в квартире было очень много, — начал разглядывать корешки. Многие названия вызывали оторопь.

— Концепция тектонических разломов, — прочитал Артур вслух и вздохнул: — Красиво...

Стеллажи были украшены какими-то вазочками и бронзовыми фигурками. У Тульского начало рябить в глазах. Дина встала, подошла и, положив руку на фигурку собаки, сказала с гордостью:

— Конец XIX века, Польша. Очень тонкая ковка.

— Красиво! — Артур не понял, где какая ковка, и взял в руки фотографический портрет молодой женщины в старинной кожаной рамке. Дина аккуратно и тактично забрала у него портрет:

— Это моя бабушка по отцу. Она была смолянкой, но доучиться не успела из-за революции.

— Красивая! — похвалил Тульский бабушку и попытался составить куртуазный комплимент: — Прям вся в тебя!

Дина прыснула. Тульский недоуменно глянул на нее и насупился. Ему очень хотелось поцеловать девушку, но... Смущала даже не близость родителей, а непривычная атмосфера учености, академический дух, витавший в квартире. Уважуха!

Целоваться в храме науки было как-то стремно. Стремно, но очень хотелось...

Раздираемый противоречивыми чувствами, Артур судорожно схватил с полки старинный альбом— из него вылетела какая-то гравюра. Тульский ойкнул, попытался исправить оплошность, умудрился схватить листок на лету — но, естественно, смял его. Дина чуть нахмурила бровки, но, будучи девушкой воспитанной, сказала:

— Не переживай, я разглажу.

Тульский, покраснев и переминаясь с ноги на ногу, только кивнул, опасаясь трогать руками еще что-либо.

Водворив альбом на место, мадмуазель Сочиванова открыла крышку дорогого проигрывателя и поставила какую-то пластинку, извлеченную из солидной картонной коробки-конверта. Тульского она взяла за руку и усадила на диван — от греха.

— Ты, наверное, не любишь романсы?

Артур промычал что-то неопределенное, но прислушался. Пел Виноградов. На словах «мщенья ищет душа» Тульский, внимательно разглядывая люстру, заметил:

— Я бы написал — «мщенья ищет рука».

Дина прыснула, Тульский на всякий случай также улыбнулся.

Пластинку дослушали в молчании. Когда затих в хрустальных подвесках старинной люстры отзвук последнего аккорда, Артур встал и изобразил некое подобие поклона:

— Красиво... Слушай, я это... Пора мне. Бедное сердце тоскует... Я отвергнут, он торжествует. Страшное дело.

— Бедное сердце, — рассмеялась Дина. — Пойдем, я тебя провожу. — И она легко провела рукой по светлым волосам Тульского, компенсировав этим жестом все неудобства «званого вечера». Артур возликовал, расправил плечи и, светясь радостью, заглянул на кухню попрощаться с родителями девушки:

— Благодарю за варенье-печенье. Всего!

Профессор Сочиванов ошарашенно поднял брови и в некотором замешательстве неуверенно кивнул:

— Всего...

Мама Дины изо всех сил прятала нормальную человеческую улыбку...

...Они шли вдоль большого сталинского дома, Артур держал Дину за руку, улыбался и вполуха слушал, что она говорит:

— ...Сама толком не разбираюсь в предметах, которые преподает отец. Пока только научилась выговаривать: гамма — спектральный коротаж...

Тульский вдруг почувствовал, как девушка вздрогнула, и быстро огляделся: метрах в десяти от них стоял высокий крепкий парень, явно старше и сильнее Артура. Лицо его добрых чувств не выражало.

Дина, конечно, сразу узнала молодого человека — это был Олег Хоров, сын маминой подруги. Олег уже закончил десятый класс, готовился к поступлению в институт. Дину Олег считал «своей» девушкой. Тульский, почуяв, что конфликт неизбежен, чуть отошел от Дины в сторону и завертел головой, ища глазами приятелей парня. Не обнаружив таковых, Артур ухмыльнулся. Молчание нарушила Дина, решительно встав между соперниками:

— Только не подеритесь! Говорить буду я!

— Ну что ты, — улыбнулся Тульский. — Не волнуйся, драки не получится.

Олег презрительно кривил губы. Не глядя на Артура, он чуть более громко, чем следовало бы, сказал:

— Дина, я не знал, что вы выйдете вместе. Нам надо поговорить с... товарищем.

— «Нам» — это кому? — удивился Тульский. Парень не удостоил его ответом.

— Олег! — горячо заговорила Сочиванова. — Мы же взрослые люди...

— Что ж тогда ты с сопляками чумазыми прогуливаешься? — не дал ей договорить Хоров.

Артур дернулся:

— Ты конфликта ищешь вечерами?

Олег наконец перевел взгляд на него, отстранил Дину и внятно, произнес:

— При красивой девушке по голой жопе ремнем получить не пробовал?

— Солдатским? — ужаснулся Тульский. Потирая нос, он незаметно шагнул вперед, сокращая дистанцию.

— Что ты там вякнул?

— Олег... — загудел плаксиво Артур, подходя еще ближе, — ну, Олег, не горячись, ну не прав я, извини...

Неожиданно Тульский резко ударил парня пальцами в глаза. Тот вскрикнул, схватился руками за лицо, чуть согнулся — Артур тут же ударил его головой в переносицу. Олег начал оседать, и Тульский помог ему ударом колена в лицо. Парень навзничь упал на газон, раскинув руки.

— Да вы что? — ужаснулась Дина, подскакивая к поверженному ухажеру.

— Да не волнуйся ты, — Тульский отстранил ее одной рукой. — Откачаем...

И тут же прыгнул ногами Олегу на лицо — тот даже не застонал. Дина взвизгнула и на мгновение окаменела.

— Ну вот, — сказал Тульский. — Я же обещал.

— Что обещал? — машинально спросила потрясенная девушка.

— Обещал, что драки не будет...

Сочиванова дико взглянула на него и бросилась к Олегу — встала на колени, попыталась приподнять парню голову:

— Мерзавец...

— Брось, — махнул рукой Тульский. — Анальгин — не дефицит, оклемается... Меня еще и не так учили, ничего. А... А по поводу мерзавца — я, кажется, чего-то недопонял!

— Ты, ты мерзавец! — закричала Дина.

Тульский остолбенел — по его понятиям, происходило что-то непонятное и абсолютно несправедливое. Сочиванова больше на него не смотрела. Артур взял себя в руки и, не унижаясь дальше лишними объяснениями, с кривой улыбкой сказал:

— Во оно как... Ну, бывайте...

И побрел прочь, отчаянно надеясь, что Дина поймет свою ошибку, окликнет, догонит... Она не окликнула.

Не оборачиваясь, Тульский фальшиво пропел оставшуюся в памяти строчку из романса:

— Когда на него ты глядишь так умильно...

Реакции не последовало. Чтобы еще больше задеть Дину, Артур заорал в голос другую строчку — уже из кинофильма «Собака на сене»:

— «Венец творенья — дивная Диа-ана!!!»
Ответом ему было только эхо, гулко разлетев-
шееся между сталинскими домами.

СПРАВКА

о мероприятиях
по поддержанию общественного
порядка, проведенных совместно
с инструктором Обкома КПСС
28 июля 1989 года

28 июля 1989 г. в период с 14.00
до 18.00 совместно с инструктором
Областного комитета КПСС тов. Хоровым О.Н. группа сотрудников 3-го
отдела ГУВД провела рейд в местах
экскурсионного обслуживания иностранных граждан: на крейсере «Аврора», в Петропавловской крепости, на
пл. Диктатуры пролетариата, Исаа-
киевской пл., пл. Искусств.

Тов. Хоров О.Н. присутствовал при
задержании лиц, занимающихся назой-
ливым приставанием к иностранцам с
целью скупки вещей и валюты, ознакомился с порядком оформления адми-
нистративных материалов, лично беседовал с задержанными: Петрушечки-
ным, Коропец, Войцеховским и др. До
его сведения были доведены сложнос-
ти работы спецгруппы милиционеров
при 3 отделе ГУВД, отсутствие транс-
порта и связи, помещений вблизи мест
концентрации антиобщественного эле-

мента, что в конечном счете затрудняет работу в этом направлении, сказывается на ее эффективности.

4 августа 1989 г. в период с 20.00 до 4.00 тов. Хоров изъявил желание участвовать в проведении оперативно-поисковых мероприятий в районе гостиниц «Москва», «Ленинград», мотель-кемпинг «Ольгино» по задержанию лиц, специализирующихся на совершении грабежей иностранцев.

В ходе проведения мероприятий тов. Хоров беседовал с сотрудниками 3 отдела ГУВД о сложной оперативной обстановке, складывающейся по линии работы отдела, трудностях, с которыми сталкиваются сотрудники при несении службы.

Тов. Хоров О.Н. удовлетворен действиями сотрудников 3 отдела ГУВД ЛО.

Начальник 2 отделения 3 отдела
ГУВД Леноблгорисполкомов
майор милиции   *В.Ф.Сорокин*

«_____» августа 1989 г.

_____

...В тот вечер Артур впервые в жизни напился. Очнулся он только под утро, на ступенях набережной возле сфинксов, напротив Академии художеств. Рядом сидел Варшава и смотрел на серые волны Невы. Заметив, что взгляд Тульского стал осмысленным, Варшава сказал, не поворачивая головы:

— Женщины, они уважают силу, но обожают жалеть раненых страдальцев. Перемелется...

Артур со стоном прислонил лоб к гранитному подножию сфинкса. Ему было очень плохо. Казалось, что ничто никогда не перемелется...

ТОКАРЕВ

Май 1979 г.
Ленинград, Центр, Манеж

В Манеже было шумно — шел второй день первенства города среди юниоров. Нельзя сказать, что трибуны были заполнены до отказа — на такие соревнования приходят в основном либо совсем уж серьезные ценители бокса, либо друзья да родственники спортсменов. Но кое-какой народ все же был — начинались финальные бои, а на них зрители, как правило, подтягиваются. Артем на этом первенстве не выступал — его возраст еще соответствовал лишь категории «старшие юноши», «юниором» он должен был стать в следующем сезоне. Токарев пришел поболеть за ребят из своего клуба, пришел не один, а с девушкой — все с той же одноклассницей Аней Тороповой, отношения с которой развивались как-то странно, но все же — развивались. Артем с Аней то встречались после школы очень часто, то ссорились и не разговаривали по нескольку месяцев. Инициатором и ссор, и примирений всегда была Аня — Токареву казалось, что она его специально заводит, дразнит — в общем, издевается и глумится. А может быть, девушка опасалась излишней сексуальной настойчивости Артема... Последнюю границу близости они еще не преодолели, но... До нее оставалось совсем чуть-чуть. Несколько раз Токарев провожал Аню домой после школы, заходил к ней в гости — разумеется, не ради того, чтобы «чаю попить». Чай ведь попить можно и дома... Пользуясь тем, что

Анины родители возвращались с работы лишь в восьмом часу, Артем начинал приставать к девушке — и «приставания» эти могли длиться часами, потому что оба теряли контроль за временем. Аня на поцелуи отвечала охотно, а вот дальше... Нет, она тоже заводилась (да еще как — раскрасневшаяся, с легкой испариной от частого дыхания — она превращалась просто в красавицу), но, что называется, полностью контроль над ситуацией не утрачивала, чем доводила Артема до бешенства. Пару раз Токарев сумел все-таки стащить с нее платье и все остальное, но потом Анька уходила в глухую защиту, пробить которую пока не получалось. Пока. Артем надежды не терял — платье с девушки ему ведь тоже удалось снять не с первого захода... Ради этой своей надежды он готов был терпеть даже попытки Тороповой заняться его воспитанием. Аня, как и большинство ее сверстниц в этом возрасте, считала себя намного мудрее сверстников. В последнее время Аня ни с того ни с сего вдруг взъелась на бокс — она считала, что Артем зря занимается «этим дебильным мордобоем» и что «если он не бросит немедленно «эту дурость», то и сам вскоре станет дебилом, «как все боксеры». Артем очень хотел Аню, но даже ради нее (а точнее — ради ее каприза) предавать бокс не собирался. Они крупно повздорили, и он хотел было уже послать одноклассницу куда подальше, но вспомнил сумасшедшую белизну ее голых ног и... И попытался Ане рассказать о боксе, попытался объяснить, что это спорт, а не просто мордобой. К его великому удивлению, Анна согласилась пойти на соревнования. Токареву еще лишь предстояло постичь простую аксиому, что женщины свои безапелляционные мнения могут так же безапелляционно менять. Причем сами представительницы прекрасного пола эту свою особенность не отрицают, но и ничего странного в ней не находят — чем доводят мужиков иногда просто до исступления...

Итак, Артем и Аня сидели на трибуне Манежа. Надо сказать, что девушка оказалась болельщицей на удивление страстной — в обморок не падала, глаза от ужаса не закатывала, наоборот, казалось, что «дебильный мордобой» ее даже возбуждал. По крайней мере руку Артема она стискивала очень эротично. Впрочем, Токареву по тем временам любое соприкосновение с Анькой казалось жутко эротичным...

А на ринге работал хороший приятель Артема Леха Суворов. Выступая в весовой категории «полутяж», он достаточно легко вышел в финал, но на этом вся легкость для Леши и закончилась, потому что противник ему достался серьезный — Сева Гордеев, по прозвищу Сева-Негр. Прозвали его так, кстати, не за кучерявые волосы и не за смуглый цвет кожи, а за удивительную выносливость и презрение к боли. Гордеев был парнем туповатым, но энергичным, книжек не читал, полагал, что в жизни удача зависит не от образования, а от силы и воли. Леша Суворов обладал техникой боя чуть ли не на порядок выше, чем у Гордеева, но... Почти у каждого из побежденных Гордеевым на пути к финалу «техника» была лучше. Но они проигрывали.

Вот и Суворову приходилось трудновато. Артем приобнял Аню за плечи и, вдыхая запах ее волос, начал вполголоса комментировать бой:

— Ты понять не пытайся... Следи только за его левой рукой... Видишь, он ее чуток опускает?

— Вижу. И что? — Аня возбужденно облизала губы, и Токарев чуть не поперхнулся — ему пришла в голову мысль, что если бы он мог стащить платье с Тороповой вот прямо сейчас, то... Глядишь, и выгорело бы... Интересно, почему на некоторых девушек вид крови, удары или броски действуют так странно? Артем где-то читал, что древнеримские матроны чрезвычайно сильно возбуждались, глядя на гладиаторские бои. Торопова, конечно, не матрона, но...

— Так и зачем он ее опускает, руку-то?

— А? — Токарев тряхнул головой, отгоняя истомную блажь — Это и есть «техника»... Он ловит, понимаешь? Ждет, караулит... Это как в фехтовании...

— А у второго почему не опускается?..

Вокруг них засмеялись — естественная мужская реакция на девичье незнание некоторых специфических идеологических выражений.

— Вчера на приеме в Кремле жена американского посла отказалась есть груши, мотивируя свой отказ тем, что она знает, чем их в России околачивают... — Взрослый мужик, сидевший на ряд ниже, отпустив эту шутку, подмигнул Артему. Смех усилился. Аня, интуитивно догадавшись, что смеются над ней, растерянно завертела головой.

— Я что-то не так сказала? Чего они?

— Не обращай внимания, — чуть нахмурился Токарев. — Шутят люди... Смотри на ринг... Второй — это мешок воли, завязанный злостью. Он физически сильнее Лехи. Поэтому пытается уйти в обмен ударами. То есть... Ну, как если бы — ты мне по роже, я тебе — и так далее, кто первый сломается... Леха это знает, понимает, что на обмене — ему хана.

— Почему? Он слабее?

Артем улыбнулся:

— Он... техничнее. У него другая школа.

— Значит, лучше? — Аня все-таки пыталась получить более или менее конкретный ответ. Объяснения Артема она не очень понимала и начинала слегка злиться, как ребенок, которому папа не может четко и внятно сказать, кто сильнее — кит или слон...

Токарев заулыбался еще шире:

— Наверное, лучше... Его манера — «добрее». А Сева... Он, прежде чем перейти в обмен ударами, говорит себе: боли нет, боли нет...

— Подожди, — Аня непонимающе затрясла головой. — Так говори — не говори, боль-то есть? Или это типа самогипноза?

Артем погладил девушку по волосам, прижал к себе:

— Если я себе сейчас скажу, что боли нет, а ты мне дашь сковородой по голове, то боль будет... А если мы на ринге, то адреналин решает эту проблему. Временно. Поняла?

Аня неуверенно кивнула и тут же задала новый вопрос:

— А Леша — добрее, потому что умнее?

Токарев ответить не успел — кто-то выше и левее, как оказалось, прислушивался к их разговору:

— Добрее он, потому что слабее. Слабак он. Его и не боксер урыть на улице сможет.

Голос прозвучал резко, почти агрессивно. Не поняв, кто говорил, Артем закрутил головой, ощупывая взглядом лица зрителей. Никто на его взгляд не откликнулся.

Аня по-женски мудро успокаивающе стиснула руку Токарева, но сама не удержалась от язвительного замечания:

— Уж не вы ли уроете-то?

— А не в этом дело...

И снова голос прозвучал словно ниоткуда. Токарев начал привставать, чтобы обернуться и найти глазами говорившего, но Аня силой усадила его на место:

— Да не обращай ты внимания... Даже я понимаю, что с Лешей на улице никто не справится — кроме такого же боксера... Правда?

Токареву показалось, что сверху прошелестел смешок... Артем нахмурился и ничего не ответил, потому что вспомнил историю, приключившуюся с ним пару недель назад...

...Его тогда занесло по делу в район улицы Шкапина. К нужному адресу он пробирался «огородами» — проныривая через дворики, потому что опасался стычки. Точнее, не опасался, а не хотел ее — зачем? Ответить-то он сможет, но на хрена попу гармонь? А «шкапинских» в те времена втайне боялись все. Хуже их были только «чубаровцы» в двадцатых годах, которые подарили русскому языку слово «гопник» (ГОП — городское общежитие пролетариата).

Впрочем, сейчас уже мало кто помнит о чубаровцах, о садике Сан-Галли...

А в семидесятые годы улица Шкапина и район Нарвских ворот пользовались самой дурной славой. Это был тот еще райончик — паутинные бараки, нищая закусь дешевого пойла, безразличие к надежде и шакалья удаль подростков из неблагополучных семей... Все в этом районе было по-горькому, по-заводскому... И бились там люто — кость в кость. И менты там лютовали не меньше, чем ватажники, — если били, то в мясо, в синь и с перекурами. А если кто-то скулить начинал, ему в лицо гыкали: «А чего ты хотел? Мы давно так живем, Обводному каналу молимся»...

Несмотря на все предосторожности, Артем, подходя к Балтийскому вокзалу, разумеется на шкапинских все-таки наткнулся. Их было пятеро, и вся компания заслуженно причисляла себя к сливкам шкапинского «общества» — Гера — Быстрый Олень, Валера — Подножка, Саша Эймер, по прозвищу «КВН», Петя — Юнкер да Вадик — Мокша. Артем их, конечно, не знал по именам и кликухам, но этого и не требовалось. Лица и повадки говорили сами за себя.

Увидев чужого, шпана рассыпалась, как гиены, нашедшие раненого волка. Заводила — Гера — шагнул вперед, маскируя прищуром огонь в глазах.

Тренер учил Артема нападать первым, отец — отвлекать чем-нибудь неожиданным.

— Скажите, пожалуйста, сколько времени?

Токарев спрятал часы в карман заранее, еще до встречи с ватагой, поэтому и смог опередить своим вопросом подобную же «заводку» со стороны «шкапинских».

Гера чуть удивился, но тут же нашелся:

— Тебе точно или можно приблизительно?

— Можно приблизительно, — кивнул Артем, дружелюбно улыбаясь и показывая всем своим видом, что не боится. Шакалы — они ведь чуют запах страха и реагируют на него мгновенно.

— Так только что ведь, — засуетился Гера и продолжил, переходя на пение-вой: — «Прогудели три гудочка...»

— «...И зати-ихли вдали, — подхватил «Подножка». — А чекисты этой ночкой на обла-аву пошли».

Артем вздохнул — ясно было, что эти не уймутся, но он все еще надеялся избежать драки грамотным поведением:

— Спасибо. Большое спасибо.

— Слышь, а мы тут рупь просыпали, — вместо «пожалуйста» пожаловался Мокша.

— Ага, — кивнул Гера, — ыщем, ыщем, а все без толку. Не находил?

Токарев понимающе кивнул и спросил вежливо:

— А без мордобоя — никак?

— А ты что, крови пугаешься? Обмороки бывают? — осклабился Подножка.

— По ночам не ссышься? — заломил бровь Мокша.

— Может, у тебя завтра контрольная по арифметике? — гыкнул Гера, показав наполовину сломанный в драке клык.

— А к логопеду в детстве ходил? — вступил в хор Саша-КВН.

Друг друга они подхватывали легко и непринужденно, словно с душой играли спектакль, выдержавший уже сотни представлений.

— Ходил молился — не помогло! — Артем шагнул вперед. Он думал, что шпана оценит его смелость и спокойствие — он играл по «обратной» логике — не убегал, а сокращал дистанцию. Но со «шкапинскими» психологизмы не срабатывали. Улица Шкапина не позволяла себе благородства — его отрицали тощий карман, подобранные окурки и почти поголовная судимость отцов — если таковые имелись.

Гера «просчитал» Токарева мгновенно, на инстинкте:

— Извини, милок, проверочка... — он якобы расслабился и даже по-человечески улыбнулся. — Сам откуда?

— С Гавани. — Артем еще сторожился, но плечи уже опустил, сдержав вздох облегчения. Подвоха в слове «милок» он не почуял.

— И куда? — продолжал Гера. — Мы не в помощь? — Продолжая улыбаться, он протянул Токареву руку для пожатия.

— Да я... — начал было Артем, но пожать протянутую руку не успел — Гера воткнул большой палец ему в гортань.

Токарев задохнулся, даже захрипеть у него не получалось — сразу же кто-то ударил по глазам, еще один — вроде бы Мокша — (за секунду до этого демонстративно отвернувшийся) локтем, как бревном, пробил живот. Артем упал, попытался совладать с дыханием, подтянул ноги к животу, закрыл руками голову... Били недолго, терпимо. Гера сел Артему на спину, сплюнул в сторону и непонимающе пожал плечами:

— С Гавани, а неученый?!

Его размышления привлек радостный всхлип Мокши, виртуозно ловко обшаривавшего карманы Токарева:

— Котлы! Припрятал, падаль!

— Слушай, какие они все в Гавани жадные — жуть...

Для служебного пользования.

Убийство. Кировское РУВД

1 сентября 1986 года в 18 часов 05 минут в своей квартире 134 дома 132 по Обводному каналу со слепым огнестрельным ранением головы обнаружен труп Эймера А.Ф., 1963 года рождения, не работающего, ранее судимого, и с ножевым ранением груди труп Лауренайтиса Я.П., 1965 года рождения, уроженца Литовской ССР, проп. город Каунас.

Выезжали: и.о. зам. нач. УУР ГУВД Егоршин , нач. 2 отдела УУР Жаголко с личным составом , отв. от рук-ва ЭКУ нач. 1 отдела Чурин, прокурор криминалист Новиков , зам. нач. РУВД Голобенко , нач-к ОУР Устименко с личным составом, зам. нач-ка 29 о/м Привезенцев с личным составом, следователь прокуратуры Сорокина, ЭКУ — Ткачева, ЭКО — Ульянов.

КП — 687 по 29 о/м.

Возбуждено уголовное дело по статье 102 УК РСФСР.

Сообщено в МВД СССР.

С места проишествия изъяты отпечатки следов пальцев рук, отпечатки следов обуви, следы материи,
гильза калибром 6,35мм.

В ГУВД по телефону «02» сообщила служба «03» в 18-10.

В ГУВД сообщил зам.нач. РУВД
Голобенко в 20-53 01.09.1986 г.,
оконч.в 2-20 02.09.1986 г.

Под общий хохот шпана перешагнула через Артема. Юнкер нарочно наступил старой красно-
синей кединой Токареву на щеку:

— На столе лежит покойник — тускло свечи горят. А ето был убит налетчик — за него отомстят!

— Зря ты, Юнкер, — неожиданно остановил
кореша Гера. — Не плюй в колодец.

— Хавэлло у него ментовское...

— «Не прошло и недели... Слухи-то-олки пошли — трех легавых провертели во помин его
души»...

«Красная Газета» от воскресенья, 12 сентября 1926 года, писала:

НАГЛОСТЬ ХУЛИГАНОВ ПЕРЕШЛА ГРАНИЦЫ. УСИЛИМ ВОСПИТАТЕЛЬНУЮ РАБОТУ! ВЫРВЕМ МОЛОДЕЖЬ ИЗ ЦЕПКИХ ЛАП ПЬЯНСТВА И РАЗВРАТА!

...Ближе к «Красному Треугольнику», за Балтийским вокзалом, на ул. Шкапина, Розенштейна, собирается порочный и преступный элемент: хулиганье, налетчики, проститутки, их кавалеры, торговцы кокаином. Здесь главным образом идет пьянка, за ней спор, драка, грабежи...

...Беспримерный случай наглости и насилия, совершенный в Чубаровом переулке, всколыхнул рабочие массы. Рабочие и работницы «Красного путиловца» и «Красного треугольника» в один голос заявляют о том, что этот гнусный факт насилия переходит всякие границы.

Хулиганы бросили вызов, наглый вызов нашей революционной законности, всей нашей рабочей общественности, всему Ленинграду.

То, что среди хулиганов нашлись и рабочие, еще усугубляет их вину. Мало того, что они не ценят своего пролетарского происхождения. Своими выходками они бросают тень на всех рабочих.

Наш ответ — к бандитам беспощадно применять наивысшие меры наказания.

Правосудием и расширением культурно-просветительских учреждений мы вырвем из рядов хулиганства нашу пролетарскую молодежь...

Шпана с чувством выполненного долга удалилась, песня утонула в мутной воде Обводного канала.

Артем отдышался. Обиды он не чувствовал, наоборот, радовался, что, в общем, легко отделался. Могло быть и хуже. Радовало то, что все кончилось — и обошлось малой кровью.

Эмоции нахлынули позже — когда Токарев приводил себя в порядок в туалете на Балтийском вокзале. Кадык болел, глотать получалось с трудом. Но душа болела сильнее — она не соглашалась с тем, что мир устроен не так, как хотелось бы...

Вечером, рассказывая о своем приключении отцу, Артем по-взрослому признал:

— Я ошибся...

Токарев-старший вроде как даже обрадовался (хотя перед этим с беспокойством ощупывал сыну кадык):

— Молодцы! Красиво! Запомни: тебя не били, тебя делали!

Артем, ожидавший большего сочувствия, катнул желваками на скулах:

— И в чем мораль и вывод? Как быть впредь?

Токарев, старший пожал плечами:

— Впредь — не быть, а бить! Подошел — нахамил, сразу бежать — резкий разворот, сбиваешь первого, бьешь ногами, не глядя по-уличному, прорываешься сквозь них, хватаешь кирпич, бьешь в колено второму, все кулаки в бровь и челюсть третьему — отскакиваешь, дышишь... Либо успокоятся, либо ты увидишь финку — тогда беги по-настоящему, дыхалки у тебя хватит.

— А если я с девчонкой?

Отец вздохнул:

— Тогда... Порежут. Если повезет — в больнице заштопают. Или — на погост.

— Жестко, — покрутил головой Артем.

— Правдиво, — хмыкнул отец...

...Голос Ани заставил Токарева очнуться от неприятных воспоминаний:

— Артем... Артем, ты что, не слышишь? Я говорю, что с Лешей на улице только такой спортсмен, как он, справится... Ну, если один на один... Правда?

Токарев оглянулся еще раз и чуть громче, чем следовало бы, ответил:

— Правда... Если один на один и если это будет не взрослый рукопашник...

Почудилось или нет скептическое хмыканье сверху? И вообще, почему Артема так задели, и не только задели, но и обеспокоили реплики какого-то незнакомого хмыря? В этих репликах была какая-то агрессия, какая-то угроза — реальная, но очень странная, совсем не такая, какая исходила, например, от напавших на Токарева «шкапинских». «Шкапинские» были злы, коварны, но тем не менее понятны и, как это ни странно, естественны в своих поступках. А вот от незнакомца шла какая-то совсем другая эмоция — темная, холодная и абсолютно непонятная. Чужая...

Разобраться в своих ощущениях Токарев не успел — Анька возбужденно сжала его руку даже привскочила:

— Смотри, смотри!

На ринге вспыхнула рубка — на бокс это уже мало походило. Леха и Сева, остервенившись и практически не уворачиваясь, начали просто бить друг друга — каждый пропустил по нескольку ударов. Зрителей как будто подхватило — трибуны заулюлюкали, послышались выкрики, свист, аплодисменты невпопад.

На очередном ударе Торопова вздрогнула и вжалась носом Артему в плечо:

— Ой, Тема... Как будто по мне лупят! Как они такое выдерживают.

Токарев досадливо сморщился и, не слушая подружку, заорал:

— Леха, Леха, зря, не надо! Леша, в свой футбол играй, в свой!

Артем кричал, зная, что Суворов его не слышит — во время боя боксеры почти никогда не слышат трибун ватный гул, хрип своего дыхания и дыхания соперника — вот и все...

— Тема, Тема! — Аня нервно теребила Артема за рукав. — Так кто побеждает-то?

Токарев махнул рукой:

— Смотри! Лешка держится — превозмогает, а Сева — он улыбается. Значит — это месиво Севе нужно, он на нем выигрывает.

Напряжение зала разрядил гонг, возвестивший окончание раунда. Артем вскочил и, оставив Анну на скамье, бросился к рингу. Там, в красном углу, тренер что-то сердито выговаривал Суворову. Тренер Гордеева, наоборот, выглядел довольным, он громко и азартно вколачивал в уши Севе словно гвозди забивал:

— Че ты с ним танцуешь? Прижми челюсти и при! Пропустил, не пропустил — давай! Ты его сломаешь, он тебя боится! Боли нет! Пропустил —и серия в голову! Лоб подставь — и серия в голову! Ты утюг — он белье! Пошел, пошел!..

Сева кивал и улыбался.

Тренер Суворова, увидев Артема, с досадой мотнул головой:

— Тема, хоть ты скажи этому... герою...

Токарев прижался к красному уху Лешки:

— Лешь, ты слышишь? Лех, ты на отходе его лови, не переходи в обмен, он тебя специально в обмен тянет, это не твое, слышишь? Вы разные! На отходе — левой сбоку, сбоку, покажи справа и давай левой! Корпус, корпус — и в башню! Давай, Леха!

...Но второй раунд оказался для Алексея еще более плачевным, чем первый. Трибуны визжали от Севиного напора. Леша еще раз поддался на провокацию оваций — не утерпел. К концу раунда его глаза заплыли, а Сева улыбался все более уверенно. Гордеев держал прямые удары, подставлял виски под боковые и обрушивал страшные серии на Суворова.

Трибуны ликовали.

— Еще пара минут — и конец... — сказал Артем притихшей Ане. Леху спас гонг.

Второй раз к рингу Токарев не пошел. Он остался сидеть с подружкой — до них долетали сердитые слова тренера:

— Леша, ты что делаешь? Профессионалов на-
нюхался? Может, тебе еще жевательную резинку
дать и шелковый халат? Мы на соревнованиях или
на Пулковских высотах в 41-м? Чего ты из себя
корчишь? Сева так устроен, он негр с белой кожей. Ты его не пробьешь, слышишь?!

— Навряд ли он слышит, — усмехнулся Артем.

— Почему? — вскинула брови Аня. — Потому
что по ушам бьют?

Артем невесело рассмеялся:

— По ушам бьют за карточным столом. Понимаешь, сейчас вокруг него шум — и все...

...Третий раунд пролетел очень быстро —
Алексей держался более уверенно, в обмен не
шел, а в конце и вовсе сделал красиво — уходя в
сторону, он пробил два раза Севе в корпус, нырнул справа, обманул и дождался-таки своего бо-
кового левого... Сева зашатался, стал опускать-
ся на колени.

— Еще раз! — заорал восторженно Артем. — Вот
она, техника!

Гонг не дал Алексею добить Гордеева. Не хватило нескольких секунд — а еще сил, скорости,
опыта и выносливости. По очкам победил Сева —
с минимальным преимуществом. По внешнему
виду, впрочем, его преимущество было более оче-
видным.

— Ну вот! — когда рефери объявил победителя,
Аня от досады даже ударила себя кулачками по коленям. — Все напрасно!

— Напрасно — девушку у памятника с букетом
часами выжидать, — сорвался Артем, употребив
позаимствованный у отца афоризм. — Леха молодец, ему просто чуть-чуть не повезло... Боксер не

тот, кто не пропускает и не падает, а тот, кто поднимается... А Лехе — и подниматься не надо, он и не упал, и с Севой их бой по-настоящему не закончен. Не последние соревнования — Леха свое возьмет.

— Не возьмет, — приговором упала фраза сверху, и Токарев, взорвавшись, вскочил на ноги и обернулся:

— Да кто там каркает-то все время?! Объявитесь, уважаемый!!!

Но увидеть Артем смог только спины потянувшихся к проходам зрителей — соревнования еще не закончились, но болельщики, видимо, решили размять ноги и освежиться. Напрасно Токарев бешено вращал глазами и пытался идентифицировать анонимного собеседника. Никто из зрителей не проявил желания продолжить разговор в открытую.

Аня Торопова тоже поднялась и, положив Артему руку на грудь, сказала:

— Да брось ты, Тема, что ты реагируешь на всяких... Скажи, мы Лешу ждать будем?

Токарев еще несколько секунд следил глазами за уходившими зрителями, пытаясь вычислить своего странного собеседника — что-то слышалось тревожное в его репликах... Но что? Ощущение ускользало, его было очень трудно сформулировать...

— Что? — перевел взгляд на девушку Артем. — Леху? Нет, Леху мы не ждем. Он сейчас, после душа, ни с кем разговаривать не захочет. Пойдет домой спать, но не заснет. И тогда, недовольный, начнет искать меня. Вот тогда и поговорим.

— Точно? — удивилась прогнозу Аня.

— А то я Леху не знаю, — усмехнулся Артем. — Ему сейчас немного отойти надо. А вечером — увидимся и нормально пообщаемся...

...Они действительно увиделись вечером, но встреча эта оказалась совсем не такой, на которую рассчитывал Токарев... поскольку ей предшествовали весьма странные и даже отчасти трагические для Алексея события.

...После окончания быстрой и не очень торжественной церемонии награждения призеров соревнования Суворов долго сидел (стоять не было сил) в душе под сильным потоком воды, поглаживая рукой шершавый, но все равно осклизлый кафель. Легче не становилось — внутри все гудело, да и снаружи — тоже. Сева, надо признать, настучал по чугунку от души. Устал, наверное, лупить так сильно — кулаки сточил, поди...

Одевался Леша медленно, натягивая брюки — чуть не упал... Тренер не стал терзать его «разбором полетов», понял состояние ученика и лишь вяло махнул рукой — мол, после поговорим.

Надо было еще доехать на тряском трамвае до дома — а голова очень чутко реагировала на все рельсовые стыки. Полторы остановки удалось посидеть, а потом в вагон вошла пожилая женщина, и Леша, умудрившись собрать волю в кулак, встал, хотя организм и сопротивлялся благородству: «Сиди ровно, закрой глаза. У нас нет сил на вежливость!»

Проходя через свой двор, Суворов поднял руку, приветствуя завсегдатаев беседки. Там пили портвейн «Иверия» — дорогой, за 2 рубля 42 копейки. Леше тоже предложили, но он мотнул головой, и его чуть не вырвало — то ли от мысли о портвейне, то ли от собственного резкого движения...

В парадной перед вторым пролетом, у почтовых ящиков, Лешин взгляд наткнулся на чью-то спину в клетчатой рубашке. Руки, приделанные к этой спине, копались в почтовых ящиках, а у ног фигуры стояло помятое ржавое ведро, набитое газетами. С тех пор как за сданную макулатуру можно стало получать талоны на приобретение дефицитных художественных книг, почтовые ящики часто обчищались любителями чтения и спекуляций на книгах. Разъяриться у Леши не хватило сил, еле разлепляя губы, Суворов тихо и неагрессивно сказал:

— Эй, макулатурщик... Вали отсюда, пока мозг о череп не ударился!

Чугунно-непослушной ногой Леха выдал клетчатому легкий пендель, чтобы ускорить процесс. Фигура съежилась, как и положено, хныкнула: «Простите меня...» А дальше... Дальше правая рука незнакомца безвольно свисла к набитому газетами ведру и... Суворову почудилось, что кто-то сбоку наотмашь ударил его рельсой: гул, боль, какие-то вспышки в мозгу. Закрыв глаза, он уперся ладонями в колени, почувствовал, как что-то мягкое толкает его, и упал в темноту...

Очнулся он, лежа в неудобной позе на ступеньках. Леша почувствовал на лбу что-то неправильное, поднял руку и убедился, что с головы свисает лоскут кожи в пол-лба, вместе с бровью. Кровь уже не текла, а устало выдавливалась из раны... Рядом лежало ведро, наполовину заполненное обломками кирпичей. Леха понял, почему удар получился таким страшным.

— Веселый разговор, — прохрипел сам себе Суворов и на карачках пополз к своей квартире...

...Минут через сорок подъехал тренер (по счастью, до него Леше удалось дозвониться сразу) и хирург. Врач, человек уверенно спивающийся, но профессионал, осмотрев Суворова, бодро хмыкнул:

— Ни хера страшного не вижу. Вижу одно — с боксом завязано. Не ссы — умнее будешь.

— Это как же?.. — растерянно спросил Леха, ища глаза тренера, который, засопев, отвернулся и ушел курить на кухню.

— А так же! — рыгнул перегаром эскулап. — Зашьем, подлатаем. Не Мерлин... Брандо — сойдет. Но! При первой же хорошей плюхе все начнет на хрен отваливаться.

— Вы... вы... — от волнения и отчаяния Суворов начал даже заикаться. — Вы на вечный технический нокаут намекаете?

Врач вздохнул, глаза его подобрели и даже подернулись дымкой сочувствия:

— Сынок... Я намекаю, что не надо в парадных шайками мордоваться... Все! Сиди ровно. Снимаю мерку. Через полчасика съездим в травму, все зашьем в лучшем виде. Жить будешь. Может, без бокса еще и проживешь подольше...

...Артем успел подъехать к Суворову еще до того, как его повезли в «травму».

Токарев выслушал сбивчивый рассказ приятеля, задал дополнительные вопросы, осмотрел оставшееся на лестнице ведро с кирпичами...

...Лешке Артем не стал ничего говорить, но сам постоянно вспоминал странного анонима на соревнованиях, утверждавшего, что и в одиночку он сможет урыть Леху... Совпадение?.. Но отчего такая тоска на душе, будто с чем-то потусторонним соприкоснулся, будто из кошмарного сна выныриваешь, в котором царят какие-то жуткие личности — упыри, вурдалаки и прочие мистические монстры?..

...Когда тренер и врач повезли Лешку в «травму» зашиваться, Токарев пошел на работу к отцу. Опыт соприкосновения с жизнью и работой уголовного розыска был у Артема уже достаточным для четкого понимания того, что зацепиться в этой странной истории с ведром не за что. И тем не менее Токарев хотел посоветоваться с отцом, потому что внутреннее напряжение не проходило, потому что интуиция подсказывала: беда, случившаяся с Лешкой, — это не обычное хулиганство, это что-то другое — совсем не понятное, а потому — страшное...

Отца он застал в кабинете, когда тот беседовал со своим заместителем Петровым (по прозвищу, разумеется, Петров-Водкин) о том, что необходимо срочно переписать книгу «КП». Дело в том, что несколько заявлений от потерпевших граждан (а точнее, не несколько, а более двадцати) вообще не были зарегистрированы. Система липы и очковтирательства, навязанная министерством, принуждала работающих на земле делать вид, что абсолютно все заявления фиксируются. В действительности же огромный процент этих заявлений шел «генералу Корзинкину». Естественно, иногда случались сбои — чья-то жалоба, плановые заявления от подставных заявителей, проверки инспекции по личному составу. А книга «КП» представляла из себя пронумерованную полистно и прошнурованную главтетрадь. Из нее ни листа нельзя было вырвать или, наоборот, вклеить в нее что-то. Ее можно было только переписать сызнова — меняя почерки, цвет чернил, подделывая подписи — то есть совершить еще одно привычное должностное преступление в устойчивой группе территориальных оперов, дежурной части, да и всего руководящего звена. Где-то раз в три года почти каждое отделение милиции с переменным успехом эту операцию проделывало и — выходило из кризиса. Недреманое око государево — прокуратура, которой полагалось надзирать за милицией, — была частенько если и не в доле, то уж по меньшей мере в курсе... Вот в этот ответственный момент составления плана на фальсификацию официального документа Артем и заглянул к отцу.

— О! — обрадовался Василий Павлович. — Заходи, прям вовремя ты — у тебя ж почерк набитый, взрослый. Нам позарез нужно набрать человек восемь своих...

— Много задержанных? — спросил, думая о своем, Токарев-младший.

Отец укоризненно хмыкнул:

— Пока ни одного — и не до них. К утру не сдюжим — разжалованных будет с лихвой. А вы, сударь, невнимательны — я про почерк заикнулся, а не про кулаки...

— Опять липуете, — понимающе кивнул Артем.

Петров-Водкин возмущенно вскинул брови:

— А ты знаешь другой путь к счастью?

Токарев-младший, не желая вступать в бессмысленную дискуссию, неопределенно повел плечами и обратился к отцу:

— Пап, минутка есть?

— Не бзди, сын, какая минутка — мы будем жить вечно... Чего стряслось?

— Леху Суворова избили...

Василий Павлович усмехнулся:

— Водкин, ты слышишь, что творится-то?.. Боксеру по морде надавали.

— Не может быть! — сделал строгое лицо Петров-Водкин. — Да как же им не стыдно!

Артем вздохнул:

— Я серьезно... Его отоварили в парадной, били ведром с кирпичами. Пол-брови — как слизало. На соревнованиях Леха больше никогда не сможет выступать... Он только сегодня второе место по городу взял...

Василий Павлович помотал головой:

— И в чем проблема?

Артем упрямо наклонил голову:

— В этом... Непонятно все... Его как будто ждали специально...

Токарев-старший прищурился:

— И в чем странность? Боксеру, твоему корешу, в парадной наваляли. Почему-то ведром. И что? Странно, что бьют обычно в голову, или странно, что ведром? Цапнулся твой Леха где-то со шпаной, вот они его и встретили... Мы-то чем помочь можем?

Токарев-младший понимал, что отец говорит так не от черствости, а потому, что знает реальную практику работы УРа, и все равно не согласился — душа протестовала:

— Леха никогда ни с какой шпаной не бился, предпочитал по морде получить, был случай — он же понимает, что у него удар страшный. Леха — он вообще почти «толстовец». Здесь что-то другое... Позвони...

Василий Павлович нахмурился, давя в себе раздражение:

— Кому и зачем? Я бы сказал: на хера? Злодей пойман?

— Нет...

— Тем более... Слушай, давай делом займемся. Леша твой жив, очухается, до свадьбы — заживет. Давай набирай разных авторучек — присоединяйся к нарушителям социалистической законности. И не забивай мне голову...

— Подожди, папа...

И Артем все-таки рассказал подробно, сухо и детально все, что узнал о нападении со слов Алексея и по результатам своего осмотра лестничной клетки. Много времени рассказ не занял.

— М-да, — сказал отец, когда сын замолчал. — Водкин, слыхал?

— Угу, — кивнул Петров.

— Тогда — мнение подбрось!

Петров-Водкин пожал плечами и почесал в затылке.

— А что тут... Несовершеннолетний мудак тырил газеты и журналы из ящиков, рядом почему-то стояло ржавое ведро (не факт, что он с ним пришел, его кто угодно мог приволочь по миллиону причин). Он складывал газеты в ведро, чтобы проходящие не увидели беспорядка. Получил поджопник — испугался — отмахнулся. Попал удачно — ваши не пляшут. Все — лейся песня!

— Во, — одобрительно кивнул Токарев-старший. — Моя школа! С ходу, правда, не раскрытие, а — сокрытие, но — на то воля товарища СТАТИСТИКА.

Артем сжал зубы и, понимая, что, наверное, ничего убедительного добавить не сможет, все же попытался еще раз:

— Пап, я не спорю, но... Понимаешь, мы сегодня с Анькой на соревнованиях были, как раз Лехин бой смотрели... И я назвал его манеру доброй... А там был какой-то чувак странный, он выше сидел, я его лица не видел, он комментировать начал... Что, мол, доброта — это всегда слабость и проигрыш, и что, мол, Леху и на улице урыть — нефиг делать... Анька ему еще сказала что-то типа, мол, попробуй...

— И что?

— Ничего... Но он очень как-то странно говорил. Знаешь, как будто рассуждал, что сильная личность — может все... Нездорово так рассуждал, тревожно... И сразу после этого — Леху чисто и грамотно делают, и ничего не берут при этом... Не случайное это совпадение...

В кабинете повисла тишина. Потом Петров-Водкин хрюкнул, но тут же, сделав серьезное лицо, направился к выходу:

— Я сейчас. Вы тут поговорите пока, а я за ручками.

Отец и сын остались в кабинете вдвоем. Наконец Василий Павлович сказал негромко:

— Ну и как прикажешь реагировать? Водкин — человек деликатный, потому здесь ржать не стал, к себе пошел... Все — харэ трепаться! В то время как все здоровые силы пытаются уйти от уголовной ответственности, совершая новое должностное преступление, то есть борются за переходящий вымпел лучших по раскрываемости имени Сутулова, некоторые переживают из-за разбитой хари... Позор!

...Чуть позже, чувствуя все-таки обиду и несогласие сына, прилежно писавшего новую КП, Василий Павлович вернулся к, казалось, уже закрытой теме:

— Ты пойми... Дело ведь не в том, что лень морочиться.. Просто... Понимаешь, я без малого двадцать лет в розыске — и не видел ни одного фильма и не читал ни одной книги, где бы хоть как-то похоже рассказывалось о том, как на самом деле совершаются и раскрываются преступления. Потому что в книгах и фильмах должно быть красиво и интересно. А в жизни — в жизни все намного проще и приземленнее. В абсолютно подавляющем большинстве случаев самая простая и банальная версия и оказывается самой реальной — наиболее близкой к тому, что на самом деле случилось. Но есть любители романтизировать — и у нас в розыске, кстати говоря — тоже. Знаешь, такие пиздоболы, которые вместо того, чтобы работать, начинают версии перебирать — и заходят, бывает, далеко. Мне и про Достоевского доводилось слышать, и про мистику, и даже, извини, про внеземные цивилизации. Это — дело такое только начни, так заговориться можно — до сумасшествия один шаг останется... Люди так себя сами утешают и развлекаются — чтобы жизнь не казалась слишком серой, обыденной и прозаичной... «Тьмы низких истин нам дороже нас возвышающий обман»... или «все возвышающий»? Не важно. Это я к чему — по поводу Лехи твоего... Там, с ведром, — действительно что-то... Какой-то перебор...

— Так скажи своим, в отделении, — вскинул голову Артем.

— Что сказать? — перебил его отец. — Что с ведром перебор? Что были какие-то странные слова непонятно кого на соревнованиях?

Артем молчал — крыть было нечем. Василий Павлович улыбнулся и потрепал сына по волосам:

— У этой странной истории есть две более-менее логичных версии, вытекающих из той информации, которую ты мне сообщил. Версия первая: у нас в городе появился некто — будущий (а может быть, уже и настоящий) суперпреступник и монстр. Вынашивая амбициозные планы и готовясь к будущим суперпреступлениям, этот гражданин тренируется пока на боксерах — призерах городских соревнований. То есть мы имеем пролог жуткого кошмара. И кровушки этот упырь, не оставляющий следов, и которого даже не разглядеть в толпе, еще попьет. Версия вторая: просто шпана, просто какие-то детали мы не знаем. Может, и Леха — по миллиону своих сугубо личных причин — не хочет говорить всего. Может, он чьей-то жене или дочке под юбку залез, а теперь стесняется... Короче — простая история, в которой мы просто чего-то не знаем. Ну, а теперь скажи мне: какая из двух версий приведет нас в сумасшедший дом, а какая — если и не даст раскрытия, то хотя бы позволит нам остаться нормальными людьми в реальной, а не киношной жизни?

— Вторая, — через силу, но все-таки улыбнулся после небольшой паузы Артем.

— Слава Богу, — с облегчением вздохнул отец. — А то я уж думал, что ты... это... Бубен Верхнего Мира услышал... Мистика — это дело такое, серьезное. Головой ебануться очень легко. ...А что касается моих, из отделения, — просто на реверансы для Лехи людей нет. У нас сейчас как раз серия — развратные действия по малолеткам. И она — под сукном. Но — вчера поймали эту мразь. Сейчас из него выколачивают душу. Доказательств — ноль. Ты сам понимаешь, какие приметы и опознания у испуганных детей в 10—12 лет... Потому — либо выбьют и закрепятся, либо — могут быть проблемы.

— Понимаю...

Больше к истории с Лешей Суворовым не возвращались. Артем понемногу успокоился, умом приняв правоту отца. Самое странное заключалось в том, что опытный розыскник Токарев действительно интуитивно угадал в одной из двух своих с ходу выдвинутых версий. Но Артему стало бы по-настоящему жутко, если бы он узнал, какая из этих версий действительно — реальная...

ТУЛЬСКИЙ

10 сентября 1979 г.
Ленинград, В.О.

Артур жмурился на сентябрьском московском солнышке, раскинув руки на деревянной изрезанной перочинными ножами скамье. На душе было легко и ровно, клонившийся к оконцовке день не обещал неприятных сюрпризов, а вечером он собирался с ребятами завалиться на дискотеку в университетскую общагу — там у Тульского появилась знакомая, первокурсница с экономического. Девушка приехала в Питер из Новгорода, Артура по наивности тоже принимали за студента... Короче, планы были самые что ни на есть добрые...

— Эй, Артур! — со смехом окликнул чуть придремавшего в тепле Тульского Вася-Пряник, занявший в их ватажке место ушедшего в армию Гоги. — Тут маменькина сопля интересные набои дает. Хочешь постебаться?

Артур лениво отлип от скамейки. Рядом с Васей стоял щуплый паренек лет 15-16, по виду типичный «очкарик» — «интеллигент в маминой кофте» — нескладный, чистенько одетый и действительно в смешных очках — на резиночках между дужками.

— Из Крупы, что ль — поинтересовался Тульский — не у незнакомого очкарика, разумеется, а у Васи.

Тот мазнул рукой:

— Какое — пришлый с Линии.

— Дожили, — вздохнул Артур. — Ну, тащи сюда провокатора...

— Цып-цып-цып, — тоненько пропел Вася-Пряник, и «очкарик», растерянно озираясь, подошел к Тульскому.

— Здравствуйте...

— Здоровее некуда, — ухмыльнулся Тульский, рассматривая паренька в упор. — С чем пришел? Небось двадцать копеек, которые мама на завтраки дала, отобрал кто? Так мы — пас, мы в опасные истории не вписываемся.

— Ага, — подхватил Вася. — Нас в комсомол принять обещали, у нас — испытательный срок, понимаешь...

— Не, — совсем застеснялся мальчик. — Я по другому делу. Посерьезному.

— Посерьезному? — ужаснулся Артур, а Вася, возмутившись, враз огрубел голосом:

— Да ты куда нас втравливаешь?!

— Никак, рубль у тебя отняли? — догадливо прищурился Тульский.

У паренька задрожали губы, но он сделал усилие над собой и как мог твердо пролепетал:

— Нет, я по другому делу.

— Ладно, выкладывай, все равно — скучно, — милостиво махнул рукой Артур.

Парнишка глубоко вздохнул, как перед нырком, и вдруг выпалил:

— Только дослушайте до конца...

— Не обещаем, — развел руками Тульский. — Может, ты сквернословить будешь?

— Я не понял, — набычился Пряник. — «Только» — это что, угроза?

«Очкарик» смешался вновь, но тут же поднял голову, демонстрируя решимость идти до конца, несмотря ни на что:

— Родители заставляют меня заниматься музыкой...

— Аналогичная история произошла на Минской пересылке, — серьезно сказал Артур Васе. Пряник понимающе кивнул.

— Я прошу вас, дослушайте, — в голосе маленького интеллигента послышались нотки отчаяния. — Только вы мне можете помочь... Я хожу к репетитору, тут недалеко, на Второй линии, первый этаж...

— Рояль не белый? — прищурился с подозрением Тульский.

— Нет...

— Это меняет дело, — облегченно вздохнул Вася. Парнишка покрутил головой, нервно сжал пальцы и продолжил:

— Меня тошнит от музыки, от преподавателя и вообще... Я хочу... чтобы вы их ограбили... Не перебивайте, пожалуйста... Я все продумал. Когда буду у них пить чай на кухне — открою аккуратно щеколду на окне — оно выходит во двор... Форточку они не закрывают... У них семья приличная — муж какой-то ученый — книги, вазы, картины... Жена — учитель музыки... Там везде шкатулки, ящички. Я точно буду знать, когда они уедут на дачу. Дача, кстати, тоже — будь здоров. Заберите все — и им... ей, то есть... не до занятий со мной будет... какое-то время... А мне — отдайте спортивный велосипед, он в кладовке стоит. Все.

Парнишка шумно выдохнул, нервно вытер лоб. Какое-то время обомлевшие Артур с Васей не могли нарушить тишину...

Тульский потряс головой и уже абсолютно серьезным тоном, без прежней дурашливой издевки, сказал очень тихо:

— Похоже, действительно все...

Резким, неуловимым движением Артур схватил очкарика за волосы и пригнул к земле. Интересно, что сначала тело мальчишки инстинктивно среагировало, выгнулось, но мгновение спустя страх, видимо, победил — упругое сопротивление исчезло, парнишка рыхло осел, стукнулся коленками об асфальт. Вывернув мальчику голову, Тульский наклонился к нему вплотную, так, что почти дотрагивался своими губами до перекошенного лица:

— Я сейчас тебе глаз высосу... Опер по детям из 37-го послал?

— Како...го 37-го? — запинаясь, чуть не заплакал юный ненавистник музыкального образования.

— Быстро... Князев подослал? Говори тихо и быстро — останешься зрячим...

Мальчишка захлебнулся не слезами и болью, а, скорее — страхом и нервами.

— Уткт, уткт, — заходил по горлу его кадычок, глаза начали закатываться.

— Ладно, вставай, — Артур отпустил его, сунул руки в карманы и задумчиво наблюдал, как «интеллигенция» судорожно пытается прийти в себя...

— Ученый, говоришь?..

Мальчишка кивнул. Тульский цыкнул зубом, сплюнул и задал новый вопрос:

— Велосипед, значит? Ногти у твоей учительницы красивые?

— Да... Не очень длинные, такие — розово-голубые, пахнут...

Артур покивал:

— А муж курит «БТ»?

— Да... — удивление в голосе мальчишки нарастало.

— И телевизор — ненашенский?

— Да... черного цвета...

— И сыр режут тонко и кладут в одну тарелку?

Паренек широко распахнутыми глазами изумленно смотрел на Тульского, ничего не понимая:

— А вы... Вы что, их знаете?

Артур вспомнил квартиру Дины, несостоявшейся своей любви, и ухмыльнулся жестко:

— Профессура... За границей бывали, публичные дома видали... Так когда они на дачу едут?

Парнишка оживился:

— А вы... Я — узнаю, узнаю точно.

— Как тебя найти, пианист?

— В 11-й школе... Точнее... лучше у школы с трех до четырех, мы там почти каждый день в «минус пять» играем...

— Ну, ладно, — подытожил беседу Тульский. — Рисковый ты, я смотрю, паренек... Иди. Настроение будет — потолкуем. Да, про глаза — помни, Князев один, а нас — много.

— Кто такой Князев? — не удержался от вопроса мальчишка, уже готовый припустить прочь с высокого старта.

— Тебе не грозит, — дернул уголком рта Тульский. — Исчезни.

Понукать дважды очкарика не пришлось — улепетнул он шустро, как воробей от вороны. Артур, прищурившись, смотрел ему вслед, а потом перевел взгляд на Васю, не проронившего во второй половине «допроса» ни слова. Пряник почесал в затылке:

— Ну что? Есть тема?

Тульский покачал головой:

— Порожняк, пустые хлопоты... А пацаненок забавный, даром что очкарик... Есть в нем что-то... Такой подрастет, злобу подкопит — и учительницу свою прям на рояле отдрючит, а потом струной от того же рояля ей же и горло распахтает... Варшава говорил, что интеллигенты, когда до края доходят, — зверствуют поболе простых — с выдумкой и фантазиями... Начитаются в своих книжках... Ладно, забудь. Постебались маленько, атмосферку колыхнули — и хорош...

Вася спорить не стал, хотя видно было, что мнение Тульского он разделяет не до конца. Но Артур был для Пряника авторитетом практически непререкаемым, а стало быть — забыли, так забыли...

На самом же деле Тульский ничего забывать не собирался — он, что называется, вполне «закусил тему». Просто Артур сразу же вспомнил слова Варшавы о том, что чем меньше людей в теме, тем меньше и риска запалиться. А Вася — он пацан, конечно, свой, но языком почесать любит, да и пуд соли с ним еще не съели. Пусть забудет, от греха, так оно спокойнее.

Варшаву Тульский нашел примерно через час у Андреевского рынка — вор сидел в будочке у своего приятеля, глухонемого айсора-сапожника, ждал, пока тот поставит набойки ему на ботинки. Варшава новую обувь страсть как не любил, предпочитал донашивать старую до последнего. При этом за ботинками своими вор следил почти по-офицерски, они всегда у него были начищены до какого-то невероятного глянца.

Подкатившись к профессору уголовных дел, меланхолически перебиравшему пальчиками ног в одних носках, Артур азартно выдохнул вместо приветствия:

— Варшава, можно сделать вещь.

— Делай, — с философским спокойствием ответил вор, не проявляя внешне никакого любопытства и даже не поворачивая головы в сторону бьющего копытом представителя подрастающего поколения. Однако совсем уж дотошный наблюдатель заметил бы, что морщины вокруг глаз Варшавы стали чуть глубже. Артур помялся и слегка сбавил тон:

— Мне одному — не взять.

У вора дрогнули ноздри:

— А ты что, брал когда-нибудь?

Тульский смутился и в этот момент вдруг стал похож чем-то неуловимым на давешнего «паренька-очкарика».

— Ну, по мелочи... А тут...

Варшава беззвучно рассмеялся и сощурил один глаз.

— С самоката на «Волгу» пересесть хочешь?

Артур самолюбиво нахмурился: он не любил, когда его щелкали по носу, — от Варшавы терпел, конечно, но все равно не любил — не маленький уже.

— Так рассказать?

— Объявляй, — пожал плечами вор и прикрыл глаза. За все время рассказа он ни разу не прервал Тульского, не открыл глаз и все время чуть покачивал головой, словно в такт какой-то звучавшей внутри него мелодии. Когда Артур замолчал, Варшава открыл глаза и задумчиво сказал:

— Как все просто...

— А что смущает? — Тульский готов был защищать тему, потому что уже считал ее своей. Вор помолчал, потом дернул бровями уже серьезней и энергичней:

— Не оперская прокладка?

Артур мотнул головой:

— Я на «рэ» проверил — вроде нет...

Варшава принял из рук айсора левый ботинок, надел его, удовлетворенно притопнул и лишь после этого сказал:

— Нутром своим проверять надо, а у тебя его еще быть не может, потому как жизнь пока еще всерьез не мордовала... Хотя... Хотя в жизни все нормальные темы просто всегда случаются... А где не просто, так там палево или блудень... Как фамилия пионэра?

Слово «пионер» Варшава произнес на старинный «манэр», так что получилось очень смешно. Но улыбнуться Артуру не позволила досада на собственную оплошность — он в азарте забыл даже поинтересоваться самым элементарным — как, собственно, зовут очкарика...

Ощутив неловкую паузу, вор остро глянул Тульскому в глаза. Тот вздохнул и признался:

— Не знаю.

— Имя? — не удивляясь, спокойно спросил Варшава. Артур опустил голову и еле слышно засопел, злясь на самого себя.

Варшава надел правый ботинок, пожал айсору руку и встал, потянувшись всем телом. Тульский молчал. Вор дробно стукнул новыми набойками короткую чечетку на асфальте и оставил Артуру шанс:

— Гуляй, не скучай. Выяснишь все — приходи под хорошее настроение...

На следующий же день Тульский отправился к 11-й средней школе, что располагалась на 17-й линии. «Очкарик» не соврал — его фигура действительно наблюдалась в своре школьников, игравших теннисным мячиком в «минус пять». Артур понаблюдал за игрой, прислушался — ему показалось, что «интеллигента» называли Савеловым... Прежде чем окликнуть нового знакомого, Тульский схватил за шиворот пробегавшего мимо парнишку-школьника — судя по всему, учившегося в этой же школе, только классом помладше:

— Обожди-ка, голубок... А ответь-ка мне на такой вопрос: видишь, пацаны с мячом? Знаешь того, который в голубой рубашке?

Школьник с перепугу захлопал глазами, таращась на Тульского. Артур нахмурился и встряхнул мальца — легонечко, только чтоб сосредоточился:

— Харю-то повороти, глянь, куда показываю! Вопрос уяснил али ухи прочистить?

— Этот... Вроде наш, из девятого «Б». Перевелся к нам.

— Откуда перевелся? — удивился Тульский. — А фамилия, имя?

— Не знаю, — заныл школьник. — Он же не из нашего класса... Можно, я пойду?

Тульский отпустил пацаненка:

— Ступай, бабушка небось щи второй раз подогревает. Скандал будет.

Подойдя к игрокам в «минус пять» поближе, Тульский перехватил мгновенно ставший опасливым взгляд «очкарика» и мигнул ему, дескать, — подойди. Тот подлетел мгновенно, только что по стойке «смирно» не встал. Артур усмехнулся:

— Ну что, Савелов... Не ждал?

Музыкант-горемыка глянул исподлобья и ответил вопросом на вопрос:

— А откуда... Как вы мою фамилию узнали?

Тульский с важным видом цыкнул зубом:

— От нас не скроешься... Звать-то тебя как?

— Никитой...

— Велосипед-то не расхотел, Никита?

Савелов помотал головой:

— Нет...

— Ну, тогда давай адрес, присмотрюсь.

Очкарик засуетился, зачем-то сунул руки в карманы, потом помотал головой и выдавил из себя, будто страшную тайну раскрывал:

— Вторая линия, дом 34, квартира 3. Удаловы...

Тульский кивнул, запоминая:

— Ясно... За подробностями приду. О, кстати, из какой школы ты сюда перевелся?

Савелов аж в коленях просел от неожиданности:

— А откуда... Понятно... Я — из 13-й, а что?

— Ничего, — ухмыльнулся Тульский. — Не вибрируй. Иди, пинай мячик.

Савелов побежал обратно к игрокам, Артур посмотрел ему вслед и бросил в спину для понта:

— А я в твои годы уже воровал!

(Хотя по всему выходило, что «очкарик»-то почти ровесником ему приходится).

Савелов услышал, обернулся и развел руками, устало улыбаясь. Странная это была улыбка. Что-то в ней покоробило Артура, вот только он никак не мог сформулировать — что именно. Слишком взрослой, что ли, эта улыбочка была для интеллигентного парнишки-музыканта из хорошей семьи. А еще — еще в ней было что-то и вовсе непонятное, что-то такое... чужое. И даже жутковатое, но в этом Артур никогда бы сам себе не признался — это ж курам на смех! Очкарик-музыкант, улыбнувшийся так, что жуть берет, — расскажи кому, скажут, лечиться надо... Однако, пожалуй, именно странное ощущение, возникшее от улыбки Савелова, заставило Тульского смотаться до 13-й школы и поинтересоваться у тамошних девятиклассников насчет Никиты Савелова — оказалось, действительно, учился такой, но с нового учебного года в другую школу перевелся... Артур успокоился и для себя решил, что проверка закончена. Позже он будет вспоминать эту историю, как иллюстрацию различий между реальной информацией и тем, что тебе специально подсовывают. Принять за правду легче всего то, на что ты заранее настроен как на правду... А Тульскому очень хотелось, чтобы тема с богатой квартирой срослась. И тема помаленечку срасталась...

Тульский пошеркался вокруг квартиры Удаловых — окно действительно выходило во двор. Подойдя совсем близко, Артур услышал звуки рояля, увидел сквозь щель между дорогими занавесками книжные полки с втиснутыми в них старинными книгами... Все складывалось.

На следующий день Тульский снова «навестил» Савелова — тот пообещал, что в пятницу защелка на окне будет открыта, а Удаловы на дачу уедут. А еще Никита сообщил, что самая дорогая вещь в квартире — какие-то старые шахматы просто безумной цены. Улыбаясь (и совсем даже не жутко, а скорее беззащитно-боязливо), очкарик поинтересовался, когда и куда ему приходить за велосипедом. Артур назначил ему рандеву в субботу вечером — все у той же школы № 11.

Варшава переварил сведения, полученные от Тульского, вызвал двух своих хорошо знакомых жуликов (Чиркани и Беста) — послал их перепроверить. Те понюхали, повдыхали... Согласились, что тема внятная.

— Делаем! — решил Варшава. Однако при этом объявил, что Артур в квартиру не пойдёт.

— Незачем пока, — отрезал вор, отвечая на немое возмущение в глазах Тульского. Артур счел такое решение чуть ли не личным оскорблением — однако спорить с Варшавой не решился, зная, что бесполезно.

— Да ладно тебе, — ухмыльнулся Чиркани. — Доля твоя при тебе будет, не парься!

Артур с трудом сглотнул комок в горле — дело было не в доле, и все это прекрасно понимали.

...В пятницу вечером Чиркани с Бестом, расположившись во дворике, пронаблюдали за тем, как Удаловы уезжают на дачу. Дальше — просто. Дождались, пока двор опустел. Потом Бест подсадил напарника, Чиркани аккуратно влез в квартиру, открыл дверь изнутри и тут же вышел, не захлопывая замка, — перебежал в садик. Посидели, подождали, — не сработает ли сигнализация, не появятся ли менты. Все было тихо. Тогда, посвистывая, отправились уже через дверь ценности собирать. А в квартире действительно было чем поживиться — воры нашли почти шесть тысяч рублей, золотишко, шубу норковую, статуэтки, пару картин, навороченный радиоприемник, магнитофон и явно очень старинные тяжеленные шахматы с серьезным замком — видимо, те самые, о которых говорил «очкарик».

Велосипед для Савелова никто даже и не трогал — хотя он, между прочим, в квартире действительно был.

Когда воры зашли в квартиру, из подъезда напротив выскользнула невысокая фигура и добежала до ближайшего телефона-автомата. Последовал звонок в милицию с короткой, но очень конкретной и емкой информацией о том, что по такому-то адресу прямо сейчас происходит квартирная кража. Звонивший не представился, но на сигнал тем не менее среагировали...

Когда Бест и Чиркани́, груженные добром, вышли во двор, их поджидал неприятный сюрприз — из-за дерева прямо на них, играя табельным оружием, выскочил опер — ментовское мурло ни с чем не спутаешь. Откуда-то с боков появились еще трое. В подворотне проходного двора нарисовался пятый.

Один из оперов кашлянул и обратился к остолбеневшим жуликам:

— Не валяйте дурака — медленно принимаем стойку «смирно».

— Или побегаем? Только у нас в кабинете лекарств нема! — подхватил второй мент.

Бест тяжело усмехнулся:

— Наши не пляшут... Пишем явку! Регистрируй! Явились добровольно, так как стыдно стало по дороге.

Чиркани́ повернулся к напарнику и зашипел:

— Ты чего за меня решаешь?

В этом вопросе была одна лишь эмоция, смысла же — никакого. И Бест мог не отвечать, но он ответил:

— Извини — можешь прорываться. А я пятилетку хочу отсидеть здоровым...

Дальше все было не очень интересно — протокол, следователь, задержание, арест...

Бест и Чиркани́ дали показания, что никто их на квартиру не наводил, якобы они просто шли мимо и увидели, что окно открыто... Но самое интересное началось потом, когда выяснилось, кому принадлежит квартира. В ней действительно проживала семья Удаловых, вот только товарищ Удалов был никаким не ученым, а заведовал отделом в горкоме партии...

...Утром в субботу на прямой телефон заведующего оргтделом обкома партии поступил телефонный звонок — молодой достаточно голос, явно волнуясь, рассказал о неудавшейся краже из квартиры товарища Удалова и о том, что воры прицеливались прежде всего на антикварные шахматы, цена которых — как минимум — полсотни тысяч долларов. Милиция-то сработала, слава Богу, как надо, а вот откуда у партийного функционера такие ценные вещи — с этим бы надо разбираться отдельно... Звонивший не представился, что заведующий оргтделом объяснил себе просто: честный и молодой сотрудник милиции просто испугался мести со стороны Удалова... Заведующий оргтделом звонку обрадовался — аноним бросил зерно в удобренную почву, будто зная то, что знали немногие, — как хозяин кабинета, куда последовал звонок, ненавидел Удалова — были между ними какие-то старые личные счеты. Если информация подтвердится — антикварные шахматы поставят на карьере Удалова жирный крест...

В понедельник с утра начальнику следственного отдела Василеостровского РУВД Сипягину позвонил начальник РУВД Власов:

— Степа, там у тебя дело по квартире на Второй линии свежее...

— Есть такое дело, — согласился Сипягин. — Так с поличным же там, все признались... Чик-чирик — и в суд!

Власов тяжело засопел в трубку:

— Чик-то оно, может, и чирик, а только там какие-то шахматы изъятые имеются?

— Имеются, — подтвердил Сипягин. — Тяжелые, старинные, дорогие. Я их даже, от греха, к себе в кабинет занес. Завтра собираемся потерпевшему отдавать.

Власов помолчал, а потом вдруг рявкнул ни с того ни с его:

— А вот ни хера не чик-чирик, Степа! Бери шахматы и дуй ко мне. Потолкуем. Однако потолковать с глазу на глаз им не пришлось, потому что когда Сипягин с шахматами добрался до кабинета Власова там уже присутствовали гости: как на вскидку определил начальник СО, — комитетчик и какой-то партийный функционер.

Оценив обстановку, Сипягин водрузил шахматы на стол и сказал хмуро, обращаясь к Власову:

— Вот шахматы, но они уже «того»?

Чего «того», молодой человек? — не понял партиец.

— Какой я вам «молодой человек»?! — взвился тридцатисемилетний Сипягин.

— Степа, Степа, — успокаивающе привскочил Власов. — Товарищ — представитель обкома.

— И я при нем молодею, что ли? — огрызнулся Сипягин, но уже тоном ниже.

Опытный «комитетчик» решил выступить в роли миротворца:

— Товарищи, товарищи... Ну при чем тут!!! Милиция — блистательно среагировала, следствие ведется безупречно, мы нос не суем в чужие дела, преступление совершено в отношении высокопоставленного партийного работника...

Чекист говорил долго, складно и убедительно. Сипягин слушал его хмуро, дождался паузы и вставил:

— Мое дело маленькое. Я просто хочу заметить, что шахматы официально изъяты у задержанного, уже опознаны женой потерпевшего, следователь провел осмотр и признал их вещественными доказательствами. Раз они такие ценные, то я могу сегодня же отдать их высокопоставленному партийному работнику...

Комитетчик и партиец переглянулись, а потом оба серьезно посмотрели на Власова. Начальник РУВД крякнул и вдруг блеснул непонятно откуда взявшейся эрудицией:

— Шахматы стоят десятки тысяч долларов... Долларов!!! Конец XVIII века... Их один король другому подарил где-то в Европе.

— Не где-то, — поправил «комитетчик», — а, по нашим данным...

Сипягин устало махнул рукой:

— По мне — хоть в Швамбрании!

Власов кивнул:

— Степа, ты сам все прекрасно понимаешь. Вещь пока полежит у меня. Мы с товарищами разберемся.

Сипягин пожал плечами:

— Вы-то разберетесь, а что мне потерпевшему говорить?

Комитетчик и партиец снова переглянулись, после чего сотрудник «карающего меча партии» решил представиться:

— Моя фамилия — Кисель, телефон — 2786809. Если у товарища Удалова возникнут вопросы — пусть позвонит мне. Тем более, что и у нас вопросы к нему имеются. Серьезные вопросы. А шахматы... Шахматы мы вскоре у вас официально заберем.

Совершенно секретно.

НАЧАЛЬНИКУ ОТДЕЛА КОНТРРАЗВЕДКИ
4 АРТИЛЛЕРИЙСКОГО КОРПУСА
Подполковнику тов. *Виноградову.*

СПЕЦСВОДКА № 7
По делу-формуляр
на рядового 100
Артбригады — Калистратова
Петра Павловича.

На Ваш № 445 от 31 января 1947
года.

По делу-формуляр на рядового Калистратова работают два с/осведо-
мителя «Максимов» и «Новиков». Раз-
работка Калистратова ведется в направлении установления его службы
в немецкой армии и принадлежности
к немецким разведорганам.

За последний период от агентуры,
работающей по делу, получены ниже-
следующие материалы:

*С/о «Чикилев», не имеющий отно-
шения к разработке Калистратова, на
явке 18.11.1946 года донес:*

«7 ноября 1946 года во время торжественного обеда солдат Калистратов проявил недовольство праздно-
ванием: сказал: к празднику и обеда хорошего не приготовили, затем
сказал на этот обед и музыку еще
тянут, она только делает сумасшед-
шее настроение, кроме того, играют
и сами не знают что».

*С/о «Максимов» 18.11.46 года со-
общил:*

«Во время читки «опровержения
ТАСС» Калистратов сказал о том, что
Советские самолеты бомбили Гамин-
дановский район, чтобы затеять войну».

*Этот же осведомитель на явке
15.01.47 года донес следующее:*

«Калистратов рассказывал ему, что
в 1943 году был угнан немцами в
Латвию, где работал ординарцем у
некоего Гаймана. Носил немецкую форму. При отходе немецких войск ма-
родерствовал, отбирал велосипеды,
ценности у латышей. Калистратов
сказал, что однажды он ударил ла-
тыша топором в плечо и забрал у
него из квартиры драгоценные шахматы. Когда он нес шахматы прятать,
то один немецкий офицер увидел его
и спросил, кто он такой? Калистратов вынул свой документ и показал.
Офицер не стал его обыскивать, но
отобрал шахматы, что расстроило
Калистратова, поскольку он полагал,
что шахматы могли обеспечить ему
безбедное существование в Германии.
Также Калистратов сказал, что при
подходе Красной Армии он сбросил
свое обмундирование, одел цивиль-
ное и бежал в глубь Германии, где и
был освобожден американцами»...

— Да хоть дело забирайте!

— Нет, нет, дело вы оставите себе. А вот шахматы — нам. И — никто ничего не слышал, надеюсь — объяснять не надо? Или — требуется дополнительная проработка вопроса?

— Боже упаси! — усмехнулся Сипягин. — Куда нам, сирым и убогим...

— Все, Степа, свободен, — недовольно поморщился Власов.

— Интересные у вас кадры, — успел услышать Сипягин, закрывая дверь в кабинет начальника РУВД. Власов что-то забубнил в ответ оправдывающее плохой характер начальника следственного отдела. «Похоже, пиздец товарищу Удалову», — констатировал мысленно Сипягин, направляясь к себе в кабинет. Будущее показало, что он в прогнозе не ошибся...

Из выступления начальника РУВД
перед оперсоставом подразделения
по итогам работы за полугодие
1982 года.

— ...Не могу не отметить оперуполномоченных Жаринова и Арцыбашева. Надеюсь, присутствуют? Замечательно. Встаньте.

...Лавры борьбы с хищениями социалистической собственности не дают им покоя. Так, 29 мая сего года эти аристократы сыска забрали из дежурной части задержанного за мелкое хищение с кожевенного завода гр-на Ковальчука. Воспользовавшись тем, что он был практически невме- няем от алкоголя, убедили написать объяснение, где Ковальчук признал хищение 800 метров пошивочного ма- териала! Более того, обманув де- журного от руководства зам. началь- ника РУВД по полит. части подпол- ковника Ждановича, дали сводку раскрытия по городу! Управление БХСС, не разобравшись, выехало на фабрику. Директор фабрики — кста- ти, РУВД его подшефный объект, — названивает мне, орет «Ратуйте!», а я — «ни ухом, ни рылом»!

(Хихиканье в актовом зале, пере- шептывание, слышатся: «Как обычно!»)

Тридцать седьмое коментирует?

Выяснилось, что карманники... тьфу... оперуполномоченные Жаринов и Арцы- башев додумались одну похищенную катушку ниток гр-ном Ковальчуком именовать 800-ми метрами пошивоч- ного материала!

(Приглушенные смешки)

Отставить смешки!

И мотивировали они это ориенти- ровкой ГУБХСС от 28 мая в отношении каких-то там хищений с фабрики го- рода Поти.

Андреев! Вы аж прослезились. Если старший группы обладает таким чув- ством юмора, какой будет следующий фортель? Токарев, мне надоело по- крывать этих диверсантов!

(Уже нескрываемый общий смех)

А мне не до смеха! Если бы не их чутье на жулье...

(Хохот)

Я вижу, убойная группа больше всех веселится. Напрасно. Коснемся ситуации с вылавливанием утопшего возле Горного института...

Никита Савелов, скромный очкарик, на назначенную встречу за велосипедом не пришел. Все попытки Артура найти его оказались безрезультатными. В одиннадцатой школе удалось выяснить у девятиклассников следующее: в начале сентября действительно откуда-то возник парень, представился Никитой Савеловым, сказал, что переводится в эту школу. Парень был очень компанейским, веселым, сразу стал вливаться в коллектив будущих одноклассников, хотя на уроки еще и не приходил, — говорил, что родители какие-то формальности утрясают. В юном возрасте «своими» становятся быстро... А в тринадцатой школе сказали, что настоящий Никита Савелов переехал с родителями в Москву еще в июне...

...Рассказывая обо всем об этом Варшаве, Артур вспомнил странную улыбку Савелова — стало быть, не случайно она тогда показалась жуткой. Но передавать свои эмоции вору Тульский не стал — и так-то обосрался дальше некуда, еще и сопли какие-то показывать...

Варшава долго молчал — они сидели с Артуром на лавочке в садике Академии Художеств. Тульский не выдержал:

— Я ничего не понимаю!

— Это в твоем возрасте нормально, — вздохнул вор.

— Кто сука? Кто? Зачем?

Варшава помолчал, поскреб в затылке. Хмыкнул:

— Если бы мог вот так сразу... жил бы в Гаграх, ходил бы в чесучовом костюме... Все малеха заврались. Мальцу обещали лисапед, который никто не собирался ему давать. А он не собирался его получать. Ты ерзал ради идеи — интересно и почетно, видишь ли... Я людей подбирал, рассчитывал на шахматы, хотел их цеховикам в Поти скинуть. Тоже кривил душой, Беста и Чиркани в свои планы не брал... Мой знакомый опер кричит — шухер из-за этих шахмат дикий. Они какие-то особенные, обком-горком, короче — сам терпила спалился. ГБ-ЧК лютует, жалом водит — прям как в пятидесятые. Вот так. Если б я имел коня — это был бы номер, если б конь имел меня — я б, наверно, помер. Чует мое сердце — комитетовские это вонзили. Им по какой-то чекистской надобности потребовалось терпилу этого партийного с пробега убрать. Вот они тему и забодяжили. А их прокладки враз не срубишь...

Артур поднял голову:

— Так, значит... В смысле это что — разведка какая-то работала?

Варшава усмехнулся со вздохом:

— В смысле... Ну не пятнадцатилетний же паренек в глаженых штанишках?! И менты так не делают. Им подставы делать на квартире партийных деятелей — таких прав никто не выписывал отродясь... Чуйка говорит — чекистские дела. Плохо то, что они пацаненка не к кому-то подводили, а к тебе. Значит — информацию имеют. Конкретную. А это — плохо. «Стало быть, тебе надо притихариться... У тебя, долбоебушка, чудом первая судимость не образовалась. А судимость — это штука такая — необратимая. После первой — судьбу уже не перевернешь.

Варшава рассуждал абсолютно здраво и логично, но он ошибся — точно так же, как ошибся Токарев-старший, оценивая историю, приключившуюся с боксером Лехой Суворовым. Варшава не мог не ошибиться. Даже ему, битому и ловленому вору, не могло прийти в голову предположение, что всю комбинацию выстроил и провел один человек — и кто? Несовершеннолетний мальчишка, сын одного из подчиненных товарища Удалова. И не просто подчиненного, а приятеля — они семьями дружили, в гости друг к другу ходили. А сынок подчиненного решил (самостоятельно, не советуясь с отцом) карьеру папе подтолкнуть, освободив один из пролетов партийной лестницы...

Опытнейший розыскник и засиженный вор в разное время и в разных ситуациях ошиблись на одном и том же человеке. Ошибившись, они не почуяли, что в неформальном пространстве Питера зажигается новая «звезда» — абсолютно невидимая, а потому — особенно страшная...

ТОКАРЕВ

*Ноябрь 1979 г.
Ленинград*

Говорят, что ожидание праздника доставляет намного больше положительных эмоций, чем сам праздник. Ведь ожидание — это всегда «мечтание», а мечта — она мечта и есть, она идеальнее и красивее реальной жизни. В канун праздника человеку подсознательно грезится чудо, которым праздник может стать, — и, как правило, он им не становится. К тому же в России праздник чаще всего оборачивается горьким похмельем, а канун — канун как раз заканчивается праздником. Стало быть, даже подсознательно получается, что в ожидании праздника светлого и радостного больше, чем в самом событии...

Артем любил суетливые предпраздничные дни — и времени больше оставалось свободного, и люди как-то наэлектризовывались, и вообще — жизнь становилась какой-то другой, в нее словно входил какой-то дополнительный смысл. 6 ноября тренировка у Токарева-младшего закончилась почти на час раньше, чем обычно. Тренеры — тоже люди, им тоже надо было подготовиться к наступавшим ноябрьским. Точнее, не подготовиться, а «прорепетировать» — судя по количеству бутылок, которые Артем успел углядеть в тренерской. Ну и чудесно — будет время с Анькой встретиться — и в конце концов решить, чем и где развлекать себя после демонстрации. Задумавшись, Артем шел через Румянцевский сад, где на лавочках кучковалась и шушукалась василеостровская шпана. Токарев многих из них знал — совсем своим для ватажников он, разумеется, не был (все-таки сын мента и сам мент будущий), но и за чужака его не держали — Артема абсолютно устраивали такие отношения вежливого и, в общем, доброжелательного нейтралитета.

Его заметили. Лидер группы, девятнадцатилетний парень по прозвищу Вата, сказал что-то негромко и кивнул на Артема. Парнишка помладше (по прозвищу Хабарик), сидевший на спинке скамьи, ловко оттолкнувшись, бросился прямо под ноги Токареву — с таким видом, будто потерял что-то на дорожке. Артем ловко отскочил в сторону, Хабарик, под негромкие смешки дружков, выпрямился лицом к лицу с Токаревым и в своеобразной «манэре» поздоровался:

— Выше знамя советского спорта!

Артем покачал головой:

— Вот ты под колеса швыряешься — а мне из-за тебя сидеть!

Шпана шутку оценила, и смешки стали громче. Хабарик насупился:

— Жути нагоняешь, Артем Батькович?!

Токарев-младший очень не любил, когда ему даже в легкой форме намекали на то, что он, дескать, всегда может спрятаться за спину папы-милиционера, а потому мгновенно ощетинился:

— А при чем здесь «батькович»?

Вата спрыгнул со скамейки и, нагоняя солидность голосом, погасил преддверие конфликта:

— Борща!

Артем спокойно пожал протянутую Ватой руку. Постояли, перебросились несколькими ничего не значащими «светскими» фразами. Потом Вата, склонив голову набок, вдруг выдвинул неожиданное (похоже, и для самого себя) предложение:

— Артем, мы тут порешили к Александровским набежать... Айда?

Токарев усмехнулся сам про себя: всяк готовится к праздникам по-своему — василеостровская шпана решила подразмяться на петроградской — а после удачного «рейда» и праздник станет веселее — будет чем перед девчонками понтануться... Артем хорошо знал, чем заканчиваются такие набеги одной шпанской ватаги на другую — нормальный человек в этом вряд ли бы углядел что-либо веселое...

— И чем провинились? — спросил Токарев из вежливости, зная, в общем-то, что для набега особой причины не нужно — нужно, чтобы настроение было.

Вата хмыкнул:

— А в изложении на заданную тему много клякс понаставили...

Артем кивнул, признавая серьезность повода, и улыбнулся:

— В троллейбусе все не поместимся...

Это был вежливый отказ, но Вата сделал вид, что не понял, и продолжал настаивать:

— Петроградские — тоже не «первый класс, вторая четверть». А у тебя — навык. Айда?..

Токарев твердо покачал головой:

— Вата, извини, но... Если сочту нужным — сам напрошусь.

Вата вздохнул и глянул на Артема с прищуром:

— Странный ты пассажир... С одной стороны — с пионэрами макулатуру не собираешь, с другой — и с пацанами не мотаешься...

В этих словах вроде бы и угрозы никакой не прозвучало. Но тон, каким они были произнесены, явно похолодел. По скамейке словно ветерок прошел — шелестнули шепотки, а потом встал и шагнул к разговаривающим парень, уже имеющий условную судимость в биографии и творческой псевдоним Крендель. По лицу Кренделя было понятно, что он счел слова Ваты поводом к конфликту:

— Один на льдине?

Артем поймал его взгляд и автоматически отступил на шаг, поднеся руку к подбородку — якобы потирая лицо, а на самом деле принимая исходную позицию для отражения удара. Токарев отлично знал повадки шпаны и не тешил себя глупыми иллюзиями, что, дескать, для «василеостровских» он — свой.

— Тебе, конечно, видней, — сказал Вата, делая вид, что не замечает маневров Кренделя. — Но и мы в жизни подсобить иногда могем...

— Не сомневаюсь, — кивнул Токарев. — Однако меня — вычеркивай.

— Ну, что же, — поджал губы Вата. — Приношу извинения, если наговорил вам грубостей.

От некоторого внутреннего напряжения Артем не смог ответить легко и изящно. Его фраза вышла слегка высокомерной:

— Принимаю. И надеюсь, что больше...

Договорить ему не дал Крендель — среагировав на борзой тон «мусоренка», тот кинулся на Токарева. Артем увернулся и тут же попал левой Кренделю в плечо. Вата не дал разгореться стычке, спровоцированной, по большому счету, им же самим. Он встал между Токаревым и Кренделем с видом умудренного жизнью миротворца:

— Дуэли до лучших времен. Все. Волга! Без последнего!

И вся ватага мгновенно сдернула к выходу из садика. Убегая, Вата успел пожать Артему руку и со значением глянул. Токарев задумчиво смотрел вслед шпане — получалось, что Вата, остановив потасовку, как бы оказал ему некоторую услугу, то есть повесил на Артема мелкий, но должок...

Токарев подошел к телефону-автомату на 1-й линии и, порывшись в карманах, нашел двухкопеечную монету. Собираясь позвонить Ане, Артем сморщил лоб, вспоминая ее новый номер телефона, — цифры он запоминал почему-то плохо, а семья Тороповых летом переехала в новую квартиру — на Петроградской стороне, соответственно, и номер телефона изменился. Собственно говоря, изменился не только номер. Отец Ани, Александр Владимирович Торопов, резко пошел в гору — теперь он уже был не просто доцентом, преподававшим в инженерно-экономическом институте, а членом бюро горкома партии и председателем приемной комиссии города. Правда, на отношении к Артему его карьерный рост никак не отразился — Александр Владимирович был мужиком приветливым, с чувством юмора, и Токарева-младшего привечал чуть ли не любезнее всех в семье. Плохо (для Артема) было то, что в новую большую квартиру Тороповых на Петроградке переехал еще из Павловска отец Аниной мамы — недавно овдовевший пенсионер Ножнин Федор Алексеевич. Дедушка постоянно сидел дома, и Токареву почти не удавалось побыть с Аней наедине. «Квартирный вопрос» застопорил нормальное развитие сексуальных отношений —

а тискаться и целоваться до одурения на лавочках, по подъездам и в кинотеатрах было уже тяжело — и морально, и физически. Анька вообще вела себя немного странно (опять же — с точки зрения Токарева) — она никак не могла решиться наконец расстаться с девичеством, при этом сексуальные игры ей очень даже нравились — видно было... Из-за этого вот компота в отношениях Ани и Артема появился даже легкий элемент извращенности, что постепенно начинало тяготить обоих. К тому же Аня теперь была дочкой «очень большого начальника» — то есть невестой с перспективой, а вот в «женихах» у ней состоял парень, для которого высшее счастье заключалось в том, чтобы стать оперуполномоченным в отделении милиции. И если Александр Владимирович Торопов в этом обстоятельстве ничего плохого не видел, то его жена и тесть постепенно объясняли Ане, что такое мезальянс и чем он плох по жизни. Аня с мамой и дедушкой бескомпромиссно ругалась, но в душе — в душе кое в чем соглашалась с ними. Артем и в самом деле не очень походил на принца, способного подарить своей избраннице весь мир. А себя Аня без ложной скромности считала вполне даже принцессой. Отсюда — возникали нюансы. И эти нюансы осенью стали проявляться все чаще и чаще...

Токарев вспомнил наконец номер и начал вертеть телефонный диск. Трубку на том конце провода снял Александр Владимирович. Артем кашлянул и поздоровался:

— Вечер добрый, Александр Владимирович. Аня дома?

— Привет-привет, — добродушно отозвалась трубка. — Как себя чу?

— Ну... — замялся Токарев и козырнул словечком, недавно почерпнутым из лексикона полковника Богуславского: — Если коротко — эклектизм...

— Че-го?! — опешил Александр Владимирович и тут же рассмеялся: — Тема, не пугай меня. Я родился в Нарыме, там за «измы» мигом бы пятак начистили!

Артем улыбнулся:

— А в Гавани и без эклектизма — это быстро.

— Ну, тогда нас окружают психически нормальные люди, — рассудительно сказал Александр Владимирович. — Зову.

Трубку перехватила Аня, не слышавшая начала разговора:

— Это я с мамой психически нормальная?

Токарев вздохнул:

— Ань, тебя поставили подсматривать, а ты подслушиваешь...

— Все понятно, — ничего не поняв, сказала Аня. — Встречаемся у Зоопарка минут через двадцать?

По прикидкам Артема, Зоопарк попадал в зону набега «васькиных», поэтому он после секундного колебания предложил другое место:

— Давай лучше у «Великана»?

— У зверей через двадцать минут! — отрезала Аня и повесила трубку. В последнее время ей обязательно нужно было хоть в мелочах каких-то, но настоять на своем. У нее вообще все явственнее прорезалась склонность к командирству, и эта склонность начинала Артема потихоньку бесить.

С другой стороны, Токарев в таких ситуациях вспоминал заповедь отца, гласившую, что «с бабой по пустякам лучше не спорить. Уступишь ей в пустяке — ей и покажется, что она главная. Но это касается только пустяков, а не серьезных вопросов»...

Артем трусцой пробежался через Университет, прыгнул в удачно подошедший троллейбус, через пару остановок выскочил на Пушкарской и быстрым шагом пошел к Зоопарку.

А у Зоопарка тем временем кучковались представители петроградской шпаны — по виду не очень отличавшиеся от «васькиных». В кружке, состоящем человек из двадцати, председательствовал крепкий парень по прозвищу «Сибиряк».

— Скоро должны появиться васькины... С ними могут прибежать и гаванские.

Один любопытный молоденький шкет тут же встрял с вопросом:

— А знаешь, откуда?

— Оттуда!

Шкету тут же отвесили леща, он заткнулся, и Сибиряк продолжил:

— Встречать их на катке я передумал. Мы пойдем...

— Куда? — снова встрял неугомонный шкет — и тут же понял, что влип, прикрыл затылок рукой, но это не помогло.

— Тащить верблюда! — под одобрительный смешок Сибиряка малец получил сразу пару пенделей и окончательно затих.

— Мы пойдем другим путем. План-схема: они к нам причалят на троллейбусе со Стрелки, высадятся либо сразу, либо на второй остановке. Посему: ты, Саня, караулишь недалеко от моста, тебе хорошо будет видно нутро троллейбуса: время-то позднее, в салоне свет уже включили. Как высадятся — через проходные летишь к нам. Чего недопонял?

Парень, которого звали Сашей, кивнул и побежал к мосту.

Сибиряк продолжил:

— А мы сидим у старой школы. После известия от Сани — бегом к Зоопарку через дворы. Ты, шкет, — на сто метров впереди. Если на них натыкаешься — мухой назад. Наваливаемся возле заколоченной арки из-за угла. Палками и по ногам. Гоним в садик перед Мюзик-холлом — там, если что, от ментов легче скрыться. Все запомнили: учим всерьез, чтобы гонором своим харкали!

...На подошедшего к Зоопарку быстрым шагом Токарева шпана внимания не обратила, а вот он краем уха их разговор зацепил — плюс визуальное наблюдение кое-что дало: Артем отметил и стеганые ватники, и велосипедные цепи в руках у некоторых. В общем, информации было достаточно, чтобы понять: судя по всему, набег васькиных нарвется на засаду. Токарев задергался, понял, что Вату уже не предупредить, стало быть — нужно как можно быстрее перехватывать Аньку — вытаскивать ее подальше от этого района, где очень скоро начнется настоящая свистопляска. Аньку он поймал на подходе к Зоопарку — она была в настроении самом благодушном:

— И куда кавалер приглашает даму?

Артем, скрывая беспокойство, постарался улыбнуться в ответ:

— Давай по мороженому? А? В «Великане»? Только не надо иронизировать... Ну — хочу я мороженого! В шариках. После тренировки — знаешь.

— Знаю, — кивнула Аня. — Кто бы спорил. И вообще, мороженое — это очень эротично...

В другое бы время Токарев обязательно зацепился за тему эротики, но сейчас лишь криво улыбнулся и буквально потащил Аню к «Великану» через парк. Их обогнали два парня, двигавшиеся почти перебежками. В руках у них были черенки от лопат.

Артем замедлил шаг:

— Постоим минутку, Ань?

— Зачем?

— Шнурок развязался...

Токарев быстро осмотрел Александровский парк, вгляделся в улицу Горького.

— Все понятно...

— Что понятно? — Аня не понимала, что происходит, поэтому начала раздражаться. — Шнурки не развязались?

— Да тут такие завязки... Давай-ка быстро по дорожке на улицу Горького, там — на другую сторону и — вглубь дворов...

— А там что — целоваться незаметнее?

Она по-прежнему не ощущала опасности, и Артем не выдержал и сорвался:

— Аня, сейчас здесь будет полный засос, уходим!!!

Но они не успели. По садику разнесся резкий двойной свист, в котором легко было угадать сигнал к атаке. Кто-то завопил: «Айда! Да!» А потом — топот десятков подошв и характерные звуки дра-

ки: «Шша...хрусть... ты-ы-ы...на...блядь!..» —
«М...ы...м... А-а-а!»

Васькины не рассчитывали нарваться на засаду,
поэтому психологически продержались лишь секунд двадцать, после чего их строй дрогнул и ватага ртутью брызнула по садику. Драка переросла в
мелкие стычки. Это был полный крах. Один гнал
троих. Кто падал — того добивали ногами. На до-
рожку прямо перед Артемом с Аней выскочил Вата.
Его правый кулак был ободран до крови. За Ватой
гнались двое, один из них успел воткнуть черенок
лопаты между ног Вате — тот красиво растянулся
на дорожке, сдирая себе обе ладони, подбородок и
колени. Один из догонявших в прыжке попытался
упасть двумя коленями Вате на спину, но не рас-
считал и тоже проехался по дорожке. Второй оказался более удачливым — попал кедой Вате в горло. Первый быстро вскочил и пару раз ударил Вату
по голове черенком от лопаты. Вата завыл, сжался
и постарался перекатиться к скамейке — там из последних сил схватил было урну, замахнулся, но, по-
лучив ногой в голову и палкой по коленке, сник.
Началось тупое тыкание ногами по телу.

...Все это произошло очень быстро, Аня даже
сказать ничего не успела. С широко раскрытыми
глазами она обернулась к Артему, но он ее слушать
не стал:

— Стой здесь, я быстро!

Рванувшись с места, Артем подлетел к парням,
избивавшим Вату, и с ходу сзади пробил одному
печень. Второй получил два раза с левой в бровь,
апперкотом в подбородок, а когда начал оседать —
еще и сверху справа. Пацан откинулся на спину
— рядом с дергавшимся от боли первым.

— Вата, как настроение?

Вата с трудом собрал свое тело в организм и встал. Его зашатало. Артем поймал его и направил в сторону Тучкова моста. Идти, однако, Вата не смог и присел на скамейку, найдя в себе силы лишь на усмешку:

— Думал, что в Париже ложки, а оказалось — вилы...

Между тем по садику разнесся вой милицейских сирен, и послышалось хлопанье дверей воронков — а эти звуки ни с чем не перепутаешь.

— Елки-моталки, — сказал Вата. — Муса́ра!

— И кто бы мог подумать! — иронично отозвался Токарев. — Ладно. Ты — не сбитый «ястребок», а я не белорусская девушка из партизанского отряда. Доберешься сам.

— Благодарю. Бывало хуже.

Артем бросился к нервно переминавшейся Ане, уже почти добежал, но услышал шелест шин по парковому гравию. Токарев оглянулся и увидел, что у скамейки, где отдыхал Вата, остановилась «канарейка». Два сержанта, лениво выйдя, одними пальцами подцепили Вату за одежду и вздернули его со скамьи. Тот из последних сил рванулся в сторону — слабо и прогнозируемо безнадежно — получил коленом в лицо и совсем затих. Тело потащили к газику. Открыв дверь, сержанты стали поднимать «мясо», в этот момент из отсека высунулась голова Сибиряка, который, ухватившись руками за дверь, попытался затеять разговор, чтобы, улучив шанс, выскочить:

— Командир, давай по-людски.

Сержант отпустил Вату (тот безжизненно стек на землю) и два раза ударил Сибиряка в лицо. Лицо исчезло.

— А мы и так пока по-людски с вами...

Токарев посмотрел на Аню, помотал головой, снова развернулся и быстро добежал до газика:

— Товарищ сержант, это мой брат... Я его, честное слово, сам до дома доведу.

Сержанты переглянулись, снова отпустили тело: — Залезай.

Артем удивленно мотнул головой:

— А я-то с каких щей?

— Залазь! Достали!!! — рявкнул сержант и попытался ухватить Токарева за рукав. Артем увернулся и попытался вложить в голос максимум вежливости:

— Я вас по-человечески прошу. Отпустите его. Я поймаю машину и...

— Сынка, ты в багажник сам заберешься — или катаньем?

И тут Сибиряк выпрыгнул-таки из газика. Перекатился кувырком и дернул по газонам. За ним рванулся еще один, но этого сержант достал — пыром вогнал носок сапога в грудь. Парень переломился и упал. С досады сержанты врезали еще пару раз начавшему приходить в себя Вате. В этой нервной суете Артем схватил сержанта за рукав:

— Я прошу вас...

Сержант впился клешней Токареву в ухо, Артем вывернулся, оставив волосы в милицейской ладони, от боли машинально махнул правой — попал в область подбородка. Удар был не сильным, но губа у сержанта вспухла. Второй сержант мгновенно схватил Артема сзади за волосы, перехватил шею, придушил, а его коллега пару раз точно пробил Токареву в поддых. Артем обмяк, начал ловить воздух ртом и уже не сопротивлялся, когда его закинули в газик следом за Ватой...

Менты свою работу проделывали бывало в общем-то без злости. Залезая в машину, «пострадавший» сержант слизнул кровь с губы и выругался с улыбкой:

— Ну что за жизнь собачья, морду бьют через дежурство! Хоть бы посадили за это кого-нибудь.

— А тебе полегчало бы?... Или, думаешь, бить бы прекратили? — философски поинтересовался водитель, пытаясь завести «канарейку».

— Нет, серьезно, что за дела! Морда не казенная!

— А какая же? — хохотал водила.

— Ну тебя! И плотят...

— Началось... Один император на приказе об увеличении пенсии городовым начертал: «Я бы этой свинье вообще бы не платил, ибо сама себе пропитаться всегда найдет».

— Очень красиво! Это тебе в университете твоем преподали? И чему вас учат, юристов будущих — ментов ненавидеть? Ты ж сам мент!

— Ладно, поехали в отделение. Все уже разбежались...

С горем пополам тронулись. Метров через двести водитель снова спросил:

— А чего ты из-за губы-то так распереживался? Любовь?

— Угу, — хмыкнул сержант, закуривая «Приму». — Тут одна понты кидала: «Я, знаете ли, курю только сигареты с фильтром», — я сбегал. «Я, вообще-то, предпочитаю сухое», — припер сухое с заднего хода. Я — то, я — се, чего желает дама... А результат? Гонорея!!!

Водитель грохнул хохотом и был поддержан даже некоторыми задержанными. А потом и сержант разулыбался. Вот так вот, с шутками и прибаутками прибыли в отделение...

Самое смешное — Сибиряк-то тоже далеко не ушел. Он выскочил на улицу Горького, а там как раз ехала оперативная «шестерка» с дежурным опером. На скорости километров двадцать в час опер открыл дверь и сшиб ею заслуженного учетника комнаты несовершеннолетних. Сибиряк, ошарашенный ударом, лежал ногами на мостовой, а головой — на тротуаре.

— Автомашина — это средство повышенной опасности! — назидательно сказал оперативник, поднимая беглеца и занося его на заднее сиденье шестерки.

— Непруха! — очухался Сибиряк.

— Кто победил? — равнодушно поинтересовался опер.

— Да мы их сегодня... порубали... Слушай, — Сибиряк порылся в карманах и вытащил два рубля. — Купи пива, а? Чуть ведь не зашиб...

— А что, — пожал плечами опер. — Можно. Тпру!!!

...Постепенно в дежурную часть свезли всех задержанных и пинками разогнали по разным углам. Дежурный знал, что если сразу не нагонит жути, то до утра будет жить в сумасшедшем доме, а потому «дирижировал» властно и резко:

— Александровские — в пердильник! Васькины — в оперчасть на второй этаж. «Хочу в туалет» — квалифицируется как попытка побега. «Не знаю» — как хамство! Ребра выну и об колено переломаю!!!

— Все из карманов — на стол!

Сержанты подпихивали парней и ловко шмонали, все падало в общую кучу, но никто не жаловался и не требовал пересчитать мелочь или сигареты.

— У кого претензии? Заявления? Никто не хочет написать заявление? Все травмы оттого, что случайно споткнулись? К сотрудникам претензии?!

Шпана пыхтела, но отмалчивалась. Таковы были правила игры: попал в плен — крепчай. Токарев тоже молчал. Он думал о том, как выбраться из этой истории, чтобы не уронить репутацию отца. Но отец-то, в случае чего, — поймет. А вот Анька вряд ли поймет мотивы его поступка.

Оказавшись через некоторое время в «аквариуме», Артем сел на корточки и уткнул лицо в кулаки. Рядом хорохорился Вата:

— Ничего-ничего... Не горюй, Первая перчатка, с кем поведешься — с тем и насидишься!

— А я-то за что? — вздохнул Токарев.

— Во дает! — изумился Вата. — Лучше было бы, если бы было за что?

— Лучше!

Вата помолчал, а потом сказал шепотом:

— Ты слышишь себя-то? Ку-ку!

Артем закрыл глаза и ничего не ответил.

...Между тем дежурный уже беззлобно отфыркивался по телефону от главковского начальства:

— Конечно, всех отловили — на одной машине-то... Меры? Меры — да, принимаем. Серьезные. Ремнем по жопе — и по домам. А какие вы предлагаете? Может, для вас это и ЧП, а для нас — разминка перед салютом... А с кем я говорю? О-о-о... А что вас так задело? Я запомню. Про обком слышал. Никак нет, я беспартийный, однако прописку имею. Никак нет, товарищ ответственный работник обкома, я не хамлю. Просто у меня задержанных больше, чем ответственных документов... Вот я дело и делаю... Очень хорошо, приезжайте, нам поможете... Есть!

Дежурный положил трубку на рычаг и тут же схватился за местный телефон, набрал номер оперчасти.

— Але, Гусев? Слышь, тут такое чудо звонило! Из обкома! Ну по поводу этих, гопников, — кричит: «Бандитская акция!» Я, конечно, корректно... Но, чую, он приедет. Я не знаю — чую. Наверное, через городскую дежурку. Я предупредил — подметайте...

А все было просто. Звонило в дежурку никакое не чудо, звонил ответственный дежурный административного отдела обкома партии товарищ Лампов, прибывший в ГУВД с внезапным запланированным визитом. Ну, прибыл и прибыл — получал, как обычно, пространные ответы на дурацкие вопросы. И тут — бац, когда он выпятил живот посреди гувэдэшной дежурки, — один из помощников выяснял по прямому с Петроградским РУВД:

— Беспорядки? Сколько их? Все несовершеннолетние...

И понеслось. Потому что накануне было совещание в обкоме по поводу предстоящей Олимпиады и чистки города от деклассированных элементов. На совещании срочно потребовали усилить, углубить и немедленно дать результаты... В общем — все в один кулек. А тут Лампов как раз и увидел возможность отрапортовать о результатах. Лично отрапортовать — это важно. Для тех, кто понимает. В общем — пошло-поехало... Лампов перехватил трубку у помощника дежурного по ГУВД, нарвался на иронично-усталого дежурного в районе, его зацепило, он позвонил своим в обком, потом в прокуратуру, потом начальнику Петроградского УВД, потом начальнику районного следствия — тот начал объяснять, что следственной перспективы нет, и вызвал этим лишь звонок начальнику Следственного управления... Потом очень много начальников сразу поехали в Петроградское РУВД — а там: пацаны друг на дружку объяснения и заявления не пишут, рапортов сержантов для возбуждения дела по массовому хулиганству недостаточно, а дело уже просто позарез необходимо. В общем — картина маслом, сотрудникам-то милиции весь этот геморрой и на хрен не нужен, а машина запустилась... Тут и разбитая губа у сержанта выплыла — хоть что-то, сержанту орут: «Немедленно в травмпункт», — он пытается вяло отбояриваться (оно ему сто лет не надо, в омутах моченному из-за губы по кабинетам терпилой болтаться) — а с начальством, как известно, особо не поспоришь, особенно когда начальство это само в полузадроченном состоянии находится... В общем, в оконцовке — возбуждение уголовного дела на несовершеннолетнего Токарева А.В. по родной 191-й статье.

Статья 191 УК РСФСР
«Сопротивление
работнику милиции
или народному дружиннику».

Оказание сопротивления работнику милиции или народному дружиннику при исполнении этими лицами возложенных на них обязанностей по охране общественного порядка —

наказывается лишением свободы на срок до одного года, или исправительными работами на тот же срок, или штрафом до ста рублей. Те же действия, сопряженные с насилием или угрозой применения насилия, а равно принуждение этих лиц путем насилия или угрозы применения насилия к выполнению явно незаконных действий —

наказываются лишением свободы на срок от одного года до пяти лет или исправительными работами на срок от одного года до двух лет (введена Законом РСФСР от 25 июля 1962 г.; в ред. Указов Президиума Верховного Совета РСФСР от 3 декабря 1982 г. и от 29 июля 1988 г. — Ведомости Верховного Совета РСФСР, 1962, № 29, ст. 449; 1982, № 49, ст.1821; 1988, № 31, ст. 1005).

К утру обо всем этом балагане узнал Токарев-старший, естественно, примчался в Петроградское РУВД, говорил с матерившимся и плевавшимся от злости начальником, со старым приятелем — начальником розыска — но... Следствие кивало на коллег из управления, мол, «они — мудаки», управление советовало улаживать все «наверху» (-«А нам — по барабану!»), одуревший сержант вообще орал: дескать, может сказать, что пошутил... Однако дело-то взял на контроль обком партии, а это в те времена было круче, чем когда сегодня полпред на свой личный контроль берет... Короче, все вышло ужасно справедливо, даже не ужасно, а кошмарно — виноватых нет, все старались, помогали, всех понять можно — но жопа-то полная... К полудню праздничного дня 7 ноября отец и сын Токаревы пришли домой с чугунными головами и осознали, что, похоже, — «приплыли»... Разговор отца и сына был суровый, жесткий, но честный. Сначала долго молчали, а потом Артем не выдержал:

— Отец, я в чем-то не прав?

— Не прав! — отрезал Василий Павлович.

— В чем?!

Токарев-старший угрюмо глянул на сына (а угрюмо-то потому, что оперативная чуйка подсказывала перспективы — и от них сердце стискивало, так жаль было свою кровиночку, своего мальчика чудесного — а и показывать этого никак нельзя было) и катнул желваки по скулам:

— Уж если понеслось — то бил бы по-настоящему — и ноги в руки...

— Но я же...

— Ты! — Токарев-старший махнул рукой и вздохнул. — Ты, Тема, на улице проигрываешь, потому что надеешься на благородство. Вот и здесь тебя подвел твой характер — а еще интуитивная вера в справедливость... Знаешь, когда все действия и поступки правильные — тогда не бывает неправильного результата. А у нас результат пока... М-да... Знаешь, мы устанем от обсуждения. Не надо мне ничего объяснять. Мне за тебя не стыдно, мне за тебя очень обидно. Я и мои товарищи — мы попробуем переломить мир в твою сторону. Шансов мало. Если тебе дадут условно — будем дальше жить. Когда-нибудь ты все это вспомнишь с улыбкой.

...Артему было так плохо, как, наверное, никогда в жизни, и держаться ему помогало лишь твердо усвоенное правило, что мужчина даже подыхать должен достойно — без соплей и воя. А завыть хотелось — завыть, зарыдать, заплакать по-детски... Реальная перспектива судимости разбивала его мечту — стать оперуполномоченным уголовного розыска, стать таким, как отец. А еще... А еще — Аня не встретила его у отделения милиции. Она даже не торопилась со звонком. Она отошла в сторону, когда Судьба вусмерть метелила Артема...

Кстати говоря, Аня ведь могла спасти Токарева — если бы вовремя и как надо рассказала бы все отцу. По иронии судьбы, Александр Владимирович хорошо знал товарища Лампова и даже устраивал его дочь в инженерно-экономический институт, что характерно, — не за деньги, а по отношениям. Поэтому, если бы Торопов-старший узнал все, динамично и со свойственной ему энергией вышел бы на Лампова — все могло и в другую сторону развернуться. Но...

Аня пришла домой испуганная и, кстати, разобиженная на Артема, который, как она решила, — бросил ее одну в опасной обстановке ради какого-то гопника! А чего еще ждать от будущего мента! Да к тому же отца сначала дома не было, зато был дедушка, который сразу смекнул, что с внучкой что-то неладное творится. Слово за слово — вытянул старый все из Ани, причем больше всего интересовался, не остались ли внучкины данные у сотрудников милиции — несколько раз переспрашивал. Дедушка был человеком тертым и очень не любил истории, хоть как-то связанные с правоохранительными органами. Он и Артема-то недолюбливал именно по этой причине. А чему удивляться — дедуля физиологически пережил тридцатые и сороковые. А в 1939 году в его парадной из 24 квартир лишь две остались с жильцами. Сейчас трудно понять, что в те времена означал звук подъезжающей ночью машины и шаги — либо к тебе, либо к Михельсонам. Понять трудно, а прочувствовать и вовсе невозможно...

Строчка из ордера на арест бывшего сотрудника УНКВД ЛО ГОЛОБА:

...Достаточно изобличается в том, что, будучи оперативным сотрудником УНКВД ЛО, ГОЛОВ допускал преступные методы в следственной работе.

ПРОТОКОЛ ДОПРОСА

От 14 апреля 1939 года.

Свидетеля — НОЖНИНА Федора Алексеевича, 1899 г.р., урож. Восточно-Сибирского края, Куйтинского р-на, дер.Харчев, русский, гр.СССР, б/п, главный бухгалтер 2 отделения 5 проектно-монтажного треста НКАП, прож.: Л-д, канал Грибоедова, дом 150, кв.9.

ВОПРОС: С какого времени и с кем персонально Вы были связаны по секретной работе в органах НКВД?

ОТВЕТ: С органами НКВД я сотрудничаю с 1928 года. Персонально был связан по Иркутску — с Нач.ЭКО МЕЛЬНИКОВЫМ, уполномоченным ПАВЛУХИНЫМ.

По Ленинграду — с Опер. Уполн. ЭКО АЙЗЕНШТАДТ В.Н., Нач.-ком отделения ГОЛОВ.

ВОПРОС: В 1937-38 гг. Вы давали материалы на группу работников 5 проектно-монтажного треста НКОП в лице ОРЛОВА Е.Н., СОКОЛОВА Д.Ф., СОКОЛОВА П.В., ПАВЛОВА В.А., ШАПИРО М.П., ШУФРИНА И.А., ЕРНЯК Д.И., ОВАДОВА Р.Т., РЫВКИНА Е.Г., МУСАТОВА и РУВИМСКОГО. Большинство Ваших материалов не подтверждается.

Скажите, не было ли в Ваших донесениях искажений, преувеличений или корректировки со стороны ГОЛОБА?

ОТВЕТ: Нет, этого не было.

(допрос прерывается с 16.40 до 23.10 14 апреля в связи с плохим самочувствием свидетеля)

ВОПРОС: Оказывал ли на Вас сотрудник ГОЛОБ давление, имели ли место случаи корректировки Ваших донесений?

ОТВЕТ: Я должен заявить об исключительно тяжелом поведении ГОЛОБА во время наших деловых встреч, а именно: весной 1938 года, месяца и числа я не помню, в одну из наших встреч на его квартире (по ул. Воинова, 34, кв.50), за то, что я долго не могу вскрыть к-р организацию в электро-слаботочной промышленности, он угрожающе заявил: «Вы, видимо вошли в организацию, но от нас скрываете». Далее он сказал, что на вскрытие такой организации достаточно одного месяца и что я занимаюсь вредительством в работе НКВД, т.е. «ягодовщиной». Затем он угрозами заставил меня написать донесение, не соответствующее истинному положению вещей. Вскоре я узнал, что многие лица, проходящие по донесению, арестованы.

Несколько раз мне хотелось написать заявление в НКВД о том, что такое руководство пользы не принесет, но я боялся мести ГОЛОБА.

Записано с моих слов верно и мною лично прочитано.

Ф. НОЖНИН.

ДОПРОСИЛ: НАЧ 2 ОТДЕЛЕНИЯ 3 ОТДЕЛА УГБ УНКВД по Л-ду — Лейтенант ГБ (Устинов).

Внутренне дедушка очень опасался государства — если можно было не голосовать, то не голосовал или же голосовал «единолично»...

Александру Владимировичу тесть представил случай с Артемом как забавный и незначительный анекдот, а потом, когда дошли все-таки до Торопова подробности, — потом уже поздно было. В то время раскрученную машину остановить мало кому удавалось. Александр Владимирович искренне переживал, орал на дочь и тестя — а толку-то...

В квартире у Тороповых Артем бывать перестал. До суда все дошло образцово-показательно быстро. С судьей пытались говорить, она пила кофе с друзьями Токарева-старшего, ахала... Однако Артем получил «два на два» — то есть два года лишения свободы условно с испытательным сроком в те же два года. Сержант, кстати, уже готов был дать показания, что сам себя зверски избил. Но — «два на два». Система оказалась сильнее логики, справедливости и неформальных связей. Восторжествовал какой-то дикий, абсурдный и никому не нужный, по большому счету, идиотизм — абсолютно нормального, положительного парня, мечтавшего стать милиционером, навсегда сделали ранее судимым ради красивого партийного отрапортования. И никто ничем не смог помочь — хотя все сочувствовали.

Судье Петроградского
Народного суда
Тов. Николенко О.В.
От Булина Юрия Евгеньевича,
1937 г.рождения,
прож. пер. Толмачева, 6 -18,
тел. 312-45-98,
работающего ст. тренером
спорт-клуба «Ринг»,
раб. тел. — 314-67-09.

Уважаемая Ольга Владимировна!

Не хочу отвечать на Ваш входящий — своим исходящим.

Уверен, что от подобных характеристик у Вас рябит в глазах.

Много лет я являюсь не только тренером, но и воспитателем. Видел судьбы разные и спорные. Серьезный боксер вырастает один из ста. Но остальные, я надеюсь и всеми силами стремлюсь к этому, уходят от нас в жизнь порядочными мужчинами.

И если они усвоили, что сила не в том, чтобы уворачиваться, а в том, чтобы подниматься после пропущенного удара, почувствовали, что нельзя читать чужие письма, воспитали в себе невозможность сидеть перед женщиной, имеют характер мгновенно ответить на оскорбление чести и встать на защиту товарища — значит, я сжигаю свои нервы не зря.

Что такого сотворил Артем? Ударил взрослого здоровенного мужика, вооруженного палкой и пистолетом, который был уверен, что это право принадлежит только ему.

Ольга Владимировна, это вечер, молодость, совсем не ложное товарищество, рядом с ним была его любимая девушка... Нужно ли Вам перечислять известное? Все это Вы и так видите. Хотя в бумагах, уверен, трактование иное.

Я вижу лишь небольшой несчастный случай. У меня есть достоверная информация, что сотрудник милиции не имеет претензий.

Так в чем же дело? А в том, что где-то среди столоначальников засела тыловая мышь. Именно она ради отчета готова испоганить биографию человеку, которого никогда не видела в глаза.

Извините за резкость, но последний вопрос к Вам в защиту Артема:

— Кого бы Вы как женщина выбрали себе в провожатые домой поздно вечером?

В любом случае прошу приобщить мое письмо, как официальную характеристику из спортклуба, к материалам дела.

На судебное заседание прийти не могу в связи с тем, что 5 декабря 1979 года уезжаю с командой в г. Таллин на чемпионат «Стран Балтийского го моря».

Заслуженный тренер РСФСР по боксу, Мастер спорта Международного класса, Двухкратный призер Европы

Булин Ю.Е.

P.S. Искренне, но не беспристрастно.

...После вынесения приговора Артему показалось, что он понимает чувства людей, в одночасье из здоровых превратившихся в инвалидов — навсегда. Страшное это слово — «навсегда».

Домой они с отцом пошли пешком. На Тучковом мосту Артем незнакомо-чужим и старым голосом спросил:

— Папа... Скажи — за что меня... так...?

Василий Павлович долго молчал, сопел, будто сглатывал что-то через силу, и наконец ответил:

— Ты знаешь, сынок, я человек очень реальный и приземленный. И в Бога, наверное, не верю. Но однажды — слышал я от священника очень умную мысль. Его тоже один человек спросил: за что, дескать, Бог меня так?.. А он ему ответи: не торопись принимать за наказание то, что, может быть, послано тебе во испытание... Знаешь, всем нам разные испытания назначает судьба. Наверное, в чем-то это определяется тем, кому что по судьбе сделать положено... Но лучше не думать об этом — можно свихнуться.

Артем горько, очень по-взрослому, усмехнулся:

— То есть ты полагаешь, что судьба уготовила мне особое предначертание и для этого сделала меня судимым? Что у меня, быть может, какая-то особая миссия?

— Н-ну... Может быть... Что-то в этом роде, — неуверенно сказал Василий Павлович, с тревогой глядя на иссушенное внутренним жаром лицо сына. Артем скрипуче рассмеялся:

— Будь она проклята, такая судьба! Будь она проклята!..

Токарев-старший даже вздрогнул от эха, неожиданно разлетевшегося от моста над черной водой: «проклята... проклята... проклята...».

Конец первой части

Часть II

ВОСЬМИДЕСЯТЫЕ

Все, кто верит в Бога, знают, что Он — всемогущ, справедлив и всеведущ, что не происходит на свете ничего, чего бы Он не знал. Поэтому очень многие верующие, сталкиваясь с какими-то очень черными и страшными делами, поднимают лица к небу и вопрошают гневно: «Как же Ты допустил?!» Стоящие на грани богохульства от непереносимой боли люди, как правило, не дожидаются ответа, вернее, не замечают его...

Кому дано постичь Провидение Божие? И как понять — в данном конкретном случае — действует Оно в наказание или во испытание?

Бог может все — и, даровав людям свободу выбора, Он и сам выбирает — какую судьбу уготовить и тем из них, кто даже не верит в Его существование. Выбирает, перебирает...

Немыслимые, невероятные повороты иногда совершает судьба — такие, что поневоле начинаешь думать: а не обладает ли провидение Божие чувством юмора? И не бывает ли иногда этот юмор черным...

В начале восьмидесятых годов мало кто из советских людей предполагал, что великой империи осталось всего лишь десятилетие. Но и те немногие, кто предвещал скорый крах советской Системы, — даже они не предполагали, что угарный и пьяный карнавал восьмидесятых отрыгнется в девяностых беспредельной жутью кровавого похмелья...

ТУЛЬСКИЙ

25 июня 1980 г.
Ленинград

Заканчивая среднюю школу в «олимпийском» восьмидесятом году, Артур Тульский, честно говоря, имел весьма мутные планы относительно своего будущего. Оценки в его аттестате были, скажем так, средними, знания в голове — сумбурными. В институт с таким багажом и без блата не стоило и соваться, да и не очень хотелось... Так куда? А — куда-нибудь, а там — армия, либо — тюрьма, а там — поживем-увидим. Мать Артура не пилила, давно уже признав в нем взрослого мужчину, но сам Тульский порой все же задумывался — и собирался всерьез посоветоваться с Варшавой, который его, как обычно, опередил. После торжественного вручения аттестатов, после школьного бала, когда все выпускники уже собирались кататься на пароходиках по Неве, вор, непривычно сильно выпивший, возник на набережной, будто все время был где-то неподалеку. Взял Артура под руку и увлек к «их месту» — к сфинксам напротив Академии Художеств.

Чтобы Тульский не испачкал свой выпускной костюм, Варшава (между прочим, принявший самое деятельное участие в «строительстве», как он выражался, этого костюма) вынул из кармана тряпицу, расстелил на гранитных ступенях, усадил Артура, сам же остался стоять, глядя на реку.

Что-то в его лице было необычное, но задавать вопросы Тульскому почему-то не хотелось, — хотя их было очень много.

Между тем, Варшава, все так же глядя на Неву, достал из кармана чекушку, раскрутил в ней водку винтом и ловко вылил себе в горло — крякать и занюхивать рукавом не стал — не в его это было манере, закусил горьким папиросным дымом.

А потом Варшава, по-прежнему не оборачиваясь к Тульскому, заговорил:

— Слушай, ты мне веришь?.. Веришь... Тогда слушай. Я давно поговорить хотел... Если не поймешь чего — не перебивай, не вопросничай, ты внюхивайся, как волк в ветер с дымком... Я вот заметил, что тебе идеи наши блатные нравятся, песни вольные... Ндравятся? Да... Я тоже их пью. А про что они? Вдумайся: «Мы бежали по тундре...» Это как? А это — когда минус на два метра в грунт, да минус тот — с гаком, а гак — с овчарой, а овчарка, чтобы не замерзнуть, все норовит в строй вцепиться клыкам и... Или замерзнешь — или побежишь, — не то чтоб до воли, а чтоб холод от сердца отошел... А словят — так лучше бы ты замерз. Сережу «Врангеля» нахватили, в кузов грузовика бросили, растянули там, как гербарий, — так и везли километров надцать с лихвой! Привезли! Умирал он нехорошо... Бывает, правда, и «уходят от погони», но это редко. Чаще на «е» бывает или на «я» бывает... Как консерву, едят. Свои же при том. Не понимаешь? Бегут трое — третьего, как кабанчика... Не понимаешь? А вообще-то, когда поешь, не побывав там, то оно, конечно, — «мчит курьерский Воркута — Ленинград». Курьерский, говоришь, мчится? А ты себе представляешь железную дорогу в тундре? А? А там — конец географии, до горизонта марево с мошкой, и как сюда дошел — не помнишь... Но смекалка подсказывает — обязательно накроют бушлатиком под сопкой!.. Курьерский.. Под каждой шпалой по нескольку доходяг-марксистов навечно упокоились. Вохра от такой жизни безумная совсем... И вместе с тобой же, кстати, коченеет. Это уже не из песен. Мне Дед Гирей сказывал, что на Индигирку осенью этап заслали в две тысячи рыл, а весной — новый... И что характерно — с новой вохрой. Вопрос: куда делась вохра? Ну, зэчье — понятно, полегло — рабов не жалко! Блатари на крест сами лезут за идею. Враги народа — ладно, а служивые-то?.. Сто пятьдесят солдатиков да пара-тройка офицеров — туда же сгинули... Их, скрюченных, потом на баржу грузили, потому что в обнимку с зэками заснули навечно... Ты думаешь, сейчас что-нибудь изменилось? Не-а. Изменилось то, что на Невском витрину гастронома по новой оформили... Секи полотно: Ивдельский лесной лагпункт. Стоят восемь отрядов. В каждом — по сто двадцать ватников, возле каждого отряда, по офицеру моло-денькому. Возле каждого офицера — по оперу безусому. А перед ними на фанерной шершавой трибуне с профилем Ленина — Хозяин. Есть там такой — Жарков. Неплохой мужик, но лют больно. Так вот — он в галифе и дубленке гражданской, дефицитной, но — на ней погоны. При папахе с кокардой, пьяный в хлам, вот-вот рухнет. Но ты не переживай — не рухнет! «Ты! Ты!» — тыкнул пальцем в отряды и орет: «Вы тут все зэки! И вы — зэки, и вы — зэки!» — и при этом тычет уже в майора внутренней службы, своего, между прочим, заместителя... «Один я — вольный! План, суки-матери, стране дать не можете?! Вас искали, сажали, везли сюда забесплатно — и! Черная неблагодар-

ность!!! Да вам перловки насыпают — слону не со-
жрать — не пропердеться! Год за три — на том свете! Мало?! Кумовья в яловых сапогах расхажива-
ют? Скоро помадой пользоваться начнете?! Ах вы,
пидарасы!!! Взяли горелки в зубы — и залезли под
трелевочники!!! Вот там вам и опперработа!!! А то, я
вижу, тракторам сил не хватает!» Воздуху глотнул
и снова — орет, как перед сабельной рубкой:
«Вора!!! Тут вообще воры есть или одни пидоры
неотъебанные?! Падай в долю! Не то — сгною в
«бурах»!!! Даешь главбревно Родине! Толще брев-
на — ближе воля!!! На смерть легкую не надей-
тесь — в аду ее нет!!!» Ты думаешь, эту картину мне
тоже Дед Гирей беззубым ртом прошамкал? Мимо.
Это я сам на последней ходке видел...

...Теперь про блатную веру. Христа помнишь?
Легко ли ему было? Готов так же на жердине болтаться? Хочешь звания, корону воровскую? Не
вопрос, а только выстрадать надобно — через
буры, шизняки, крытки, а там шизняк обратно! А
мусора просят на путь исправления встать... От-
казать — нелегко!.. Сначала по карцерам — день
летный, день пролетный!..*

Да в браслетах, да при плюс пяти в одной руба-
хе, да постоянно «бери метлу в руки!» Не хочешь
— на! Не понял — не унесешь!

На Златоусте так Бриллианта попросили, что
он свой правый глаз в руках держал, причмокивал
с досады... А когда упал, то ему повязку в рот крас-
ную засунули с желтенькими буковками: «секция
дисциплины и порядка», да еще метлой накрыли.

---

*Раньше в карцерах исправительных учреждений давали горячую
пищу через день.

«ОБРАЩЕНИЕ.

Я, Бабушкин Василий Степанович, по прозвищу «Бриллиант», неоднократно судимый, являющийся вором в законе, обращаюсь к вам, граждане осужденные.

Я, «Бриллиант», пересмотрев свое отношение к жизни, открыто заявляю об отходе от воровских традиций.

Решаю встать на путь исправления, не нарушать режим содержания, работать там, где укажут представители администрации учреждения, вступить в секцию дисциплины и порядка.

Призываю вас последовать моему примеру.

Подпись: от подписи отказался.
Оперуполномоченный ОМ 231-4
Ст.лейтенант внутренней службы
Колпакиди.
19.09.1968 г.

А глумились не красные — ссученные... Были там московские одни... Тоже долю выбрали незавидную — живы, пока в тюрьме, даже в зону не зайти. Их потом в хлебовозке вывозили при освобождении. Ну, а до станции-то довезли — и гудбай! А те несколько перегонов проехали, и которые не такие пьяные были — вовремя сообразили, что за картежники такие к ним подвалили — на ходу спрыгнули... А остальные — на тот свет, а куда ж? Не все так просто... А кто их сдал — псов режима? Прапора и сдали...

Артур слушал вора, широко распахнув глаза, а Варшава, казалось, трезвел на глазах с каждой произнесенной фразой:

— Корона воровская... А к ней, голуба, не только страдания прилагаются... Страдания — это трудно, но не сложно, сечешь разницу? А и сложностей хватает, да таких, от которых башку на сторону ведет... Хочешь усидеть на троне — ерзаешь... И нашим, и Хозяину... А ты как думал? Мало кто из Хозяев не контролирует ситуацию в лагере. Там ведь как — чуть перекос пошел, баланс сил сместился — жди движений, а от движений и до крови уже недалеко. Я вот один раз увлекся, на блатную педаль передавил малехо — так теперь все левой стороной поворачиваюсь к собеседнику. В режимном отделе такой был, дай Бог памяти, — Крытов. Так он мне в ухо хлестанул... Аж сам, по-моему, испугался.... Силен был гад, на одной руке несколько раз подтягивался. Жесткий — страсть, но свой, таежный. Либо убьет, либо запьет! А не запьет — так плиту чая* занесет. Что, веселый разговор? А с пидорами как живут? Не все же Дуньку Кулакову гонять...** Нет, ты не отворачивайся! Одна радость — что в жопе триппера нет! А мутиловки!*** Все ж хитровыебанные, везде — своя иерархия, свои интриги! Тьфу! Так мозги затуманят... Тени боишься, в зеркале стукача видишь... Что, веселый разговор? Только-только от работы увильнешь, с мусорами пе-

---

* Раньше в лагерях чай был спрессованым в плиты.
** «Гонять Дуньку Кулакову — заниматься онанизмом.
*** Мутиловки — специфические разговоры между блатными, часто по надуманным темам, цепью которых порой является изменения в иерархической лестнице среди осужденных.

ретрешь, спокойствие наладишь — тут и безде-
лье. А день-то полярный, длинный... И начинается... как греки, только на нарах, прямо симпо-
зиумы! «А можно ли есть из шлемок, ежели они в
столовой все вперемешку?» Во, вопрос!!! То есть,
если они вперемешку, то теоретически из твоей —
сегодняшней, может, когда-то ел пидор, а это значит, что ты с опущенным ешь из одной посуды,
стало быть — ни хера не кошерно получается!!! И
вот ента философия пошла недели на две! И как
тут разрулить без законника? Начинаешь куме-
кать за долю малую, а как же — уже ведь и маля-
вы пошли, чуть ли не до пересылок! Притом есть-
то все продолжают из тех же шлемок — зато на-
говорились — всласть. А бывает — когда мнения
разойдутся, начинаются столкновения нескольких «школ». Кто-нибудь как крикнет: «Ересь!!!»
— тут и до заточек недалеко... Смотришь на все
это и думаешь: а как нас осудили-то? Мы же все
полоумные, ежели хужее не сказать... Но мысли
такие от себя гонишь, потому что не хочется на
костре, как этот... Ну, сожгли-то его еще?.. Все
на небо в подзорную трубу зырил. Увидел, чего
не спрашивали... Коперник? Не, вроде того черта как-то по-другому кликали. Да не в нем суть...
Ночью по бараку по нужде пойдешь, на спящие
лица посмотришь — мама! Артур, это же не лица,
это хари! Они же невиновные все, потому что
разве может виновной быть скотина безмозглая?!
Стоишь, куришь. Наряд подойдет — языком за-
цепишься... ай, там такой же сифилис мозга! Их
поменяй местами с теми, кто в бараке спят, —
ничего не изменится! Ажно жутко становится,
душе знобко... Гонишь такие мысли, а они не го-

нются... Один мой знакомый вернулся с лагеря, включил телевизор, сидит. Я подошел, а на экране — сетка... ну, перерыв. Я говорю: «Ты что?!!» А он мне: «Интересно. Я восемь лет телека не смотрел». Стра-ашно!!! Мне тогда по-настоящему страшно стало у этого телевизора с сеткой... Даа... Гм... Я к чему весь этот базар-то затеял — не для ликбеза... Я тебя люблю, Артур, — сиди ты, не вскакивай, я не договорил еще!!! Вот. Я мало кого люблю. Себя — меньше всех!!! И я ни о чем не жалею!!! Но... Вот я чего надумал — шел бы ты в уголовный розыск работать! И не зыркай так на меня — я из ума не выжил! Я тебе дело говорю... Ну не в летчики же тебе и не в водители поезда метрополитена?! Ты уже привык к вольной жизни, и инженера-путейца из тебя не получится. А жуликом по жизни становиться — я тебе про блатную идею уже все рассказал... Да к тому же и сыскари, которые толковые, — через одного жулики. Там, в сыске, — такая же ерунда, но хоть ты ловишь, а не тебя... Лучше быть стрелой, чем мишенью... А порядочных людей — не сажай! А тварям — им и место в тюряге! Да и мне, на старости сроков, какая никакая польза будет... Ты не кривись, я не упился, и тебя не ссучиваю... Ты чувствуй, что я говорю! Понимаешь, есть вещи, которые человек знать не должен, иначе может перестать человеком быть... Я вот тебе про пидоров говорил... ну, а есть еще — и коз пялят... это ладно... а вот когда мать на свиданку приезжает, да, жалеючи сына, с ним спит бабой, а он соглашается?! Это — как?! Да Достоевский — ребенок!!! Че он видел? Мне один университетский рассказывал — жил в крепости, где под сто каторжан, а их еще и за милостыней выводили! А когда лагерь на восемь тысяч?! А когда — мать и сын?! Я, засиженный, когда узнал — меня тошнило... Ты извини меня. Это не надо знать людям. Но тебе надо знать, что не надо людям! Потому что я тебе тюремной судьбы не хочу... Я тут справки навел: есть пара техникумов, с военной кафедрой, — младшего лейтенанта запаса дают к выпуску. А с офицерским званием можно и в школу милиции... Ты подумай, сынок...

К концу монолога Варшава был уже абсолютно трезвым — словно и не пил ничего. Договорив, он резко ушел не прощаясь, а Тульский долго смотрел ему вслед. Через несколько дней Артур подал документы в топографический техникум...

ТОКАРЕВ

30 октября 1982 г.

...После того как Артем, окончив школу, поступил в Университет на биолого-почвенный факультет — в его жизни мало что принципиально изменилось. Он по-прежнему занимался боксом, а все свободное время проводил в отделениях милиции Василеостровского района, где его отец командовал уголовным розыском. Боль от сломанной судимостью судьбы (Артему долго казалось — сломанной навсегда и бесповоротно) потихоньку притупилась, жизнь свое взяла и потекла по-прежнему. Отец и сын по молчаливому взаимному согласию старались не вспоминать печальный факт из биографии Артема — по крайней мере, не вспоминать вслух. А не вслух... Условная судимость Токарева-младшего и сама о себе напоминала. Артем лишь догадывался, чего стоило отцу сделать так, чтобы его, судимого, приняли в Университет — благо, что находился храм науки на территории Василия Павловича и преступления уголовные в храме совершались иной раз похлеще, чем в шалмане. Токарев-младший не хотел быть биологом, но понимал, в принципе, необходимость высшего образования. Так почему бы и не на биолого-почвенный? Тем более, что туда было легче попасть по так называемому «спортнабору», да и у отца кое-какие «оперативные позиции» имелись.

Учился Артем хорошо, но без огонька, который зажигается лишь от любимого дела. А парень — так уж вышло — любил уголовный сыск, понимал, что безнадежно, но все равно — не разлюбливалось... Иногда Артему казалось, что вдруг — произойдет что-то очень героическое, важное — с его участием — и тогда судьба переломится в обратную сторону, тогда поймут и разберутся... Кто будет понимать и разбираться, он сформулировать не мог, но считал, что главное — не отходить от мечты, даже если она и разбилась вдребезги. Большинство районных оперов историю Токарева-младшего знали, а потому относились к нему сочувственно — как к своему, несправедливо попавшему в штрафбат. Но не жалели и не сюсюкали — чтобы не унижать и на больной мозоли лишний раз не топтаться. Пожалуй, меньше всех из-за условного срока расстроилась мать (она и узнала-то все — постфактум), которая, честно говоря, даже обрадовалась в глубине души, что появилась серьезная причина, не позволяющая любимому сыну идти служить в презираемую ею милицию. Прямо она, конечно, сыну ничего такого не говорила, но... В общем, когда Артем стал студентом, от матери он отдалился еще больше, хотя любить меньше не стал. А вскоре мать со своим новым мужем уехала в Индию — он там работал в торгпредстве — и общение с ней в основном пошло через письма. Письма мама писала такие длинные, что у Артема не всегда хватало терпения дочитывать их до конца... Василию Павловичу она не писала (если не считать приветы в конце писем сыну), а вот Токарев-старший однажды сына удивил: как-то раз Артем проснулся среди ночи и увидел, что отец держит в руках письмо, которое пришло накануне, и которое «ненаглядный сынулечка Темочка» лишь бегло просмотрел наискось.

Отец же читал так внимательно, что даже не заметил, как проснулся сын. Впрочем, Артем тут же закрыл глаза и сделал вид, что вовсе не просыпался. Жили Токаревы все в той же коммуналке...

...Заканчивавшийся октябрь навевал тоску и уныние. В Питере вообще самое унылое время — как раз конец октября и ноябрь, хотя — есть и любители именно на эту пору, но Артем в их число не входил. Он не любил позднюю осень с ее грязью и сыростью.

В 16-м отделении милиции оперативный состав также предавался унынию, и единственной брезжившей где-то в недалеком будущем перспективой веселья были приближавшиеся ноябрьские праздники вместе с Днем милиции. Но до этих праздников надо было еще дожить. Настроение у сотрудников было такое, что никому не хотелось даже выходить из кабинетов — даже операм по «карманной тяге» — а это уже примета, знаете ли, поскольку именно эту категорию оперов как раз труднее всего было именно в кабинеты запихнуть...

Примостившийся на краю старенькой разбитой тахты Артем с легким удивлением слушал, как валявшийся на той же тахте гроза карманников старший оперуполномоченный Сергей Лаптев вяло пытался «уйти в отказ», разговаривая по телефону с доверенным лицом № 2985/81.

— ...Слушай, а ты на завтра, там, или на выходные лучше — перенести не могешь?

Эбонитовая сталинская трубка, перемотанная изолентой и впитавшая за долгие годы ВСЕ возможные гостайны, буквально взорвалась возмущением — так что Лаптев, поморщившись, оторвал ее от уха:

— Ты что, Лаптев, гудрона пожевал?! Как я гастролерам буду указывать?! Вы, мол, лучше в Летнем саду пощипайте... Там Толстой гулял!!! Я тебе что гутарю — эти дни на Урицкого зря-пла-та! Мы работаем, Лаптев?

Старший оперуполномоченный вздохнул, снова прижал трубку к уху и примирительно бормотнул:

— Нина, не хипешуй... У меня же и другие дела...

— Лаптев, — сказало в трубке доверенное лицо. — Я тебя четыре года бесплатно стригу... А ботиночки демисезонные ты мне так и не купил... Чавкаем-с. Вот и все твои дела!

— Не купил, — согласился Лаптев. — Ну, так Нина... Денежек-то — хрю-хрю.

— Да ну тебя, с ботинками вместе!

Опер совместил вздох с зевком и положил трубку на пол — оттуда доносились громкие прерывистые гудки.

Доверенное лицо Лаптева — Нина — заведовала детской парикмахерской на Железноводской улице и имела несколько странные пристрастия — влюблялась исключительно в блатных и притом — в карманников. Доходило уже и до того, что она с ними «выходила на линию», сама, правда, пока еще не воровала, а только так — просто «зырила». Но, учитывая ее бешеную энергию и общечеловеческое свойство развиваться в своих начинаниях, никто из знавших ее оперов (а она обстригала чуть ли не все отделение) ручаться бы за ее законопослушное будущее не стал бы...

— Трубочку прибери, — моргнул Артему Лаптев и скроил морду, как у умирающего Ивана Грозного. Токарев вздохнул и положил мезозойскую трубку на такой же ископаемый аппарат. Лаптев закрыл глаза и сделал вид, что засыпает, а потому не замечает укоризненного взгляда младшего товарища.

— Не пойдем? — выждав тактичную паузу, безнадежно спросил Артем. Упрека в его вопросе почти не чувствовалось, но старший оперуполномоченный умел ловить нюансы, а потому засопел и вдруг заорал, как будто его режут:

— А вот у меня — ботинки прохудились! Носки третий день мокрые — воняют!!! А?!! И всем — насрать!!!

Кабинет Токарева-старшего находился через две двери от лаптевского. Василий Павлович как раз пытался с помощью тупого красного карандаша вычертить кривую успехов по профилактике преступлений по линии хищений с автотранспорта. Сама-то профилактика, честно говоря, отдавала запахом лаптевских носков, поэтому надежда была только на густой красный колор (который и не такое покрывал и замазывал) и твердую штабную руку — но ее-то как раз и заставил дрогнуть дикий вопль про ботинки, носки и про «насрать». Василий Павлович тихонько матюгнулся, спешно достал из-под ножки стола скукоженную стирательную резинку, попытался аккуратно провести ею по листу — и порвал бумагу на том месте, где было написано «согласовано». Токарев-старший вскочил, запустил резинкой в стенку и побежал к Лаптеву в кабинет — а там старший опер окончательно принял вид упокоившегося русского царя с Артемом (в качестве скорбящего боярина) в изножии.

— Ты чего орешь? — Василий Павлович гаркнул так, что Лаптев от неожиданности подпрыгнул и сел, мгновенно воскреснув, — а как тут не воскреснуть, если у начальника лицо дергается, словно у контуженного военрука?

— Так а что, Василь Палыч, — забубнил опер — ботинки-то, действительно, — того...

— Того?! — начальник розыска еле сдерживал распиравшие его изнутри эмоции. — Хошь, я тебе со складов ХОЗУ ГУВД сапожищи яловые достану?! Но — с условием постоянной носки!!! И с портянками! Чтобы носки не пахли!!!

— Василь Палыч...

— И галифе и папахой!!!

— Да ладно... Прошью я завтра ботинки... У меня сапожник-айсор свой... Я ж не к тому, чтобы, а просто...

Токарев-старший плюнул с пристоном, развернулся и, как ледокол, пошел в свой кабинет, выкрикивая на ходу:

— У кого исподнее порвалось?! Все ко мне!!!

— Да, Василий Павлович... — выглянул из своего кабинета явно недопонявший призывы начальства Птица.

— Уйди!!! — заверещал Токарев. — Уйди по-хорошему!!!

...Сев в свое кресло, начальник уголовного розыска попытался успокоиться, но попытка не удалась. Тогда Василий Павлович схватил со стола лежавший рядом с лампой мегафон, подаренный ему старшиной РУВД. Старшина знал, что Токарев в сердцах часто орет на подчиненных и срывает голос.

— Товарищи офицеры, немедленно прибыть к непосредственному начальнику! — ухнул в коридор из голубого пластика почти морской (по тембру) приказ. В это время на столе у Токарева зазвонил телефон — таких теперь уже и не сыщешь — с гербом и пометкой «ведение секретных переговоров строго запрещено».

— И? — спокойно и даже отчасти вкрадчиво спросил Василий Павлович, сняв трубку.

— Прогалько тебя волнует... — мембрана завибрировала голосом начальника ОБХСС района.

— Не настолько, как тебе кажется! — среагировал на «волнует» Токарев, но главный «бэх» не обратил на это никакого внимания:

— Мы тут информацию серьезную реализуем... Дал бы мне на обыски четырех хлопцев...

Коллега был нагл, как и большинство «бэхов». Причем, что интересно, — оттого, что их посылали далеко и надолго с такими вот просьбочками — наглость не уменьшилась, а, наоборот, почему-то возрастала.

— Чи-во?! — переспросил Василий Павлович. — Скока-скока хлопцев?! Погодь...

Прогалько ответить не успел, потому что в этот момент в кабинет начали протискиваться опера. Первым они втолкнули Токарева-младшего, которым пытались прикрыться, как щитом. Известный приемчик, не правда ли?

Токарев обвел колючим взглядом лица своих орлов. Орлы состряпали такие лица, как будто их по пустяку оторвали от чтения манускриптов в читальном зале Публичной библиотеки имени Салтыкова-Щедрина. И тут Петров (тот самый, по прозвищу Петров-Водкин) добро и густо рыгнул пивом «Золотой колос» — аж легкий ветерок пошел по кабинету. Это стало тем маленьким камешком, который вызывает обвал в горах:

— Прогалько?! Забирай! Четырех, нет... пятерых забирай!!!

— Добро, — начальник ОБХСС, не рассчитывавший, честно говоря, ни на одного, удивился и сразу же отключился — пока угрозыск не передумал.

— Что?! Поедете на обыска по — ну, оч-чень серьезной разработке! Наверное, продавщица сельпо на обвесе докторской засыпалась! Таперича обыска! И машину дадут! — орал на остолбеневших подчиненных Токарев. — А как Коявина в ванной утопили — так до Киришей не доехать было! Талоны на бензин — в долг брали! И до сих пор — с приветом, Шишкин! Артем — ты тоже, понятым!

— Василий Павлович! — попытался встрять (а зря) Петров. — Да «бэхи» же скоро и нас понятыми брать будут. Совсем распустились...

— Ты-то куда, еб твою мать! Неделю ж назад, как на губу не попал! Сгинь! Все.

Все вышли, предводимые Петровым, который неделю назад действительно крупно проштрафился. Он фотографировался на звание капитана милиции, и довольный,возвращался из ателье в отделение в кителе, рубашке, припогоненный, но — в индийских джинсах. Ну не нашли по размеру форменных брюк — да и зачем они — не в полный же рост у знамени фотографироваться. От фотоателье до отделения — метров сто пятьдесят, однако их хватило, чтобы Петров попался на глаза проезжавшему мимо заместителю начальника управления кадров ГУВД. Разумеется, он Петрова окликнул — тот быстро оценил оперативную обстановку и побежал проходняками. Но зам оказался настырным и с характером — доехал до отделения, где они с Петровым и встретились, но Водкин снова «пошел в бега», переоделся в инспекции по делам несовершеннолетних и ушел в глухой отказ, чем обозлил кадровика уже по-настоящему. Токарев действительно еле отмазал своего подчиненного от больших неприятностей.

Опера с Артемом гуськом потянулись «сдаваться» на третий этаж — там базировались «бэхи».

— Если не будет служебной машины — не поеду никуда! У меня насморк с дырявыми ботинками, — не унимался Лаптев.

— Ты заткнешься или нет?! — обозлился Петров. — Из-за твоих же говнодавов и пострадали!

— Да?! А кто рыгнул? О-то! — отбил попытку найти крайнего Лаптев. Петров-Водкин промолчал — крыть ему было нечем.

— Сейчас какую-нибудь картошку заставят куда-нибудь перегружать, — вздохнул Артем, интуитивно пытаясь переориентировать старших товарищей от извечного русского вопроса «Кто виноват?» к не менее извечному «Что делать?».

— Сынок! — хмыкнул Петров — Картошка — это еще хорошо, она в хозяйстве всегда к месту. А я вот как-то раз на складе ДЛТ с «бэхами» работал. Так там столько лишних оловянных солдатиков было! И куда им столько? Понатырили — у-у!

— Зачем? — удивился Артем, а Петров, соответственно, удивился его удивлению:

— Так, а там другого ничего и не было... Не было! Нет, вру, был еще мячик для игры в бассейне. Ну, такой... детский... Так его Жаринов к себе домой унес, а он оказался бракованным — воздух пропускал...

Вот так, со смехохулинками, и доплелись они все до отдела беспощадной борьбы с хищениями социалистической собственности.

Прогалько встретил их, можно сказать, нежно:

— А-а, вот и УР в подмогу!

— Да мы завсегда, несколько развязно поприветствовал старшего по званию и должности Петров — и на этот «непорядок» немедленно среагировал старший опер-«бэх» товарищ Каликов:

— Завсегда... когда наживой попахивает!

Отвечать оперюге -«бэху» представители уголовного розыска посчитали необязательным. Прогалько зыркнул на всех серьезно и начал с ходу вводить пополнение в тайну спланированного мероприятия. Если перевести историю с казенного языка на нормальный разговорный, то заключалась она в следующем: разрабатывали «бэхи» одного красавца. Разумеется, разрабатывали формально как спекулянта. А спекуляцию — это все знают — доказать очень трудно, потому что для этого надо задокументировать не только скупку, но и умысел на перепродажу с барышом. В общем, — гиблое дело, но... приходится делать вид, что борьба со спекулями идет не на жизнь, а на смерть... Но тут — подфартило, потому что разрабатываемый красавец умудрился у «Березки» скупить фунты-стерлинги, правда, не простые, а фальшивые... С ними его и задержали по набою* сожительницы вышибалы из бара «Сфинкс» Светланы — под предлогом проверки документов рядом с рабо-

---

* Наводке.

той... А тут — фальшивые фунты-стерлинги... (Говорят, что задержанный гражданин Овчаров буквально обомлел от радостных воплей старшего оперуполномоченного товарища Каликова, когда тот понял, что за фунты: «Голубчик ты мой! Страдалец ненаглядный! Ты про 154-ю забудь! Для тебя «спекуляция» теперь — это как «с облегчением»! У тебя теперь — сбыт фальшивой валюты, а это, мил человек, — под расстрел!»

От слова «расстрел» Овчаров обомлел, кстати, в буквальном смысле — то есть натурально грохнулся в обморок. Каликов тут сам перепугался до полусмерти: «Э-э! Ты это... чего?! Ребята, ребята! Засвидетельствуйте! Я этого мудилу пальцем даже не тронул! А!» С горем пополам откачали, хотя нашатыря, как всегда, не нашлось. И с испугу Овчаров начал сдавать всех — то есть абсолютно всех, кому перепродал и фунты, и стерлинги. А при этом все пытался убедить оперов, что умысла, тянущего на расстрел, у него не было, поскольку он и сам скупал фальшак за настоящую валюту...

Среди тех, в отношении кого Овчаров дал исчерпывающие показания, народец подобрался разношерстный. Один, например, был дважды судимым квартирным вором — некто Пивоваров Кузьма — и ведь не стеснялся, наглец, с такими данными иностранные деньги скупать! И зачем ему фунты? Другое дело Гер Цыкович Буднер, он готовился выехать на ПМЖ — тут все ясно как стемнеет — надо брать... Но больше всего Овчаров заложил представителей советской торговли — следак целую стопку обысков понавыписывал, а главного «валютчика» определил покамест на трое суток в камеру. Недобро глядя на оперсостав, следак раздал постановления, потребовал докладывать о ходе обысков по телефону на дом и убыл. (Дома он, кстати, первое что сделал, когда снял ботинки и надел тапочки, — это как раз отключил телефон, и только потом уже всласть наорался на дочку, забывшую вовремя полить кактус).

Сотрудники уголовного розыска слушали вводные с одинаковыми недовольными лицами. Для них и свои-то обыски — после того как расколешь, опросишь, следователя вызовешь, допросишь — не в радость были, а так... положено. А чужие обыска! Одним словом — тоска. Артему было чуть интереснее, хоть он и бывал на обысках не раз. Но молодым и должно быть интереснее, молодые себя на таких мероприятиях не то чтобы частью системы ощущают — они чувствуют себя среди своих, и не просто своих, а своих, выполняющих важную и нужную работу...

Наконец на старой «шестерке» и двух газиках разъехались в разные адреса. Артему с недовольным Лаптевым, Каликовым и еще одним «бэхаэсником» пришлось ехать в Куйбышевский район.

Всю дорогу до адреса Лаптев бухтел, не особенно заботясь — слышат его критические замечания коллеги или нет:

— На обыск — и вчетвером! А? А на задержания они, наверное, всем отделом ездют... А у старшего их, слышь, Тема, — видел, какая рожа гладенькая? Заметь — и все при галстуках, прям как комитетчики... И где они столько глаженых галстуков берут...

Иногда Артем фыркал в воротник куртки, «бэхи» же делали вид, что ничего не слышат. Токарев-младший, кстати, тоже обратил внимание на красивые галстучные узлы у сотрудников ОБХСС. Завязать такой узел — это же целая наука! Сам Артем как-то раз попытался научиться по схеме на галстучной упаковке — продержался у зеркала стойко минут пятнадцать, сопя и прижимая концы губами и подбородком, потом ахнул, затянул в узел, рванул и окончательно испортил отцовскую обнову, подаренную ему одной знакомой на день рождения...

Когда доехали наконец до адреса, Лаптев, выгружаясь, сразу же ступил в глубокую лужу. Его многострадальный носок намок тут же чуть не доверху. Материться Лаптев не стал, а лишь заметил кротко:

— Теряю былую легкость.

Артем, зная характер старшего опера, понял: что-то будет. Настроение у старшего товарища — совсем говно. И это надолго. И лучше бы он выматерился.

— За мной! — скомандовал между тем Каликов, элегантно перепрыгивая очаги липкой грязи перед парадной.

— Это мы что — из окопов в рукопашную встаем, что ли? — немедленно раздражился Лаптев, пытавшийся безуспешно оббить об асфальт листья, прилипшие к промокшему дырявому ботинку.

Артем догадывался — лучше сейчас к Сергею не лезть с сочувствием и урезониванием. Токарев еще не до конца правильно понимал глубинные причины раздражения Лаптева на «бэхов». Возраст Артема пока не позволял безошибочно делить людей на «своих» и «чужих» не юридически, а нутром. Токарев считал, что все, с кем он едет на обыск, — свои, а те, к кому едет, — чужие. Ему не хватало опыта, который мог бы подсказать, что бывает по-всякому...

Квартира, которую собирались обыскивать, располагалась на втором этаже.

— Странно, что не на последнем, — откомментировал Лаптев. — По всему сегодняшнему раскладу должна она была быть на двенадцатом этаже при сломанном лифте...

Каликов уже нажимал на кнопку звонка, вскоре из-за двери послышался встревоженный женский голос:

— Кто там? Мужа нет дома, открыть не могу...

Каликов откашлялся и начал скандировать свою должность, полномочия, санкции... Лаптев вежливо отодвинул коллегу, оперся плечом о косяк и, прикуривая, сказал по-простому:

— Давай, мать, открывай, сама знаешь — дверь вышибем... Да тебе, наверное, дружки-то уже сообщили.

— Какие дружки? — зашипел нервно Каликов. — Не могли они...

— Сообщили, сообщили, отмахнулся от него Сергей. Дверь, как ни странно, открылась.

— Ну что же делать... Проходите!

Открывшей женщине — усталой и взвинченной — было лет под тридцать. Видно было, что она не знает, как себя вести, — то ли хамить, то ли, наоборот, молчать. Картина, в общем, грустная, но достаточно типичная. Хуже, когда с порога ор начинается или слезы с соплями — надо как-то успокаивать, а успокаивая, можно и самому — в такое сорваться...

В общем, вошли. Среди соседей быстро нашли понятого, второй был не нужен, вторым был Артем. Несмотря на позднее время, соседа упросили быстро — соседям, кстати, почти всегда интересно, в отличие от прохожих на улице. Прохожих-то — поди отлови да уговори — замучаешься.

Для проформы показали хозяйке постановление, она сделала вид, что прочитала. Люди редко всматриваются в постановления дотошно — сами все понимают...

Помаленьку начали шукать. Каликов сразу полез в секретер, достал коробку из-под московских конфет «Тройка» и пригласил понятых подойти поближе. В коробке лежала валюта — оперативники знали, что фальшивая, но, кстати, до того, как эксперт подпишет справку, все денежные знаки считаются настоящими.

— Что вы можете сказать по этому поводу? — торжественно спросил у хозяйки Каликов.

У нее глаза уже набухали слезами:

— Вам и так муж уже все рассказал, раз вы махом деньги отыскали...

Второй сотрудник ОБХСС — молчаливый, собранный, вежливый — внес «валюту» в опись.

Квартирка-то, кстати говоря, была так себе — не хоромы, хотя и не сказать, чтобы хозяева голодали. Попадались в ней и западные этикетки, и диковинные пепельницы, и стаканчики с изображенными на них невиданными гоночными машинами. Обыск подходил к концу — всем и так было ясно, что все нашли сразу и в одном месте. Лаптев вообще с самого начала не столько «шмонал», сколько делал вид. В туалетном шкафчике он обнаружил ящик для инструмента, а в нем малень-

кую-премаленькую отверточку. Брат Сергея под-
халтуривал на ремонте радиоаппаратуры всех мастей и разновидностей — Лаптев подумал о нем и
сунул инструментик себе в верхний карман пиджака.

От соседей не вовремя вернулся сын — парнишка лет девяти, не больше. Огромными глазами он не по-детски серьезно и как-то... тускло...
смотрел на взрослых незнакомых дяденек. Дя-
деньки делали вид, что не замечают ребенка. Артем вздохнул и присел рядом с парнишкой на корточки:

— Ну, как дела, брат?

Мальчик преувеличенно добрый тон не принял, покачал головой и неожиданно ответил:

— Скверно.

Это слово, так не соответствующее возрасту ребенка, непонятно почему зацепило Токарева. По
мнению Артема обозначить имевшую место быть
ситуацию словом «скверно» мог бы какой-нибудь
приват-доцент из дореволюционной России (вроде того, кого играл Баталов в «Беге»), но никак не
советский пацаненок. От короткого слова, произ-
несенного ребенком, вдруг так повеяло тоской и
обреченностью, что у Токарева-младшего первый
раз в жизни кольнуло сердце. Он даже грудь потер
через рубашку...

Неожиданно мальчик направился в центр комнаты. Он подошел к столу и тихо (однако все почему-то услышали) произнес:

— Это папа вчера принес... Я очень хотел посмотреть...

А на столе лежала обнаруженная товарищем
Каликовым игровая приставка к телевизору,

сверкающая ненашенской упаковкой. Такие приставки были в то время диковинкой еще большей, чем видеомагнитофоны. Про такие приставки уже что-то слышали, но никто из сотрудников Василеостровского РУВД их еще никогда не видел — это точно.

Довольный добычей Каликов что-то хмыкнул про фарцовку и контрабанду — возможно, что и справедливо. Второй «бэх» — вежливый молчун — даже заерзал на стуле в предвкушении возвращения в РУВД и подключения электронного чуда — как перед нераспечатанным еще порнографическим журналом...

...Артем и сам не понял, как очутился у стола и почему сказал Каликову шепотом — но смело и указующе:

— Оставь!

Лаптев, словно почувствовавший что-то, тоже оказался поблизости и с развязностью (но не прежней, органичной, а чуть фальшивой) поддержал Токарева:

— Ой, надо нам это... Описывай, сдавай следователю. Оставь погремушку.

— А это не твоя забота — грубо парировал Каликов, кожей почуявший покушение на добычу. — Вы нам приданы, а не наоборот... Вернее, ты придан... с понятым... своим.

Вот это «своим», произнесенное после короткой паузы, и стало роковым.

— Я чегой-то недопонял... — вскипел офицер уголовного розыска, плечом оттирая Артема в сторону. Такие офицеры, как Сергей, могли вынести все, что угодно, кроме неуважения к «траншеям» и к тем, кто в них живет и воюет.

— А чего тут понимать? — Каликов несколько оробел оттого, что Лаптев при всех позволяет себе такую интонацию. — Игрушку изымаем, и точка! Делай свое дело...

— Ага, — кивнул Лаптев, складывая губы трубочкой — То есть делай, что ты приказываешь?!

Каликов замялся, ощущая нарастающее обострение. Второй «бэх» уткнулся в опись и делал вид, что ничего не слышит...

Артем увел мальчишку на кухню, усадил на табуретку и собрался было по-взрослому поговорить с ребенком. Но тут у него в груди что-то снова екнуло, и он резко вернулся в комнату. Коротко глянув на онемевшего Каликова, Токарев схватил яркую коробку со стола и молча унес ее на кухню.

Каликов хрюкнул носом и направился было за Артемом.

— Молодой человек! Вы пока еще понятой...

Договорить ему не дал преградивший проход на кухню Лаптев:

— Артем прав. Нам забава, а пацану праздник. Отца-то не выпустят, — тон Сергея был уже абсолютно серьезным. Каликов безуспешно попытался обогнуть офицера угрозыска, остановился и зашипел:

— А у моего сына такой игрушки нет!

— И что?! У него есть ты!

— Мы... Мы обязаны арестовать имущество, нажитое незаконным путем!

— Велико имущество!

— Знаешь, сколько на черном рынке стоит?!

— Догадываюсь... И что?

— В доход государства — вот что!

— Не нравится мне, когда государству таким образом доход пополняют.

— Что?! — Каликов придал своему лицу крайне заинтересованное выражение. — Может тебе, и...

— Давай-давай, — зло улыбаясь поощрил его Лаптев. — Давай — про то, что мне и само государство не нравится, вместе с партией и правительством! Давай!

— А все начинается с потакания...

— Да пошел ты в жопу!!!

Растерявшаяся хозяйка успела тактично выскочить из комнаты, второй «бэх» уже просто медитировал в описи, а сосед-понятой слушал милицейский диалог с восторженным выражением на глуповатом лице — во, мол, дают, во дают-то!

Тем временем Артем сунул приставку в руку мальчику:

— Дуй к соседям, спрячь!

Мальчишка сглотнул и спросил — уже по-детски:

— А они не будут меня искать?

— Нет, — покачал головой Токарев. — Не будут.

— Попадет вам! — понимающе улыбнулся парнишка и шустро юркнул в коридор. От этой улыбки Артему стало светло, она подтверждала, что все он сделал правильно...

Услышав, как хлопнула входная дверь, Каликов прошел резко в коридор, заглянул на кухню, поймал издевательский взгляд хозяйки и обо всем догадался.

— Ну, ладно, — сказал он со скрытой угрозой. — Ладно...

Потом быстро дописали протокол, все расписались, и оперативники с понятыми вышли из квартиры. Спустившись до первого этажа, Лаптев вдруг вспомнил про отверточку и побежал назад. Хозяйка еще не успела запереть дверь и смотрела на опера непонимающе. Лаптев вынул отвертку из кармана и положил ее на полочку в прихожей — рядом с губной помадой.

— Я тут у вас забыл случайно, — Сергей и сам не понял, что, собственно, сказал. Хозяйка тоже ничего не поняла, взяла отверточку, повертела ее в руках, положила обратно и наконец-то расплакалась вволю.

...В машину залезали молча, сопя и толкаясь чуть ли не специально. Атмосферка сгустилась — хоть ножом ее режь.

— Ну что? Мимо кассы? — спросил водитель, учуяв напряжение.

— Ты давай — вперед смотри! — зло обрезал его Каликов.

— Куда?.. Да я вообще после смены... Дежурный упросил пересесть с козелка! Сейчас выйду — и домой! Тоже мне, командир! — разошелся младший сержант Старков, водитель дежурной машины по РУВД.

Лаптев положил ему руку на плечо и сказал тихо и устало:

— Вить, давай в отдел, а? После долаемся, поздно уже...

Возвращались молча. По прибытии в управление Лаптев и Токарев попрощались с «бэхами» кивками, руки пожимать не стали и нырнули в ОУР. Уже в кабинете Артем стал оправдываться, сказал, что может предупредить отца — но Сергей только отмахнулся:

— Пустое...

А вот Каликов не отмахнулся. Он, как говорят зэки, «первым добежал до оперчасти», — то есть официально доложился утром своему руководству. И доклад его выглядел следующим образом: когда он, Каликов, во время обыска обнаружил залежи импортной видеоаппаратуры, имеющей не только материальную ценность, но и явный интерес для следствия с точки зрения дальнейшего изобличения подозреваемого по иным эпизодам его преступной деятельности, старший оперуполномоченный ОУР Лаптев и его дружок понятой Токарев из неизвестных побуждений (не мешало бы выяснить — из каких) чуть ли не силой воспрепятствовали процессуальным действиям. Второй опер ОБХСС молча кивнул, подтверждая доклад Каликова...

Ну и — пошли звонки по служебным телефонам, начались раздраженные разбирательства, вылившиеся во вполне официальную служебную проверку. Формально — не формально, а офицеров заставили писать рапорта... И вдруг — все как опомнились: а ведь Токарев-младший — он же судимый! Как будто раньше не знали... Знали, конечно, и раньше весь этот скверный анекдот, но... А тут — дело такое, скандал-то уже и до главка дошел...

Токареву-старшему напрямую звонить не посмели — то ли понимали отцовские чувства и прошлую несправедливость, то ли, — зная характер Василия Павловича — опасались нарваться на... а хрен его знает, на что, но...

В общем, начальник РУВД мялся-мялся, а потом сам спустился к Токареву в кабинет и начал так — издалека:

— Палыч... гм... Ну... Прошлое-то не исправишь, всем все не объяснишь, и в газете не пропечатаешь. Ты пойми — неправильно это...

— Что неправильно?! — вставая перед руководством, спросил сквозь зубы Василий Павлович — хотя, конечно, прекрасно понимал, о чем идет речь.

Начальник РУВД страдальчески вздохнул:

— Ну... то, что ранее судимый... спокойно, спокойно... является внештатным сотрудником... там...

— Не «там», а у нас в РУВД!

— Вася... Ну ты же видишь — как что, так всплывает!

— Говно в коллективе всплывает, — отвернувшись к окну, тихо сказал Токарев.

— Согласен, — дернул шеей начальник РУВД. — Ну, неправильно... Но ты меня-то пойми...

— Понял, — еще тише сказал Василий Павлович и кивнул с горькой усмешкой— нет, лишь с намеком на нее.

Лицо начальника РУВД пошло красными пятнами:

— Нет, не понял!!! Твою мать!!! Я что — крыса отъевшаяся?! Что за тон?! Сам же мне говорил: соглашайся на начальника — а мне эта должность на хрен не вперлась!!! Говорил?

— Говорил...

— Что, хуево вас прикрываю?

— Согласен...

— А раз согласен, то... Должен понять. А то я — крайний. В управлении кадров считают, что я тут «малину» развел, а в ОУРе — дескать, братву сдаю! Оно мне надо?! Меняемся местами?! А?!

Начальник РУВД еще долго надрывался (хотя Токарев-старший и не спорил с ним — просто молчал), а потом устал и ушел, даже не хлопнув дверью.

«Лучше бы уж хлопнул», — подумал Василий Павлович, закуривая и растирая ладонью поверх рубашки левую половинку груди...

А начальник РУВД вернулся к себе в кабинет и дал команду отметить в приказе старшего оперуполномоченного Каликова, как проявившего бдительность и принципиальность, а приказ огласить всему личному составу РУВД. Это было единственное, чем он мог отомстить за Токарева-младшего.

(...Приказ огласили, и с Каликовым перестала здороваться даже Светка-кинолог. Лаптев потом по пьяной лавочке пытался начистить рожу Каликову, но «бэх» словно чувствовал — всегда вовремя куда-то испарялся. Отношения между ОУРом и ОБХСС стали напряженными — это очень-очень мягко говоря. Цепная реакция амбиций десятков характеров довела в конце концов начальника РУВД до натуральной истерики, и однажды на очередной оперативке он сорвался на всех сразу и выдал незабываемый перл: «Все, хватит!!! Завтра всем собраться по тревоге на случай войны! Тревожные чемоданы и противогазы буду лично проверять у каждого!!! Все!!!» Еле-еле его успокоили...)

Из статьи известного писателя и журналиста Гелия Ядова. «СКОЛЬКО ЛИЦ У МИЛИЦИИ?»

...Я продолжу. Алчущие антиквариата сотрудники УБХСС Ленинграда приходят к ветерану войны Г., переворачивают все, как при обыске в «квартире Ульяновых» (я был через несколько часов у нее после обыска, поэтому так уверенно и пишу), изымают ценности, доводят хозяйку до сердечного приступа. Через месяц дело в отношении ее прекращают за отсутствием состава преступления и все ценности возвращают без особых извинений.

А вот пример методов, применяемых при подобных «расследованиях». В.Укупина «пригласили» сотрудники БХСС Василеостровского РУВД Ленинграда и потребовали оговорить «нужных» коллекционеров. Когда же Укупин отказался, то старший оперуполномоченный Каликов «разъяснил» ему: «Отберем твою коллекцию, задержим, к чертовой матери, а у тебя, кажется, тяжело больная астмой мамуля?»

По заявлению лиц, незаконно оказавшихся под прессом подобных «Каликовых», у них были совершены во время обысков кражи личного имущества.

А какова реакция руководства МВД?

Простая! Факты не подтвердились.

Все это мерзко! Или я напрасно обобщаю?..

А Василий Павлович вернулся в день своего разговора с начальником домой раньше обычного. Артем видел, как отец мается, но не знал, чем помочь. Сбегал за водкой. Подошел Богуславский, и начались посиделки, которые Токарев-младший очень любил — еще с детства. На этот раз, правда, «фуршет» получился совсем даже не веселым. Отец и Богуславский наперебой пытались что-то объяснить Артему, — что каликовых много, что они — «эхо прошлого», что государство не может позволить себе думать о каждом, пытаясь думать обо всех сразу... Богуславский даже договорился до того, что среди жуликов в процентном соотношении мерзавцев столько же, как и среди ментов...

А совсем уже к ночи, когда отец с сыном остались одни, выпивший много, но не сильно захмелевший Василий Павлович начал вдруг говорить Артему такие вещи, которые никогда не говорил раньше:

— Ты меня знаешь, сын, а я — знаю, как устроена житуха. На бабу надо смотреть, не когда она сигарету прикуривает, груди под сопли подставляя, а когда она в общественной бане с тазиком... И если не оттолкнет такая картинка — тогда да, можно сказать, что действительно — нравится... Что ты улыбаешься? Это я к чему — к тому, что точно так же надо подходить и к работе... Считалочку помнишь нашу — «впереди идет ОУР, вечно пьян и вечно хмур»? А почему он вечно пьян и хмур? А потому, что забыться хочется. И дело-то не во внешней грязи... Ну убил, ну ограбил, ну попал, ну в тюрьму... Знаешь, сынок, мы собаки легавые, норные, царю служим... Часто цари... того... ну и мы... Легко, что ли? Ты вот пока видел только затрещины, да все за дело — ну, поддадим раз-два... А знаешь, как бьют по-настоящему — чтобы бить? Это не ринг... Я видел, как противогаз надевают и, пережимая шланг, душат, да так душат, что потом водой отливаешь... Наручники вбивают, аж под кожу, да часами держат... К турнику подвешивают... Бляди штабные ничего, кроме шариковых ручек за тридцать пять копеек, не дадут, но — «колите»! «Колите»... Так дайте колун!!! Дадут... Дадут, если прокатит, — пару лет условно... «Кто вам позволил нарушать социалистическую законность?!» Ненавижу... И прокуратура — тут как тут: «Нельзя раскрывать преступления преступными же методами»...

А обыскивать матерей ни в чем не повинных из-за сыночков-мудозвонов?! Сидишь на кухне, приговариваешь: «Мамаша, будет вам, все устроится»... А сам знаешь, что все уже устроилось — лет на пять! Однажды ребенок на обыске вышел, радостный такой, лет семь... «Здравствуйте, дядя, вы мои игрушки хотите папе отдать?» Так стало противно. Я — не виноват, а — как подонок, ежели со стороны взглянуть... А липа? Сплошная же липа!!! Раскрываемость 96,7 процентов — это же бред! Я тут почитал — в Англии, с их техникой и Скотланд-Ярдом — по квартирным кражам раскрываемость 17 процентов, а у меня в отделе — 96,7!!! И до какого, интересно, уровня у нас понимают, что это — липа? А по-моему, — все все понимают. И все равно — материал за материалом зажимаем — лишь бы не возбудить дело! В день по пять преступлений совершаем... Да блатной урка колбасит меньше! Ничего! Мы на этот абсурд отвечаем авангардом — даешь раскрываемость 102,4 процента! Это как же?.. А так — с учетом раскрытий прошлых лет... Главное — не сойти с ума и не поверить во всю эту белиберду самому... Что ни агент — то либо «макулатура», либо налетчик... Зато какие красивые приказы написали! Спецаппарат у них по приказам даже пиво пить не должен! Где же таких набрать — из передовиков «Скорохода»? А откуда они тогда про жулье знать будут? «Не ебет», — отвечают приказы... Половина оперов — скрытые алкоголики, и это по моей, очень мягкой шкале. А у них ничего больше нет — только розыск да пол-литра... Да, для нас жулик милее честной соседки! Опера со щипачами на День милиции в служебном буфете ресторана «Метрополь» в обнимку до визга поросячьего нажираются... А на следующий день снова ловят и режут друг дружку! Зазеркалье... А я не хочу... Не хочу, чтобы ты пил краденый спирт да закусывал вареной колбасой, подаренной любовницей (она же — доверенное лицо) из магазина «Мясо»... Конечно, почвовед из тебя хреновый... Не надо себя обманывать... Спекулянтом ты тоже не станешь... Ну не твое! А ведь кем-то становиться надо... Мужику без серьезного занятия — никак нельзя, душа скурвиться может. Мужик либо должен уметь делать то, чего другие не могут и не умеют, либо добытчиком быть... Спецы сами ничего не добывают, но их добытчики кормят... Сейчас время интересное — перемены скоро пойдут, я их кожей чувствую... Я к чему... Знаю, что у вас половина вашего клуба «Ринг» приключения ищет на жопу! Ты — ты не вздумай к налетчикам податься. Сядешь. Сядешь!!! Это я тебе говорю...

Скоро времена настанут — можно будет и без налетов, и без внутреннего омерзения с богатых уродов свою копейку взять. Что ты лыбишься? Я же тебя чувствую — ты у нас в розыске вольности хлебнул, а вольность и законопослушность сочетаются плохо... Куда тебе с таким характером — не в народное же хозяйство... На законы плевать либо у нас в розыске можно, либо... Кто в наш мир зашел, тому из него выйти трудно — если только на другую сторону медали — но это тоже не для тебя — на другую сторону, — ты же у меня не такой дурной, сынок... А еще можно не на другую сторону, а по ребру — но это тяжелее всего... Я, конечно, всегда помогу, и ребята... Слушай, может ты, пока учишься — вышибалой в баре поработаешь каком-нибудь? А что? Во, я придумал... Тоже дело — доброго паренька от пьяни защитишь, ну, там, трехударую с богатея снимешь. У меня спрашивай, ежели что... Плюс цынканешь мне, ежели что будет странного... Что ты уставился? Врать друг другу лучше? Ну, отрезала тебя жизнь от погон! Но пока я и мои товарищи живы — ты с отделом все равно одной крови! А жить, крутиться все равно придется... И мужиком становиться... Нет, ты не думай, про вышибалу я — фигурально, не обязательно буквально...

Отец говорил еще долго, постепенно начинал повторяться и сбиваться. Артем смотрел на него молча, сдерживая желание обнять его, прижаться... Когда Василий Павлович задремал прямо за столом, Токарев-младший переложил его на кровать, а сам долго сидел рядом...

...Утром он проснулся за минуту до того, как прозвенел будильник. Артем чувствовал, что прошедшая ночь очень многое в нем перевернула — и дело было совсем не в том, что в его сознании разрушился романтический образ сотрудника милиции. Эта ночь подвела черту под очередным этапом взросления.

Вечером после тренировки Токарев-младший не поехал к отцу на работу, а зашел со своими боксерами в пивбар «Жигули». Зашел, кстати, не в первый раз, но теперь — зашел по-другому. Он не искал сочувствия, но нахлынувшее чувство незаслуженного одиночества заставило Артема по-новому присмотреться к ребятам, с которыми он тренировался. И Токарев увидел энергетику, ритм пульсирования некой силы — увидел все то, чем еще недавно с юношеским максимализмом наделял лишь сотрудников уголовного розыска. Да, энергетика была другая — но она была! Спортсмены после тренировки сидели, демонстрируя спокойную уверенность в себе и чувство собственного достоинства. Они больше сидели, чем пили пиво, потому что по тем временам «Жигули» считалось центром показного могущества — мест там не было никогда, а парни заходили внутрь даже без стука. Аура вокруг их стола клубилась тревожная — но лишь для тех, кто не умел уважительно вести себя. Эти парни еще не были «братвой», потому что и слово «кооператор» еще не проникло в обиходно-разговорный язык. Но потенциал для скорых социальных перемен уже чувствовался во вбитых носах боксеров. Скоро, совсем скоро они перестанут скромничать и на целое десятилетие станут героями, хозяевами и антигероями огромной страны. Сейчас они считали каждые тридцать пять копеек на лишнюю кружку пива — а совсем скоро будут пересаживаться в автомашины, которые не могла себе позволить даже Галина Брежнева. Сейчас они еще опасались конфликта с сержантом милиции, а пройдет несколько лет — и весь КГБ будет вызывать у них лишь хохот...

Всего этого Артем, разумеется, не мог знать и чувствовать. Он ощущал лишь вольность силы и то, как отступает тоска одиночества.

Дурак бы сказал, что Токарев-младший «переметнулся»...

ТУЛЬСКИЙ

25 июня 1984 г.
Ленинград

...После памятного разговора с Варшавой, после выпускного бала Артура прошло ровно четыре года. Не сказать, что Тульский понял все, о чем говорил тогда вор, не сказать, что со всем согласился... Но авторитет Варшавы был слишком велик, и в топографический техникум Артур все же поступил. Смог и доучиться, и диплом получить, и пресловутое звание офицера запаса — хотя несколько раз был на грани отчисления — это за успеваемость, а то, что пару раз он за свои художества вместе со старой ватажной компанией только чудом срок не поднял — так про это в техникуме и не знали... Знал Варшава — ох и лютовал же он, особенно после второго, последнего — совсем дурного, случая, когда мордобой с недавним собутыльником для ребят, отнявших со злости у мужика сумку (почти пустую, кстати) лишь по Божьей снисходительности разбоем не обернулся... Ох и орал тогда вор — только что ногами не топал... И подзатыльники раздавал не поровну — Тульскому больше всех досталось. Запомнил тогда Артур слова Варшавы о том, как через глупость и дурь судьба необратимой стать может, потому что судимость и тюрьма — это клейма на всю жизнь, их не вытравишь, как детскую татуировку.

...Во многом соглашался Тульский с Варшавой, почти во всем — а вот в ментовку идти все равно не хотел. Душа не принимала. Видать, слишком много в детстве антимусорских прививок получил —

кстати, и от того же Варшавы... Но перечить вору духу все же не хватило, да и не только в духе дело было. Тульский любил Варшаву, и ему, как это ни странно звучит, очень не хотелось его расстраивать... В общем, вскоре после окончания техникума очутился Артур в одиннадцатимесячной школе милиции в Стрельне. Не сказать, чтобы учиться там было совсем неинтересно — напротив, некоторые предметы Тульскому очень нравились — но он органически не переносил почти армейскую дисциплину и густой дух ментовской казенщины... А форму поначалу надевал аж с содроганием... Когда ему первый раз пришлось поехать в форме в Ленинград — Артур думал, что сгорит со стыда в вагоне метро, так ему казалось, что все на него ехидно пялятся...

...А по окончании школы милиции распределили младшего лейтенанта Тульского по предварительной договоренности в Василеостровский уголовный розыск. В 16-е отделение милиции на должность оперуполномоченного...

...Проработав в новой должности недели три, Артур совсем затосковал — ну не чувствовал он себя в ментовке своим — хоть ты тресни... А когда вокруг все чужие — тогда начинает глодать человека одна из самых страшных разновидностей одиночества — одиночество среди людей...

...Тихим летним вечером младший лейтенант милиции оперуполномоченный Артур Тульский сидел в своем кабинете, тосковал и придумывал разные способы, как уволиться из ментовки — так, чтобы и Варшава не придрался, и чтобы без особого скандала, и чтобы быстро... В голову, естественно, ничего толкового не лезло. Артур злился, курил и, прищурившись, смотрел в окно, словно надеялся увидеть там подсказку. Но вместо подсказки он услышал, как кто-то тихонько стучит по жесткому козырьку подоконника...

Надо сказать, что окна кабинетов уголовного розыска в 16-м отделении милиции выходили во двор, а сам отдел располагался на первом этаже — поэтому многим знакомым оперативников было легче войти под арку и постучать в окошко нужного кабинета. Ночами все происходящее в кабинетах было как на ладони. Худые старые гардины ничего не скрывали, поэтому друзья-товарищи-подруги подходили, присматривались и давали о себе знать, дергая рамы. Влезали тоже через окна. Нет, можно, конечно, было зайти и с набережной Лейтенанта Шмидта, но проходить через дежурную часть и отвечать на дежурный вопрос «Вы к кому?» — нравилось далеко не всем. Особенно женщинам, и особенно — замужним. Да и задорнее как-то залезать прохладным летним вечером через окно — опять же особенно для женщин и особенно, опять же, для замужних.

Регина, постучавшая в открытое окно кабинета Тульского лишь для демонстрации приличных манер (через открытое окно ведь и окликнуть не сложно), была как раз женщиной задорной и замужней одновременно...

Артур подошел, навис над подоконником.

— Во! — сказала Регина вместо приветствия, поднимая за горлышко бутылку «Советского шампанского».

— Во, — честно ответил Артур и вывернул демонстративно карманы брюк. Карманы не были пустыми — из них посыпались соленые ржаные гренки вперемешку с табачным крошевом.

— Пустяки! — лучезарно улыбнулась Регина, наводняя весь двор своим хорошим настроением. Мотнув хорошо подстриженными и тщательно уложенными в дорогой парикмахерской волосами, она храбро уцепилась за ржавый козырек подоконника.

Артур бережно, но плотно ухватил ее за кисти рук, Регина уперлась каблуками в стенку и, сделав два шажка, оказалась коленями на подоконнике. Внимательный и недоброжелательно-завистливый взгляд уловил бы в движениях женщины такую сноровку, которая вырабатывается лишь тренировками... Но, слава Богу, во дворе внимательных взглядов не было (а если и были бы... Господи-и... и не такое тут вида-али...), а муж Регины вообще уделял внимание только интересам Родины, поскольку служил Председателем Комитета Государственной Безопасности по всей Эстонской ССР и чин, соответственно, имел генеральский. Поэтому Регина страшно боялась. Но, кстати, не мужа, а того, что Артур может случайно узнать, кто у нее муж. И действительно, если бы младший лейтенант милиции узнал вдруг, что тихими ленинградскими вечерами в своем обшарпанном кабинете он обнимает жену генерала КГБ... Дело даже не в шоковом испуге, хотя он, конечно, присутствовал бы... Возникла бы... э-э...э... неприятная неловкость, потому что любому человеку в 1984 году совершенно ясно представлялась дальнейшая судьба младшего лейтенанта, отделения милиции и вообще всех, кто подвернется под руку, если не дай Бог супруг такого калибра!!! Даже теоретически — и то рассуждать страшно... Наверное, все отделение милиции в полном составе уехало бы на Алтай бороться с браконьерами, как тот злосчастный полк при Павле I — в Сибирь, только не «шагом А-арш!!!», а все на одном грузовике под рваным брезентовым тентом...

Но Артур, к счастью, ничего не знал. Он считал, что муж Регины торгует цветами в Таллине — так она залегендировала свою заморскую косметику и непривычной расцветки платья... (Версия с цветами, кстати, возникла не случайно — много позже в Эстонии ни для кого не будет секретом, что именно глава КГБ сначала крышевал некую мадам, которую называли Цветочной Королевой, а потом и вовсе официально возглавил ее службу безопасности).

Знакомство сложилось случайно — Артур меланхолично курил на набережной, Регина несколько раз нервно прошла мимо него, перечитывая какую-то телеграмму... Потом скомкала ее и выбросила в Неву, попросила закурить... Слово за слово — бац, и сами не поняли, как оказались в кабинете Тульского на старой продавленной и привычной ко всему тахте...

— Неужели в вашем богоугодном заведении сегодня тишина? — чуть кряхтя спросила Регина и ловко спрыгнула с подоконника на пол.

— Скучно сегодня. Все ушли. Белые ночи... Народ не хочет друг друга резать, — вяло объяснил Артур.

— Было скучно! — поправила его Регина и игриво одернула юбку. Не тратя времени даром, она по-свойски начала убирать со стола стопки служебных бумаг с идиотскими текстами. Машинально вслух прочитывала вырванные наугад фразы (да и чуть-чуть интересно — все-таки уголовный розыск).

— «...Ничего видеть не мог, так как до утра проспал, немного выпивши, на чердаке»... Нормально... «...Сколько раз я ее ударила утюгом по голове — не помню, но точно больше десяти раз, так как потом в милиции ныло плечо»... Господи, да за что это он ее?

— Не он, а она. Соседки не поладили из-за мокрого белья в ванной, — равнодушно отмахнулся Артур. — Я ее оформлял в камеру, ничего баба...

Регина странно глянула в его сторону и уже более осторожно взяла со стола следующий листок:

— «...Кольцо с рубином мы продали Валере за четыре бутылки портвейна»... Ну, тут хоть мотивация! Просто украли...

— Напрасно ты так думаешь! Они сначала убили тетку...

— Уби-или?!

— Да, и палец отрезали... Кольцо-то не снять было... Она располнела к сорока годам...

— Мамочки! А нормальные уголовники здесь бывают?

— Сколько угодно! — усмехнулся Артур и вытащил из ящика на стол большую картонную коробку из-под женских зимних сапог — доверху набитую фотографиями разных харь и рож.

— Ну тебя... все... убирай все... Открывай, — Регина, морщась, протянула ему бутылку шампанского. Артур взял ее и другой рукой одновременно снял с сейфа большую чайную кружку, на которой, улыбаясь, улетал олимпийский мишка. Регина сунула носик внутрь кружки, ахнула и деловито поцокала в коридор — чтобы отмыть в туалете наслоения чая, кофе и портвейна.

В этот момент задребезжал местный телефон. Тульский со вздохом снял трубку и услышал вопль: «Быстро сюда!!!» — Артур даже вздрогнул от неожиданности и отдернул голову от динамика. В эту же секунду в конце коридора завизжала Регина. Тульский замотался — дернулся сначала было к выходу, но потом поспешил все же на помощь к своей ненаглядной. В три шага добежав до туалета, он увидел Регину, вскочившую на скамейку для задержанных. Она пыхтела и угрожающе трясла над головой кружкой, а рядом со скамейкой лежал мужик. Наблюдательный глаз определил бы по положению тела, что он полз и потерял сознание, дотянувшись до ручки двери туалета. Поза была такая напряженная, как будто мужик полз с какой-то важной вестью, которая могла спасти мир.

— Елки-палки, кто это? — спросил Артур.

— Ты меня спрашиваешь?! Может, его тоже... того... — нервно ответила Регина.

— Чего «того»? Сдурела! — набросился на нее Тульский, переворачивая и обыскивая неподвижное тело.

Тело никак не реагировало и источало смачный — даже не запах, а духман — перегара, причем не только ртом и носом, а вообще, всей поверхностью. Впрочем, и внутренностью тоже.

Артур четырхнулся, взял человека за подмышки сзади и поволок к выходу из ОУРа. Открыв дверь задом, он неуклюжими семенящими шажками дотащил до дежурной части невменяемого неизвестного гражданина — документов или каких-либо иных опознавательных знаков на «подкидыше» Тульский не обнаружил. По ходу движения Артур матом помянул тех умников, которые решили неделю назад поставить на дверь в ОУР кодовый замок — поставить-то поставили, а код почему-то никому не сообщили — ну и после двухдневных матюков замок специально сломали — результат налицо, как говорится, — теперь в коридор уголовного розыска кто хочет, тот и заползает...

...Из помещения дежурки доносились странные звуки — во-первых, никто почему-то не орал по телефону, а во-вторых, явно слышалась какая-то возня на полу. Тульский медленно выпрямился и, вытянув голову, осторожно позвал:

— Эй... Вы чего там?

Из дежурной части высунулась взъерошенная голова участкового Мтишашвили — он мазнул взглядом по бесчувственной фигуре и страстно прохрипел, прежде чем снова нырнуть в дежурку:

— Брось ты его на хер!!! Помогай!..

Артур, поддавшись энергетике участкового, мгновенно выпустил свою ношу — тело пластилиново затихло в противоестественной позе на спине — но укладывать страдальца поудобнее уже не было времени. Да и особого желания, если по-честному — тоже.

Вбежав в дежурку, Тульский наткнулся на целый ворох барахтавшихся на полу сотрудников. Ворох состоял из уже упоминавшегося Мтишашвили, дежурного капитана Воксова и его помощника старшего сержанта Лебедева. Все они лежали на каком-то бурно извивающемся существе, издававшем странные звуки-фонемы. Сотрудники пытались заломать существу руки, но гуманоид отчаянно сопротивлялся. «Все разнес, гад!» — простонал из кучи-малы Воксов. Артур быстро оценил это «все»: шторы вместе с карнизом лежали под копошащейся человеческой массой, причем Мтишашвили зачем-то пытался засунуть их конец буяну в рот. Калитка перед входом в закуток к дежурному была оторвана совсем и сиротливо лежала на столе для заявителей — а больше на столе ничего не было, все, что там было раньше — переместилось на пол... Тульский вдруг испытал странное, незнакомое ему доселе чувство — жгучую обиду за своих, причем «своими» он инстинктивно квалифицировал ментов. Надо сказать, что еще совсем недавно Артур ловил себя на мысли о том, что задержанные были ему как-то социально ближе, чем коллеги, он ведь в отрочестве ясно прочувствовал, что такое быть задержанным у ментов... Впрочем, анализировать свои сложные чувства и рефлексии у Тульского не было времени — куча-мала снова стала прыгать по дежурке. Артур без разбега, но сильно ударил ногой вошедшего в раж под сотрудниками супостата — и он затих. Только тут Тульский понял, что сопротивлявшийся — самый настоящий негр. Воксов, хрипло дыша, завернул негру руки и через несколько секунд Лебедев и Мтишашвили уже связали красавца «ласточкой». Затягивая узлы, все трое удовлетворенно и даже с каким-то сладострастием сопели, слушая стоны задержанного.

Для тех, кого никогда не связывали «ласточкой», наверное, стоит пояснить: поза эта используется полицейскими во многих странах — руки сзади перекручиваются ремнем, соединенным со связанными согнутыми ногами. Лежать в такой позе очень неудобно.

Артур опасливо посмотрел на физиономию иностранца и удивился, не заметив на черной коже ни следа кровоподтеков. «Вон оно как у негров-то устроено», — хмыкнул про себя Тульский и спросил у отдувающихся коллег:

— Что это было?

— Да привезла ПМГ... с моста Лейтенанта Шмидта, — выдохнул в два приема Воксов, отирая ратный пот с чела.

— Он демонстративно выбрасывал что-то в Неву, — добавил Мтишашвили.

— Что выбрасывал?

— Да бес его знает! — пожал плечами участковый. — Ввели тихого такого, ласкового, улыбающегося... Мы заржали... Лебедев тычет пальцем: «Маугли!» И тут вдруг началось! Как прыгнет! Как заверещит! Прям как кабан раненый все крушил...

— Данные установили? — деловито поинтересовался Тульский.

— Какие, к ебеням, данные? — развел руками Лебедев. — Мы даже «мама» сказать не успели, как началось... А в карманах у него — пусто...

— Сильно! — хмыкнул Артур и спохватился, вспомнив про своего «подкидыша». — А ко мне тоже одно инкогнито приползло!

Он нырнул в дверь и, пыхтя, приволок тело.

— Ну ты даешь! — покачал головой Воксов.

— Что значит... даешь? — не понял Тульский.

— Артур, я такого не приму, — чуть построжал дежурный.

— А такого — принимаешь? — Артур показал рукой на «ласточку».

— Так это другое дело... Он же сам...

— Что «сам»? А мой — не «сам»?!

— Знаю я вас... мордуете каждого второго...

— Ты что — «ку-ку»? — выпучил глаза от возмущения Тульский. — Да я его в первый раз вижу! Нашел у туалета!

Воксов поскреб в затылке, повздыхал и все-таки махнул рукой:

— Ладно, заноси, пусть человек проспится...

— Я больше не нужен?

Ответа Артур ждать не стал — с непривычки он вспотел и перед возвращением в свой кабинет к Регине решил перекурить на набережной, чтобы чуть успокоить всколыхнувшиеся нервы...

На свежем воздухе было хорошо — ветер приятно залезал под рубашку, на пришвартованных напротив к набережной сухогрузах шла веселая пьянка — все дышало радостью и покоем. Артур улыбнулся хорошему вечеру, сделал несколько затяжек...

...По нехорошей траектории к колоннам, поддерживающим могучий балкон на втором этаже отделения (там располагался кабинет начальника) подошел капитан первого ранга.

— Смирно! — гаркнул он, видимо, Тульскому, потому что никого больше рядом не было, и, расстегнув штаны, начал справлять малую нужду прямо на ступеньки подразделения МВД.

Артур так растерялся, что даже оцепенел на пару секунд, но потом насупился и, громко кашлянув, сказал:

— Товарищ моряк, разрешите обратиться!

— Обращайтесь! — ничуть не смущаясь и не отрываясь от дела, жестко ответил старший офицер.

— Может, не будем ссать на милицию?! — Тульский начал заводиться: что же за день-то такой сегодня, прям все норовят о милиционеров ноги вытереть.

— Фамилия?! — рявкнул морской полковник, тыча в Артура пальцем.

— Младший лейтенант Тульский, — бодро отрапортовал Артур, одновременно крепко ухватывая моремана за шиворот черного мундира.

— Отставить!!! — начал вырываться капраз. — Ах ты... Пошел вон, штатская сволочь!!!

Из окна высунулся Воксов:

— Что? Что еще?!

— Да ничего! — огрызнулся Тульский и ловко втолкнул офицера в двери отделения, а потом, не дав ему опомниться, обхватил сзади и, чуть приподняв, занес в дежурную часть. Воксов сразу увидел, что черные флотские брюки были расстегнуты и слегка забрызганы, поэтому моментально все понял.

— Товарищ капитан первого ранга, ну что вы, в самом деле, — решил по-доброму засовестить пьяного дежурный капитан милиции, по-отечески развел руками, улыбнулся морскому капитану и сделал уважительный шаг навстречу гостю. Но моряк гостеприимства не оценил. Наверное, он спьяну решил, что находится в плену у американских морских пехотинцев, потому что достаточно ловко вмазал с размаху Воксову жестким форменным ботинком в промежность. Дежурный засипел, чуть согнулся и по-футбольному прикрыл пространство между ног, мотая головой. Далее опешивший Тульский услышал, прямо скажем, неожиданный текст:

— А вот это ты зря сделал... угроза НАТО! — утробно проурчал дежурный с дрожью незаслуженной обиды в голосе. Мтишашвили от возмущения шумно набрал воздух в легкие — если бы у него был кинжал, то сталь сверкнула бы в воздухе. Старший сержант Лебедев быстро выбросил недокуренную сигарету в сторону окна и ловко расстегнул манжеты. В окно он не попал, попал на телетайп, и окурок зажевало, так как машина отбивала ориентировку.

Увидев, что «наших снова бьют», Артур развернул за плечи морского волка к себе лицом и ударил его лбом в переносицу — дворовые инстинкты мгновенно пересилили социалистическую законность и уважение к старшему по званию. Ожидаемый эффект не последовал — капраз не согнулся пополам и руки его не прильнули к носу — наоборот, в его просоленных морскими ветрами глазах вспыхнул недобрый огонек. Даже не шелохнувшись, офицер слизнул кровь с верхней губы и ухмыльнулся:

— Пес цепной! Учись, салага!

И мгновенно ответил обалдевшему Тульскому тем же приемом. Его лоб ткнул Артура по брови — будто с пятого этажа горшок цветочный упал. Голова у Тульского загудела, он не упал, но сделал пару оторопелых шагов назад. Через секунду Артур обнаружил себя сидящим на полу с раскинутыми в стороны, как у детской куклы ногами.

— Ну, что, мусорская твоя рожа?! Давай еще по разу! Ну!!! Поглядим, кто первый сломается!!! — растопырив пальцы попер на него каперанг.

Артур загородился было рукой, но его спас Воксов, он прыгнул на моряка сзади, обхватил за шею и, подцепив пальцами ноздри, дернул наверх. Моряк рухнул — ментовская выучка — дело серьезное, — жестко, но наверняка!

— Что?! Что?! Суки!!! — хрипел капраз. — Руки! Убе... ри... руки... щупальца от Андреевского... флага... гепеушные...

Тут уж на него навалились всей гурьбой. Однако одолели не сразу — разок капитан первого ранга вырвался. За этот разок он успел сломать сиденье кресла из Ленинской комнаты и звезданул этим обломком мебели Мтишашвили, а шваброй зацепил неоновую лампу (она испуганно мигала до утра) и тряпкой, намотанной на швабру, мазанул по роже Воксову.

— Ну, блядь!!! — совсем озверел Воксов и запустил в голову моряку толстенной (страниц на четыреста) книгой КП. — Ну, блядь, я тебе сейчас устрою!..

Когда дежурный размазал грязь по лицу, ему стало по-настоящему обидно, и он пошел на абордаж — кость в кость. Моряк, однако, и не думал сдаваться.

— Боевая тревога! Торпедная атака! — заорал он, поняв по интонации Воксова, что дело принимает серьезный оборот. Дежурный на мгновение растерялся от непривычных боевых кличей, и каперанг ловко сбил его с ног двумя ударами в нос, а потом, перепрыгнув через барьер, отделявший место оперативного дежурного от посетителей, схватил зачем-то трубку местного телефона.

— Слушаю, — ответил на том конце провода дежурный РУВД.

— Капитан первого ранга Удравов!!! Третья, четвертая торпеды — ТОВСЬ!!! — заорал невменяемо моряк. Но в этот момент превосходящие силы противника добрались наконец-то до его рук и шеи. Трубка упала и начала раскачиваться между столом и полом, в ней щебетал встревоженный голос дежурного РУВД:

— Воксов! Воксов! Алло!!! Вы чего там?! Алло?!

Реагировать на эти призывы было некому, поэтому дежурный РУВД, безуспешно попытавшись перезвонить в 16-е отделение по городскому телефону, испуганно обратился к старшине:

— Гриш, а Гриш! Сгонял бы ты в 16-е? Что-то мне голос Воксова не нравится... Чегой-то там у них... Я недопонял, а трубки они не берут...

Тем временем возле стола Воксова, подмяв под себя все, что на нем было с утра, охали люди. Силы капитана первого ранга закончились лишь тогда, когда наручники защелкнулись на его правом запястье и щиколотке левой ноги, — при этом оперуполномоченный Тульский обмотал шею агрессора телефонным проводом и с нехорошим выражением на лице пытался затянуть его.

— Ши-и-и... третья... че... пли... — угасал морской командир. Его подняли и бросили к связанному негру. Увидев перед собой чернокожую харю, моряк точно понял, что попал в плен, и завыл, а негр, тоже испугавшись, заверещал:

— Я иностранный! Просу посла!

— Посла так посла — легко согласился старший сержант Лебедев и, встав на спину связанному иностранцу, несколько раз слегка попрыгал на нем.

— Еще посла? — поглаживая распухшую губу, переспросил осатаневший сержант.

— Нет посла! — согласился задержанный. В этот момент очнулся каперанг:

— Акустик, почему не докладываете пеленги цели и торпеды?

— Пеленги не сошлись! — злорадно отрапортовал сержант, готовившийся, кстати, к поступлению в кораблестроительный институт. — Давайте команду на всплытие! Еще один фортель — и применим глубинные бомбы!

Чуть оглядевшись, помятая компания заметила тихо лежавшего мужика, которого притащил Артур. На нем явно были видны следы ног — один явственно отпечатался даже на лице. Тульский на всякий случай прилип ухом к груди «подкидыша», испугавшись, что его могли насмерть затоптать в потасовке.

— Живой! — ласково улыбнулся хорошей новости оперуполномоченный. Воксов с сомнением посмотрел на тело — он уже никому не доверял и поэтому предложил:

— А давайте-ка и его свяжем?!

— Нечем, я и так уже без ремня, — развел руками Лебедев.

Артур зачем-то пошарил у себя в карманах, потом наклонился к «подкидышу», рассмотрел лицо:

— А нос-то — вбитый... Боксер, наверное... Все-таки надо связать, от греха...

Тульский быстро вернулся к себе в кабинет — на его столе демонстративно скучала Регина, всем своим видом излучая недовольство и раздражение. Артура шатнуло к стенке — напомнил о себе удар морского лба. У Регины расширились глаза от внешнего вида растерзанного любовника.

— Две секунды! — обещающе крякнул Тульский, вытаскивая из-под тахты пыльный моток альпинистского снаряжения.

— От квартирных воров осталось! — зачем-то объяснил он Регине, выбегая из кабинета...

«Подкидыша» перемотали от души, как будто собирались его топить, а потом отгрузили все в ту же комнату для задержанных.

Огляделись и ужаснулись.

Воксов вспомнил, что телефон давно не звонил и обнаружил, что все провода вырваны к чертовой матери. Начали отряхиваться, восстанавливать связь и разминать ушибленные суставы.

Из помещения для задержанных забарабанил ногами в дверь моряк. Артур приоткрыл камеру:

— Чего изволите, Ваше Благородие?

— Русского офицера с рабами в один кубрик!..

— Будет исполнено, Ваше превосходительство, — Тульский захлопнул дверь и крякнул: — Ну до чего ж здоровый! Одно слово — подводник! Кстати, надо бы в комендатуру отзвониться, пусть забирают своего красавца!

— Зачем же? — не согласился мудрый Воксов. — Он уже на ящик коньяка начудил! Вот утречка дождемся и...

— Действительно, зачем человеку жизнь портить! — поддержал его Мтишашвили, мгновенно высчитав свою долю в несколько бутылок.

— Ага, так давайте развяжем его! Он еще на пол-ящика нагромит! — разнервничался Лебедев: говорить внятно ему мешала опухшая губа: — И второго давайте ослобоним — опять же, на бананы поднимемся!!!

— Нет, — покачал головой Воксов. — Я на свои поминки, но с его коньяком, попасть не хочу...

В этот момент в отделение, возбужденно пыхтя, влетел наряд РУВД:

— Что у вас происходит?

В ответ начался общий истерический хохот:

— Во... во... вовремя вы...

— Так что случилось?

— Наводнение!

Воксов снял трубку исправленного телефона:

— Это Воксов, у нас все нормально!

— Точно нормально? — засомневался дежурный РУВД.

— Ну, так, — маленькое наводнение...

— И какие меры предпринимаете?

— Отчерпываем ведрами, Сань! Ты прям как с Луны...

Воксов мог себе позволить такой тон, так как вышестоящий дежурный был его постоянным собутыльником и партнером по домино. Кроме того, Воксов вообще дежурил по 16-му последний раз — он дождался-таки давно обещанного повышения по службе.

В дверь камеры для задержанных снова застучали. Старшина из прибывшего наряда решил поинтересоваться и сунул голову в узилище.

— Я офицер, хамье мусорское! — донеслось оттуда.

— Товарись, товарись, звонить послу! Товарись! Я просу...

— ...Последнего слова! — закончил за негра старшина, захлопывая дверь. — М-да, ну и народец вы подобрали!

— Вах! — гордо отозвался Мтишашвили, пытавшийся починить сломанную во время свалки фирменную авторучку с раздевающейся женщиной. — Такие кадры на дороге не валяются.

Тут Воксов всех перебил, дублируя поступившую по городскому телефону информацию:

— Большой, 16, квартира 3 — через окно выносят вещи! Мигом!!!

Полетели на заявку, Артур, естественно, примкнул к экипажу. Когда долетели — разобрались. Оказалось, что вещи не вытаскивают, а, наоборот, втаскивают — хозяева приехали с дачи и потеряли ключи. Оттуда прямиком рванули на 21-ю линию, там в коммуналке зарезали наркомана. Его приятель, он же свидетель поножовщины, еле дышал от принятого в вену. Артур попытался из него хоть что-то вытрясти, но вытряс лишь пару фуфыриков из-под ангидридного раствора да перочинный ножик... Потом долго ждали прокурорского следака, разводя тары-бары с соседями: «Мы же сто раз предупреждали — у них тут целая банда...» В общем, в отделение вернулись лишь под утро.

Притихший негр, освобожденный от пут, смирно сидел за столом, руки у него были сложены, как у примерного первоклашки. Он искательно улыбался и всем подобострастно кивал.

— Ну что, Лумумба?! — обратился Тульский к подданному джунглей. Африканец заулыбался еще шире и развел руками:

— Был Германия — полисия бьет! Приехал Союз — милисия бьет!

— Понимаю, дружище, — апартеид! — согласился Артур. — Нам на политинформациях про это даже слайды показывали...

Его внимание привлекла группа совещающихся в погонах. На общем мышином фоне красиво выделялась черная военно-морская форма. Тульский тихонько подобрался к ним — Воксов, Мтишашвили и старший сержант Лебедев увлеченно «разводили» красу и гордость атомного подводного флота.

— Мужики, вы уж не серчайте... Накатило что-то на меня! — оправдывался капитан первого ранга, потирая запястья и крутя шеей. Вид у него был... сутулый и какой-то неловкий.

— Да мы все понять можем! Ты взгляни на мою рожу! — подсовывал свою распухшую губу, как аргумент, алчный Лебедев. Его, чуть не всхлипывая, поддерживал Воксов:

— А мне что — штаны снять? Яйца — как арбузы, наверное!

— И кто заплатит за банкет?! — поворачивал беседу «ближе к телу» Мтишашвили. Троица давно уже распределила между собой роли, цена «банкета» тоже была вчерне обсуждена, страшились продешевить...

— А про мой лоб, конечно, никто и не вспомнил?! — встрял в увлекательную беседу Артур, возмущенный тем, что коллеги начали без согласования с ним заминать побоище, учиненное моряком.

— Сынок, все будет красиво! Капитана первого ранга Удравова знают все! — несколько неопределенно пообещал подводник.

— Не сомневаюсь! — язвительно хмыкнул Тульский.

...Сошлись на ящике коньяка (минимум — грузинский, «три звездочки»), приличном закусоне (минимум — тяжелая сетка с рынка) и четырех шерстяных тельняшках. Мтишашвили выторговал себе еще зачем-то нагрудный знак «За дальний поход».

Копий не снимать,
аннотаций не составлять

Мтишашвили.

СЕКРЕТНО

УПРАВЛЕНИЕ КГБ СССР
ПО ЛЕНИНГРАДСКОЙ ОБЛАСТИ

«_____»__Василеостровский_отдел__
_____отделение_____

АГЕНТУРНОЕ СООБЩЕНИЕ № 7991

По делу_____
ИСТОЧНИК___ХУДОЙ
принял__Король_____
«_____»_____19___г.

Источник сообщает, что от своего знакомого, занимающего должность директора треста ресторанов и столовых Василеостровского района, узнал в доверительной беседе о том, что участковый 16-го отделения милиции Мтишашвили постоянно приходит к нему за продуктовыми наборами, дефицитной едой, за которые не платит.

Это началось, когда начальник отделения милиции попросил помочь директора «в проведении праздника Дня милиции», а последний неосмотрительно отказал. После этого Мтишашвили при «случайном» обходе территории выявил грубейшие нарушения на вверенных ему объектах и стал буквально ежедневно и «ревностно» следить за соблюдением десятков ведомственных инструкций.

После этого знакомый источника «сдался» и сам теперь интересуется нуждами сотрудников к каждой маломальски значимой дате.

Источник сообщает, что эта практика распространена во всех отделениях Василеостровского РУВД, и налицо «круговая порука».

Справка: фигурант Мтишашвили ранее проходил по сообщениям.

Задание: выясните у Вашего знакомого — готов ли он письменно подтвердить указанную информацию.

Мероприятия: с информацией, без расшифровки источника и его связи, ознакомьте начальника РУВД.

Оперуполномоченный ОКГБ Василеостровского района
Капитан
Король

Тут Артур вдруг вспомнил об оставленной в кабинете Регине и заспешил было к себе, но его задержал Воксов:

— Кстати, а мужик-то твой — оклемался!

— Ну?! — Тульский остановился и искренне поинтересовался. — И как он к нам заполз?

— А это Сидачев Паша с управы, с разбойного отдела... Перебрал чуток, а удостоверение у него замполит отобрал до утра. Вот он, видать, из его кабинета выплыл, а до раковины не дотянул, — смеясь, обрисовал ситуацию Мтишашвили.

— Хоть извинился? — наивно спросил Артур.

— Ага... извинился... Так орал тут, когда очухался... «Я — сотрудник главка!.. Что вы себе позволяете?!.. Немедленно!..» В общем, убедительно верещал, — усмехнулся Лебедев.

Тульский снова подумал о Регине, махнул рукой и рванул к себе.

...В кабинете, разумеется, уже никого не было. Пустая бутылка из-под шампанского сиротливо стояла посреди стола. Под ней лежало древнее и никому уже не нужное объяснение продавщицы молочного магазина Корзинкиной. На этом объяснении дорогой помадой нервным размашистым почерком было написано: «Вино я вылила». Под этим криком души прочитывались вымученные когда-то заверения Корзинкиной: «...ущерб для себя считаю незначительным... в милицию обратилась с целью информации... претензий ни к кому не имею...» В каждой фразе на листке (включая написанную помадой) чувствовались напряжение и обида.

С набережной послышалось уханье первого трамвая. Тульский, несмотря на усталость, вдруг широко улыбнулся. Что-то произошло за эту ночь. Артур больше не хотел уходить из ментовки. Ему начала нравиться его работа...

ТОКАРЕВ

10 апреля 1985 г.
Ленинград

Артем вышел из здания Двенадцати Коллегий на Университетскую набережную и, прищурившись, посмотрел на солнце. Настроение было хорошее — подстать погоде. Только что он получил от руководителя своей дипломной работы последние незначительные замечания, через три недели — защита, потом-«госы», а там... Правда, что «там» — думать не хотелось. Работать по специальности, указанной в дипломе? Тоска... Стоять дальше «на воротах» в «Пушке»? Тоже, в общем-то, не особо весело. И куда податься бедному биологу? Токарев досадливо тряхнул головой и потер ноющее плечо. Накануне на тренировке он «взял на буксир» молодого боксера, который попадать по «лапам», мягко говоря, не старался. Артем начал нервничать.

— Так, хорош, — объявил он, скидывая накладки. — Сейчас будешь бить по моему плечу. Считай, что это подбородок. Нырнул, выныривая, — удар. Руку мигом к подбородку обратно. И — швыряй корпус. Понял?

Тот понял и лупил что было сил. Плечо немедленно заныло, но Токарев выдумал специальную гипотезу, что это и есть силовой массаж, и терпел. К утру плечо заныло сильнее...

Артем быстрым шагом направился через дорогу к троллейбусной остановке, но тут его подрезала, тормозя, светлая «Волга» с таксистскими «шашечками». Токарев шарахнулся, но потом, удивленно поняв, что это «к нему» — остановился.

Передняя дверь такси распахнулась, и оттуда наполовину высунулся Юра Шатов. Шатов также занимался у Юрия Евгеньевича (тренера Артема), но был постарше, потяжелее и пошустрее, если что-то требовалось достать. Часто Юра повторял советскую поговорку: «Если в России не украдешь, то в рай не примут», — она, похоже, была его жизненным кредо. Многие в клубе знали о водившихся за Шатовым «грешках» — они ощущались по его туманным рассказам, по вырывающимся словечкам и по появляющимся у него дорогим вещицам. Отца у Юры не было, а мать работала укладчицей на конфетной фабрике, так что мармеладу в доме хватало, хотя ели в основном картошку и макароны — как и все.

— Артем, нужен! Живо! — глаза Шатова возбужденно блестели. Токарев шагнул к такси, оперся левой рукой на крышу, а правую сунул в клешню Юрику, одновременно с интересом заглядывая вглубь машины. Внутри было густо и душно, так как на заднем сиденье уместились шестеро парней — все знакомые по клубу. Самый младший и легкий, Рустик, работавший в весе «мухи», вообще лежал у остальных на коленях, и у него было самое хорошее настроение. Все лыбились.

— Залезай! — потянул Артема за руку Юрик.

— Да погоди ты! — попробовал возразить Токарев, улыбаясь лихой гоп-компании: — Что за хипеж? Немцы бомбят Киев?

— Если бы! — дернул уголком рта Шатов. — Пашу-«Лихо» знаешь?

— Ну, — кивнул Артем, выезжавший с Пашей не раз и на сборы, и на соревнования.

— Ему полспины бритвой срезали! Давай залезай!

Артем нахмурился и, не спрашивая больше ничего, полез на переднее сиденье на колени к Юрику. Дверца такси упорно не хотела закрываться — мешало колено Токарева.

— Чего ждем? — рявкнул Шатов на водителя.

— Когда дверь закроете, — со вздохом ответил таксист, видимо, уже уставший от беспокойных пассажиров.

— Я сейчас ее вообще отломаю, понял? — вспыхнул Юрик и оскалился.

— Чего уж тут не понять, — снова вздохнул шеф и потянулся к ручке переключения передач. Со скрипом тронулись.

— А... а кто его порезал-то? — опомнился сложенный втрое Артем.

— Паша хотел кольцо продать по-быстрому, — закряхтел под ним Шатов, — капуста нужна была. А там — спекули окопались... Дескать, все только через них... Мол, их место... Ну, ты про Пашу все сам знаешь — за словом в карман не полезет. Короче, одному в челюсть, второму — хрясть, хрясть! На следующий день пришел снова...

— Зачем? — удивился Токарев.

— Ну, еще одно кольцо продать, да какая разница! А те — встретили. Точно не знаем, но, похоже, кто-то из жуликов, которые их прикрывают... И — спину ему, как шашкой — о-па!

Артем завозился, хотел было вставить, что, мол, может быть, сначала узнать, — но замялся, не ложились эти слова в общее настроение. Неудобно ему стало — товарища порезали, а он со своими сомнениями и колебаниями...

Не доезжая до угла улицы Ленина и Большого проспекта Петроградской стороны, Шатов распорядился:

— Тпру-у! Швартуемся!

Высадив из машины Артема, Юрик широким жестом, не глядя на счетчик, протянул таксисту пятерку. Тот со вздохом принял купюру — на счетчике, кстати, было в два раза меньше набито.

—Так, орлы! — начал немедленно распоряжаться Шатов. — Рустик! Ты — десантируешься!

— А?

— Бэ! Атакуем, рассыпаемся по дворам. Встречаемся около Зоопарка!

Токарев чуть вздрогнул, но промолчал. Это «у Зоопарка» напомнило ему ни много, ни мало — о судимости. Но как и кому сказать в такой ситуации о своих ассоциациях? Артем промолчал — потому что ему было не сорок лет, и разговор шел не за чашкой кофе в надраенном «Гранд-отеле Европа».

Рустик между тем юрко засеменил к магазину «Аметист», возле которого прохаживались двое крупных и сытых мужчин — они и не поняли, как он умело задел плечами одновременно обоих.

— Маленького обидеть всякий может! — высказал ехидно сакраментальное утверждение Рустик, по-балетному поворачиваясь вокруг своей оси.

— Вот щенок! — больше удивился, чем разозлился один из мужиков, одетый в короткую легкую дубленку, и попытался ухватить Рустика за плечо, но тот легко увернулся и влепил второму пендель.

Оба мужика ринулись на него, но Рустик снова бабочкой выпорхнул из протянувшихся к нему ру-

чищ, боковым зрением наблюдая за подтягивав-
шимися к месту действия товарищами. Конечно,
со стороны отчетливо виделось, что парень про-
воцирует скандал с последствиями, но Рустик и
не пытался это скрыть — а для чего еще и нужна
была его роль?

Происходило все достаточно быстро, но Артем,
перебегая улицу, все же успел поинтересоваться:

— За что воюем-то? Только за Пашу?

Шатов уловил в его вопросе нотки сомнения и
обрушился на Токарева своей правдой, одновременно косясь в сторону противников и контролируя ситуацию:

— Ну не одно колечко, а три-четыре-пять Пашка продал... В чем дело-то, я не понимаю!? Этим
мопсам годами тут стоять можно, всю лягавку на
корню скупили, а нам — кроссовки не достать!
Старшие пацаны для страны все мозги на ринге
оставили, Пашка — под гимном стоял! И весь зал
тогда в Испании стоял под тем же гимном! Мы пот
проливаем, а эти тут!!! Пусть делятся!!! А кто с
бритвой ходит — пальцы сломаем... пока... В чем
я не прав?!

И снова Артем не нашелся что сказать — и не
то чтобы совсем слов не находил или со всем уж
так согласен был — а просто ситуация не позволяла. Не располагал расклад к долгим диспутам, к
копаниям в нюансах... Семь человек одновременно подскочили к входу в «Аметист» и выщелкну-
ли обидчиков Рустика в пару секунд. Спекулянт в
дорогой дубленке (апрель на дворе — а он в дубленке, потому как вещь дорогая и престижная —
через нее свой статус миру предъявить можно) осе-
дал у водосточной трубы. Его левая бровь стала

разбухать на глазах, превращаясь в какой-то неестественный нарост-шар. Артем остановился, как вкопанный, и зачарованно уставился на мужика. Откуда-то вывернулся Генка Иматри, сморщил лоб и съязвил, склоняясь над «дубленкой»:

— Ой, прилег! Барыжничать устал?!

Между тем события продолжали разворачиваться. К магазину, визжа тормозами, подлетела ярко-красная «семерка», из нее выскочили три крепких парня. Один из них держал в руках арматурину, обмотанную грязным бинтом. Шатов тихо попер ему навстречу, раскинув руки в стороны и крикнув:

— Стоять!

Противник Юрика оказался парнем с характером и постарался ударить по-настоящему — Артем в ужасе увидел, как железная палка пролетела совсем рядом с головой лишь ухмыльнувшегося на это Шатова.

Токарев как-то очень по-взрослому вдруг понял, что сейчас может произойти: если арматурина все же коснется Юркиной головы, то будет не только кровь, но и необратимое изменение всех жизней, начиная с оборвавшейся...

Тем временем двое из выскочившей из «семерки» троицы уже успели упасть, не нанеся спортсменам серьезного урона — если не считать вздувшееся уха Борьки Карпова...

...Артем с левой стороны начал полукругом подбегать к парню, вооруженному железной палкой. Токарев хотел напасть на него сзади или сбоку и лишить возможности размахивать арматуриной. Главное — быстрота и четкость действий, но... Подсознанием Артем чувствовал какую-то искусственность происходящего, что-то явно укрывалось от него, о чем-то он не договорил с Юрой... Токарев не верил, что его приятели нападают на спекулянтов зря, но и не считал себя и их безусловно правыми... Вот эти сомнения и лишили грамотные маневры Артема той энергетики, которая зачастую решает все — злой резкости не хватило...

Парень сделал вид, что пытается подловить пританцовывавшего перед ним Шатова, а сам наотмашь вдруг резанул прутом в сторону Токарева. Увернуться Артем не успел, арматурина врезалась ему в плечо — в то самое, куда накануне молотил молодой боксер. Разницу между его кулаками и железом Токарев ощутил моментально — его как будто копытом лошадь ударила. Артем грохнулся на асфальт, как деревянный Буратино, озираясь на случайных прохожих, мелко семенящих в разные стороны с быстро пустеющей улицы. Боль сначала Токарев не почувствовал, ее вытеснила растерянность вперемешку со стыдом... Через несколько секунд время потекло с прежней скоростью, и Артем увидел, как над упавшим и выронившим железный прут мужиком склонился Шатов. Юрик поднимал лежавшего за грудки и жестко отбивал правые боковые. Парень уже после второго удара потерял сознание, но Шатов все бил и бил, размалывая лицо в месиво...

Недалеко от них еще один мужик стоял на четвереньках и трогал себя за раскроенную губу. С лица у него большими кляксами капала кровь. Все, столь мгновенно начавшееся, так же быстро и закончилось — в мгновенных скользящих движениях трудно было даже уловить драку. Спортивная выучка и реакция моментально поставили «точку». В ударах боксеров не было уличной лютости и перебора. Вот если бы на «Аметист» набегал не Шатов со спортсменами, а Сибиряк или Вата с Кренделем, то тогда представление бы шло подольше, да и результаты бы больше походили на побоище, поскольку травмы были бы уже не от кулаков, а от цепей и отверток...

Ребята приподняли Артема с асфальта, и он сам смог убежать в проходные дворы. Осматривать себя спортсмены начали уже в Александровском садике — с хохотом тыкали в слоновое ухо Бори, пытались подергать за руку Токарева.

— Опа!!! — вдруг выкрикнул Рустик, продемонстрировав компании свою ладошку, на которой лежал полиэтиленовый прозрачный мешочек с деньгами и золотыми кольцами.

— Когда это ты успел?! — перехватило дух у Шатова, и он попытался окровавленным кулаком сбить себе мешочек.

— Опа! — Рустика реакция не подвела, он успел сжать кулачок...

В мешочке оказалось тысяча пятьсот семьдесят три рубля и золота эдак на тысячу с гаком. Это была первая большая сумма, которую Артем видел за свою жизнь с расстояния метра...

...Пятьсот рублей тут же решили отнести Паше Лихо в больницу. Пятьсот — чтобы для круглого счета. Остальным выходило где-то по сто пятьдесят на рыло.

— В пять минут зарплата итээра* за месяц! — подвел итог Боря, ухо которого отливало уже синевой. — Вот и заканчивай институты. Моя мать

---

* ИТР — инженерно-технический работник.

после Горного проводку в шахтах рассчитывает. Недавно десятку прибавили — стало сто тридцать пять!

Токарев чувствовал себя очень неуютно, прекрасно понимая, что участвовал в банальном разбое. И если карта ляжет — то мотивы, вдохновившие его на этот подвиг, не очень изменят отношение к нему следователя. Единственное, что немного успокаивало, — это надежда на ребят, которые вроде бы «протечь» или тем более заложить не должны. Лица и повадки у ребят из клуба внушали такой оптимизм, потому что при взгляде на них, невольно вспоминались строчки из песни: «В тюрьме таганской легавых нету, но есть такие — невзвидишь свету!»

В больницу к Паше решили ехать сразу и всем скопом, но уже на двух машинах. В такси Артем немного отошел, хотя, конечно, мысли продолжали донимать. Его спрашивали:

— Ну, как ты, Темка?

— «Это не горе, если болит нога!» — отшучивался Токарев, хотя плечо ныло и ломило.

...Больницу гоп-шарага тут же поставила на уши. Симпатичную медсестричку, попавшуюся на пути, с улюлюканьем на руках занесли к Пашке в палату.

Паша лежал на животе, шея у него затекала от такой позы, и он злился. Пашу немедленно перевернули на спину («Боксеру не больно, боксеру — приятно!») и начали в красках пересказывать, как за него рассчитались. Паша был в восхищении — крутил головой и оправдывался:

— Если бы один на один, то я бы... А так — зашли в подворотню потолковать, а резанули сзади... Куртку испортили — «Точикара»!!! С двумя настоящими полосками прорезиненными... Я ее у взрослых боксеров в долг купил, те из Финляндии привезли...

Апофеозом стал торжественный момент, когда Шатов протянул Паше деньжищи:

— Держи. Тут полштуки.

Тон у Юрика был деланно ровным и солидным. Лихо аж поперхнулся, слизывая глазурь с помятого сырка — глазированный сырок притащил Рустик, прихвативший его в том же кармане, где лежал пакет с кольцами.

— Ну, парни... — растерянно обвел всех глазами Паша. — Ну... Если надо будет встать за кого и не позовете — обида смертная!

— Ага, тебя позови — не остановишь — засмеялся Рустик, но засмеялся не просто, а с подначкой для посвященных. Действительно, Паша имел не очень спортивную привычку добивать соперника. Один раз после сильнейшего нокаута, который он нанес противнику своим изумительным апперкотом и уже после того, как судья начал разводить между ними руками, Лихо немилосердно и неизвестно зачем еще раз пробил в голову уже оседающему парню. Дело дошло до «скорой».

— Зачем?! — зло спросил его потом в раздевалке Юрий Евгеньевич.

— Ему то же самое сделать никто не мешал, — легко ответил Паша...

Спортсмены вместе с больным еще полчаса понарушали режим, попоставали к медсестрам, покурили в неположенных местах и стали потихоньку расходиться.

Шатов чуть задержался, чтобы пошептаться с Пашей.

— Ну что, думаю, теперь они угомонились? — по-деловому спросил Лихо. Юрик хмыкнул:

— А вот поправишься — и подгребем к ним неожиданно, потолкуем! Если что не дошло — навалим добавки. Пусть наворачивают от пуза. И будем считать, что это место — наше...

Паша задумчиво потер нос:

— Всех с одного «Аметиста» не прокормишь...

— А в Питере ювелирный не один!..

— Так-то оно так, но с ними черная масть, да менты на прикормке.

Шатов пожал плечами:

— С ментами и мы договоримся, а охрана их... Тут уж — кто кого... Но без дуэлей... — Разговор этот был не случайным. Дело заключалось уже не только во взаимопомощи и товариществе, и даже не в инстинктивном стремлении урвать свой кусочек натренированными мышцами. В обществе уже давно носились разговоры об организованной спекуляции, о «цеховиках» и их «прикрытии», о том, что у них «все схвачено». Все чаще и чаще эти слухи проникали в спортивные круги, падали там на благодатную почву. Живее всех на такую информацию реагировали боксеры и борцы. Спортсмены еще мало что понимали в уголовном мире и теневом бизнесе, но они «шли на запах», и, в общем-то, шли именно туда, где запах денег превращался в сами деньги... В конце восьмидесятых группировки «спортсменов» вынырнут не из неоткуда — они повзрослеют и наберутся опыта, а деньги — деньги для них превратятся просто в бабки, в шальную дурь, которую не сэкономишь и которая лишь душит дружбу. Именно это многих и сгубит, ведь деньги — это бездушная материя, живущая по своим законам. Денежные потоки, как потоки лавы, не способны сострадать и понимать, они жгут любого, кто неправильно встал на пути, так и не успев разобраться, в чем, собственно, разница между денежными знаками, бабками и ДЕНЬГАМИ...

Начальнику УУР ГУВД СПб
Полковнику милиции
Петровскому В.С.

<u>Секретно</u>

ОБЗОРНАЯ СПРАВКА

27.12.1995 года в квартире 56 дома 278 по проспекту Просвещения был обнаружен труп Шатова Юрия Борисовича, 08.09.1961 года рождения, уроженца города Ленинграда. Смерть наступила в результате шести ранений в область груди из пистолета калибра 7.62, предположительно «ТТ».

В результате первоначальных ОРМ установлено, что Шатов снимал вышеуказанную квартиру вместе со своей связью Поливановым Павлом Алексеевичем, 23.01.1963 года рождения, уроженцем города Ленинграда, по прозвищу «Лихо». Оба являются активными членами так называемой «колесниковской» преступной группировки, ядро которой составляют боксеры из спорт-клуба «Ринг». При осмот-

ре места происшествия в квартире было
обнаружено большое количество быто-
вой техники в упаковках, чистые бланки
различных фирм, печати, четыре наименования гладкоствольных ружей,
взрывчатые вещества.

Из оперативных источников установлено, что между Шатовым и Поливановым за несколько дней до убийства в баре «Корчма», расположенном
во Фрунзенском районе, произошла
ссора и драка. Свидетелей конфликта
было много. Шатов разрезал бедро Поливанова ножом. Причиной же явились
разногласия при дележке «крышных»
денег с универсама «Морской». Со слов
источника: «...не надо суетиться при
пилке доли». После этого Поливанова
никто не видел.

Достоверно известно, что после
убийства Шатова Поливанов встречался
непосредственно с Колесниковым, который посоветовал уехать из города, пока «горячо». Скорее всего,
Поливанов выехал в город Ригу, где
временно примкнул к боксерской груп-
пировке некоего Анищенко, правой
рукой которого является его друг
Денисов Вячеслав.

На данный момент никаких процессу-
альных доказательств против Поливанова не найдено. Надеяться на прав-
дивые показания его связей не приходится. (Даже об инциденте в баре
«Корчма» показаний на протокол допроса никто не дает.) Наличие в квартире следов пальцев рук Поливанова ни-

чего не говорит, так как никто и не скрывает, что он там проживал. Обход жил. массива и соседей ничего не дал.

Объективные обстоятельства складываются так, что работать по раскрытию данного дела практически бессмысленно. Задержание Поливанова, исходя из вышеизложенного и собранных на него характеристик, не является целесообразным.

Начальник ОУР Калининского РУВД
Майор милиции
Полищук О. Д.

На выходе из больницы Шатов бережно тронул Артема за плечо:

— Я тебе этой арматурины не забуду... Если запамятую — назовешь меня псом поганым.

Слова прозвучали искренне и прочно, от них повеяло надежностью и благородством. Артем улыбнулся и крепко пожал протянутую ему руку...

Придя домой, он уже совсем успокоился, хотя плечо болело страшно. Раздевшись и погладив синячище, Токарев-младший даже присвистнул — словно электричка «поцеловала». Отцу, разумеется, он показывать результаты своих художеств не стал. Василий Павлович сам среагировал, когда сын охнул, заваливаясь посмотреть телевизор:

— Что это с тобой? Чего скрипишь?

— Да так... Плечо потянул

— А... Значит надо перед тренировкой тщательнее разминаться... Токарев решил, что тема с плечом исчерпана. Он ошибался...

ТУЛЬСКИЙ

11—13 апреля 1985 г.

Утром следующего, после налета на «Аметист», дня в кабинет Тульскому позвонил Варшава:

— Здравия желаю, Ваш Благородие!

— О!!! — Артур от неожиданности даже подскочил на стуле, поскольку вор почти никогда не звонил ему на работу. — Рад слышать!

— Как кривая проституции? — хрипло поинтересовался Варшава.

— Такое явление изжито... много лет назад!

— Да ты что?! А я — в неведении... Живу в таежной дремучести. Ну а бандитов не видать?

Тульский рассмеялся:

— Держим круговую оборону, отстреливаемся!

— Ну, добро, добро, — похмыкал Варшава и перешел на серьезный тон: — К тебе пару слов... Пошепчемся?

— Так... конечно! Заходи, я чай заварю...

Вор рассмеялся:

— Заработался ты, видать, совсем. Зачем же я в уголовке с тобой отсвечивать буду? Лучше — ты ко мне в гости. Когда последний раз старика-то навещал?

— Хорошо, буду через... полчасика.

— Жду, причипуриваюсь.

Тульский обрадовался, что понадобился Варшаве, — ему искренне хотелось чем-то помочь, показать свои новые возможности. Дело в том, что с тех пор как Артур начал работать в милиции, вор никогда еще ни о чем его не просил, даже, наоборот, вроде как слегка отталкивал от себя: мол, ты давай, учись сыскному делу как следует, отрывайся от шпанского прошлого... Тульский даже обижался, хотя и понимал в глубине души, что Варшава специально немного дистанциируется от него — чтобы лишних поводов для разговоров не создавать, чтобы тень на служебную карьеру не бросить, да и вообще — чтобы не создать ему, Артуру, неловкую ситуацию...

Стало быть, раз при этом при всем вор позвонил ему на работу — повод для разговора появился, и достаточно серьезный повод...

Варшава жил в маленькой двухкомнатной квартирке на 15-й линии — более чем скромной, лишними вещами не захламленной. Взбегая на третий этаж, Артур в который уже раз задал давно мучивший его вопрос: а кто он, собственно говоря, вору? Смутные подозрения, конечно, имелись... особенно когда Тульский случайно выяснил, что его мать была в молодости знакома с Варшавой. Но как спросить — не в лоб же... С матерью он как-то попытался поговорить — тихая обычно женщина вдруг раскричалась, потом плакала полночи, корвалол пила. А Варшаву — и спрашивать бесполезно, захотел бы — сам сказал. Но не говорит ведь... Но подозрения имеются... А может быть, Тульский не решался задать прямой вопрос вору из опасения услышать четкое «нет» в ответ? Кто знает...

...Артур, чуть запыхавшись, надавил на кнопку старого звонка. Варшава открыл сразу же — будто караулил за дверью.

— Заходи, заходи... Я чайку замастырил, консерву вскрыл ради такого случая...

Разговор начался без долгих прелюдий вор, когда нужно, умл быть предельно конкретным:

— Артур, тут у моих корешей легкая неразбериха. На Петроградской, возле «Аметиста», знаешь ювелирный?..

— Есть такая партия — осторожно кивнул Тульский, не понимая еще, о чем пойдет речь.

—Так вот, — продолжил Варшава, шумно прихлебывая чай и хрустя маковой сушкой. — На торгашей набежала группа «махновцев». Ну, не то, чтобы ни с того ни с сего — кой-какой конфликтец имелся... Но они зубы показали, да под шумок золотишко помыли.

—Налетчики?

— Н-не думаю... — поднял в сомнении правое плечо к уху вор. — Скорее... Там ведь какая тема — обручальные кольца, они на сегодняшний день в дефиците. А посему в ЗАГСах при заявлениях на свадьбу дают талоны... ну, по которым можно купить рыжье счастливым молодым. Разумеется, талоны можно того... — подделать... Ну, дальше — комбинация не сложная. Навар не аховый, но стабильный. Мой знакомец там в доле. С продавцами, с ментами — все утрясено правильно, люди дело строили, ладили, старались. А вот тут недавно появилась шпана — и практически с теми же аппетитами...

— Но ведь, — Тульский покрутил головой, — ты ведь сам говорил, что вору нельзя запретить украсть?

В вопросе был спрятан легкий подкол, Варшава оценил его, сердито хмыкнув:

— Нельзя, нельзя... Однако ж мы не на зоне понятия перебираем. А на всех, Артур, никогда не хватит. Это — политэкономия.

— Понимаю...

— Навряд ли. Да ладно — я вот что думаю: налеты — это ведь теперь твой профиль?

Тульский поскреб в затылке, с сомнением кивнул:

— В общем, да. Но у меня своя территория. Хотя я могу тень на плетень навести, чтобы поинтересоваться Петроградскими делами — не велика комбинация!

— Вот, — удовлетворенно наклонил голову вор — Вот и узнай, дорогой ты мой оперуполномоченный, это, и с каких-таких щей. А лучше бы всего узнать — какие имена за ними. Не их фамилии, а какие за ними имена! Ты чай-то пей, «индюха»* качественная!

...В тот же день оперуполномоченный Тульский выяснил, что в милицию никто по поводу инцидента у «Аметиста» не обращался. Это Артура не очень удивило, он понимал, что вопрос, как говорится, деликатный, а потому и решать его надо тактично, но быстро. Тульский дозвонился напрямую до Петроградского ОУРа, объяснил ситуацию. Ситуация же с его слов вырисовывалась немудреная. Получил он, де, информацию от источника: дескать, на территории Василеостровского района орудует группа налетчиков, которая недавно совершила хулиганские действия на улице Ленина (похожую информацию Артур действительно нашел в сводках РУВД — вяло, но на правду походит). Дальше, мол, пошукал по территориальным операм — никто ни ухом ни рылом...

Петроградский ОУР отреагировал на прыть Василеостровского коллеги с легким раздражением.

---

* «Индюха» — индийский чай, особо ценящийся на зоне и в тюрьме.

Сам «хозяин» территории, на которой располагался «Аметист», оперуполномоченный Хорликов даже огрызнулся:

— Слышь, Тульский, а кучеряво, однако, жить 16-е стало, раз подвигами на чужой земле интересуетесь. Мне бы так, а то погряз тут в кражах велосипедов, да в «форточниках», как во вшах.

Поняв, что помощи от петроградцев не дождаться, Артур перезвонил Варшаве — дескать, надо бы переговорить непосредственно с «пострадавшими за металл». Вор обещал поводить жалом — но, как выяснилось достаточно быстро, «страдальцы» особой прыти не проявили. Варшаве даже пришлось успокаивать Тульского, язвительно заметившего в телефонную трубку:

— Классно получается! Пойди туда — не знаю куда, и чтоб само собой получилось, потому что с опером покалякать всем впадло!

— Ну я же — калякаю, — мудро заметил вор. — Ты не кипятись так, я же тоже не могу им приказать: мол, говорите оперюге все начистоту, он — свой в доску. Правильно? А приметы я поподробнее узнаю... Да, там у одного должна быть рука сломана! «Вакса» прутом в него попал, железным... А может, не по руке зацепил, а по ребрам... Но сшиб мальчонку от души...

Тульский обзвонил все травмпункты в пяти районах — никто с похожими травмами ни в этот день, ни накануне не обращался... А Варшава из обещанных дополнительных примет смог дать со слов спекулянтов только такой вот набой: били парни только руками и очень грамотно. И лица у всех — спортивные, с обтянутыми скулами. Приметы, что и говорить — конкретнее некуда, но легче от них Тульскому почему-то не стало...

За сутки Артур буквально извелся — как же так, в кои-то веки Варшава с просьбой обратился, а результатов — кот наплакал.

На следующий день, с отчаяния, младший лейтенант даже решился переговорить с самим начальником Василеостровского ОУРа Токаревым.

Зайдя в РУВД и «закрыв» мутный входящий, Артур постучался к нему в кабинет и, приоткрыв дверь, вежливо поинтересовался:

— Можно на минутку, Василий Павлович?

— Можно и не на минутку! — прожевывая кусок мягкого белого батона, отобранного в дежурной части, отозвался хозяин кабинета.

Тульский зашел и без спроса уселся перед столом начальника — несубординативная манера руководства Токарева была всем известна, он и сам редко кому отдавал честь, даже когда его заставляли надевать форму.

Артур кашлянул и начал:

— Вот тут у меня... это... как его... ну, вопрос... там...

Василий Павлович с интересом прищурился на опера:

— Тульский, ты что? Личное дело агента пропил?

— Нет, а... С чего вы взяли? — вскинул голову Артур.

Токарев широко улыбнулся:

— А тогда с чего это ты на птичьем языке заговорил: того-этого-там-где-то!

Артур чуть закусил губу:

— Робею.

— Да? — пожал плечами Токарев. — А опять же, с чего? Ты у нас, Тульский, меньше года, общались мы с тобой редко, но слушок понизу идет — парень ты вроде не из робких... Ладно, докладывай по новой...

Артур засопел, сосредоточился и начал снова, чуть нараспев:

— Есть на нашей земле прикормленные барыгами заводи, с которых и блатные свой навар имеют.

— Опа, — удивился Токарев. — Как ты умеешь-то... Поднахватался уже... Вот только наш профессиональный слэнг и блатная феня — вещи разные. Третья попытка.

На щеках Тульского явственно начал проступать румянец, он кашлянул, сузил глаза и забубнил:

— Кандидат на вербовку, согласно утвержденному вами графику, сообщает, что недавно познакомился с молодым боксером, который в доверительной беседе рассказал ему о том, как группа молодых спортсменов совершила разбойное нападение на территории Петроградского РУВД...

В ответ на умышленно-канцелярские обороты начал заводиться уже и Токарев, перебивший Артура:

— А раз Петроградского — то согласно секретной ведомственной инструкции МВД СССР два нуля — съесть не читая, то вам необходимо копию рапорта кандидата на вербовку послать через секретную канцелярию на имя начальника ОУР Петроградского РУВД за вашей и моей подписью. Я ответил на ваш вопрос?

— Так точно, товарищ майор!

— Свободны, товарищ младший лейтенант!

Тульский резко встал и направился было к выходу, но услышал в спину:

— Отставить! Неправильный подход к снаряду!

Артур замер, потом расслабился и снова повернулся к начальнику.

Токарев хмуро потер шею и сказал спокойно:

— Сидай... Так, Артур, бывает... Коса, там, на камень... И вообще, — жизнь прожить — не поле перейти, а копейка, рубль бережет, и все такое. В колодец, однако, не плюй, а то вылетит — не поймаешь. Но, кстати, как старший по возрасту, званию и должности, я имею больше прав на плохое настроение. Ферштейн?

— Согласен, — улыбнулся Тульский.

— Ну и ладно, — Василий Павлович оторвал зад от кресла и сделал пародию на книксен. — Будем считать, что проехали. Я полагаю, ты хотел спросить меня вот о чем: знаю ли я, как устроена подпольная продажа дефицита в отдельно взятых местах?

— Да...

— А кто ж этого не знает! Окромя молодежи... Ладно, извини... Взять, к примеру, «химию» с обручальными кольцами.

— Ага, я про нее и спрашивал, — оживился Артур.

— Гляди: возле каждого ювелирного! Но на Васильевском мы с этой услугой пролетаем — продают из-под полы приезжим золотые трали-вали... тем, кто деньги вложить в золото хочет, заодно и скупают. Но зато у нас на набережной Макарова —

«Внешпосылторг». Здесь мы всем нос утираем количеством кидков.

Тульский несогласно сморщил лоб:

— «Внешпосылторг» — это понятно, но жулики-то тут при чем?

Токарев даже глазами захлопал:

— А мошенники с Макарова — они что, тимуровцы?

Артур не заметил, что в его ответе прозвучала снисходительная нотка, характерная для популярных объяснений экспертов — разным там профанам и полупрофессионалам-любителям:

— Понимаете... Настоящие жулики, они, как бы вам это объяснить...

Василий Павлович уставился на опера не мигая:

— О-па, о-па... Ну, объясни, просвети.

— Жулик — это вор, прежде всего.

Токарев подтверждающе кивнул, как профессор, вынужденный констатировать правильный ответ унылого студента:

— Если вор, то ни при чем. Но долю малую ущипнуть умудряются. — Левша, Варшава...

— Откуда вы знаете?

— Да ты последний, кто не знает!

Артур потер нос и с заминкой спросил:

— А что же тогда?..

— Ты хочешь спросить, почему же их не берут?

— Ну, да...

— А потому что нам — на хрен не нужно, а БХСС обкладывает там... больше бумагами, чем делами... ай... Короче, им это так же нужно, как и нам... Погоди, а что ты там про боксера-то говорил?

Тульский с органичной безразличностью повел плечами:

— Да одному боксеру руку сломали в драке около «Аметиста». Дай, думаю, выясню — я про это случайно узнал.

— Что за боксер?

— Не знаю еще.

— А оно тебе надо? — усмехнулся начальник ОУР. — Сколько входящих у тебя?

— За десять точно.

— А КП?

— Неисполненных — штуки четыре.

Василий Павлович повел рукой:

— Ну, вот и исполняй. Твое дело — отбиваться от превосходящих бумаг заявителей, а ты про мафию думать начинаешь. Детективы, наверное, любишь. Ты пойми — за мафию со штаб-квартирой в США нам с тобой шею не намылят, а вот за вырванные авоськи — только успевай подмываться... Кстати, об авоськах: я слышал, ты со шпаной умудряешься быстро общий язык находить? А раз так, то поскольку опер по детям Хабаров от нас сбегает, то потихоньку, то есть сегодня же к вечеру — прими от него все бумаги. Это тебе мое командирское указание. Хочешь письменно? Чтобы мафия меньше беспокоила...

Артур аж задохнулся — вот и сходил, вот и посоветовался на свою дурную голову:

— Василий Павлович, а на мою землю кто? Только въехал...

Токарев лучезарно улыбнулся трогательной наивности:

А кто тебе сказал, что ты освобождаешься от территории? Будешь совмещать, это полезно, спо-

собствует, так сказать, всестороннему и гармонич-
ному развитию личности офицера. Плюс! Завтра
же объявлю, что вся ваша шарага из 16-го по вы-
ходным придается господину Лаптеву! Слыхал про
такого? Во-от, поработаете с ним ножками в обще-
ственном транспорте, отдохнете от бумаг, повыси-
те личное оперативное мастерство, опять же — свежий балтийский ветерок...

— Да, но...

Слабую попытку Артура хоть как-то возразить
прервал телефонный звонок. Токарев схватил
трубку, что-то буркнув, потом нехорошо молчал
секунд тридцать, а потом — его прорвало:

— Я тебя больше «послушать» не желаю! Ты мне
что дал на подпись?! А?!! Я ведь не могу читать все,
что подписываю, и ты, зная это, — воспользовался... А как это понимать иначе?! Ей же двенадцать
лет!!! А ты дело завел на нее как на содержатель-
ницу притона — контрольно-наблюдательное! Это
за тобой надо постоянно наблюдать... Почему?
Потому что ты уже сам себя не контролируешь!
Как этот понос теперь списывать?! Ты — вреди-
тель!!! Я начинаю понимать, как таких вредителей
в тридцатые к стенке ставили!!!

Василий Павлович от души грохнул трубкой и
спокойно вернулся к теме прерванного звонком
разговора:

— Да, так вот: у нас вал заяв об утратах на транспорте. Надо карманников маленько шугануть.
Кстати, похоже, что тот же Варшава ими и руко-
водит.

— Откуда вы знаете?! — когда Тульский слышал про Варшаву, он забывал и про тактичность
и субординацию и про все остальное. Токарев был

просто очень «запарен» своими проблемами, а то бы он, вне всякого сомнения, обратил бы внимание на слишком нервную реакцию молодого опера:

— Вот ты даешь... откуда? От верблюда! Я работаю-то кем? И сколько лет уже? Ладно, ступай. Энергетика у тебя — все соки с меня выпил, прям вампир.

На выходе из кабинета Тульский замялся, но все же не удержался и спросил:

— Василий Павлович, а как же это умудрились на двенадцатилетнюю опердело завести? Ведь не субъект?

Токарев вымученно усмехнулся:

— Это еще цветочки...

— И что же теперь делать?

— Что-что... Да ничего! Подделаем требование, чтобы ей было двадцать два года... Еще одно несуществующее лицо... Слушай, иди, а?

Со смешанным чувством удивления и уважения Артур тут же добежал до Варшавы и, скрывая возбуждение, рассказал, как и в какой связи Токарев поминал вора. Варшава выслушал внимательно, но отреагировал на удивление вяло:

— Благодарю покорно, но шухером и не пахнет. Во-первых, мое участие в «ржавых»[*] делах сильно преувеличено, тему я знаю, но и только... Почти во-вторых — кто шурует в троллейбусах на Большом, я тоже знаю. Не моя то колода. Но Токарев — дядька серьезный, просто так именами не бросается. Надо полагать, виды у него на меня... Сколько лет уж этим видам — мы, как эти купле-

---

[*] Золотых.

тисты неразлучные — как их... Понравился он тебе, вижу?

Не ожидавший подобного вопроса Артур растерялся, передернул неопределенно плечами. Вор усмехнулся по-доброму:

— Вижу, понравился... А что засмущался-то так? Я ж тебя в мусарню толкал не Штирлицем, а чтоб ты ремесло узнал — ну, и если мне какая польза малая, не в ущерб твоей службе — тоже хорошо, конечно... А у кого учиться, как не у Токарева? Он волкодавище битый и ученый, да и человек к тому же. А это по нынешним временам редкость — человеки-то... Так что не гужуйся, сыскарек. Да, а как насчет спортсменов?

— Тишина.

Улыбка Варшавы неуловимо быстро трансформировалась в оскал:

— Ишь ты... Молодые, да с подвывертом... Ничего... Если им понравилось — нарисуются. Подождем.

...Буквально на следующий день Тульский украдкой забежал в мороженицу. Украдкой — потому что посещение такого... гм... заведения казалось ему несолидным. Когда Артур еще мотался со шпаной, тогда почти все отобранные в «походах» гривенники тратились на вермут и портвейн — пацаны темы с мороженым не поняли бы в упор. А сейчас — и вовсе неудобняк, когда цельный, понимаете ли, опер, а сидит над креманкой, как пупс. Вот так бывает — влюблен человек во что-то всю жизнь, а все украдкой.

Взяв себе три разноцветных шарика с сиропом и тертым шоколадом, Тульский уселся в угол, смакуя момент начала кайфа — но уронил ложечку.

Поднимать ее с пола и обдувать он не стал, а направился за новой. У стойки стоял спортивного вида темноволосый парень и допивал стакан березового сока (очень вкусного, если кто помнит, — за 11 копеек).

— Разрешите... — потянулся через него к ложечкам Артур и машинально положил парню руку на плечо. «Спортсмен» охнул и чуть просел под рукой опера — видно было, что ему больно.

— Прости, браток, — удивленно извинился Тульский и направился было к своему столику, но вдруг остолбенел от предположения. А вдруг... Гадать Артур не стал, мгновенно развернулся к уходящему уже парню и спросил с улыбкой:

— Дружище, а это не я тебя у «Аметиста» задел?

Парень вздрогнул, остановился, чуть подобрался и даже обозначил привычное боксерское движение рукой к подбородку. Он внимательно и быстро ощупал глазами Тульского и, естественно, не узнал.

— Не понял?

— А по мне — так все ты понял! — торжествующе усмехнулся Артур и чуть прихватил «спортсмена» за здоровую руку: — А ну-ка, отойдем, поворкуем!

Парень легко вырвал руку из захвата и сузил недобро глаза:

— Не нукай, не запряг! И руки — убери!

Атмосфера между ними стремительно густела. Тульский инстинктивно вспомнил «старую школу»: «Как дать ему сейчас разок лбом в переносицу — и весь Мухаммед Али закончится тут же...», — но тяжесть милицейского удостоверения все же

перевесила дворовые привычки. Не без понтов
махнув красной ксивой, Артур несколько вальяж-
но представился:

— Уголовный, милый ты мой, розыск! Так что —
кулачонки опусти и дай мне доесть мороженое. Я ваших прибылей с золотых рудников не имею — мне
накладно рублем швыряться...

Демонстративно повернувшись к боксеру спиной, Тульский сел за свой столик. Съев пару ло-
жечек подтаявшего уже мороженого, он позвал
столбом стоящего парня:

— Ты давай, присаживайся... Хотел бы я тебя
задержать — давно бы уже в клетке сидел...

Спортсмен присел напротив, видно было, что
его обуревают весьма противоречивые мысли и
чувства, однако при всем при том Артур с удивлением отметил, что парень не боится... Растерялся —
да, но не запаниковал.

— Ну, так что с рукой? — расправляясь со слад-
кой массой и почти не чувствуя от возбуждения вку-
са, спросил Тульский с деланым равнодушием —
мол, я и так все знаю, но разговор-то надо как-то
интеллигентно начать.

— Так ты розыск или доктор?

— Айболит, — ответил Артур, облизывая ложечку. — Я бы даже сказал: Ай! Болит! Сотрудник милиции не должен быть безразличен к травмам тру-
дящихся. Ведь ты трудящийся?

Парень тяжело молчал, катая желваки по обтя-
нутым скулам.

— Я говорю — может, тебя ударил кто? А то я
слышал, что недавно спортсменов на Петроградской избили...

— Значит, такие спортсмены...

— Ага, — ласково улыбнулся Тульский. — Значит, не ты?

— Нет.

— А что «нет»?

— А что «не ты»?

Артур начал понемногу раздражаться:

— Документики имеешь при себе?

— Вы-то кто такой?

— Я есть оперуполномоченный Василеостровского ОУР. Знаешь, что такое ОУР?

— Догадываюсь...

Показалось Артуру или нет, но на губах парня вдруг мелькнула улыбка? Что за черт, почему он так реагирует? Тульский насупился:

— Судим?

Глаза у боксера блеснули, Артур удовлетворенно кивнул:

— Суди-им... И за что?

Боксер снова слегка обозначил улыбку уголками губ.

— Так, — прихлопнул ладонью по столу Тульский. — Не получается у нас с тобой разговор, да?

— Да.

— Чувствую, тебе нужна другая атмосфера. Пройдем в кабинет?

Артур блефовал и сам прекрасно это понимал. Задерживать парня на том основании, что у него болит плечо? Смешно. А опознавать его никто не будет. Да ведь и в милицию-то никто не обращался — и не обратится... Просто приволочь этого красавца в отдел на предмет установления личности? Ну, это можно. Но он замкнется, уйдет в отказ, и что тогда? Извиняться? А Варшаве нужны были не сами спортсмены, а те, кто стоит за

ними... Если слишком сильно тянуть за эту ниточ-
ку — она может и оборваться...

— И что в кабинете?

— А по ебальнику получишь пару раз — и сразу
беседа по-другому польется...

— Уверен?

Тульский чувствовал, что перегибает, и лихорадочно пытается найти нужную интонацию, чтобы «зацепиться» за этого странного парня:

— А ты действительно боксер, что ли?

— Чуть-чуть.

— Да, — вздохнул Артур. — Тогда тебя кулаком
не проймешь! Слушай, а давай — так поговорим,
за соком. Или — за пивом?

Парень качнул стриженой головой:

— Я не понимаю, что надо... тебе.

— Шоколаду! — повысил голос Тульский, но тут
же взял себя в руки и защебетал ласковым соло-
вушкой: — Пудов пять или шесть, больше-то мне
не съесть. Я еще маленький.

Боксер прищурился:

— Или золотых монет горсть?

Артур расплылся в улыбке:

— Другой разговор! Возвращаете — и краями!

— Что возвратить-то?

— Кольца и браслеты, юбки и жакеты... А также — «кипюры».

Парень покачал головой:

— У меня ничего нет, поверь.

— Верю-верю всякому зверю, а тебе, ежу, — по-
гожу, — Тульский вздохнул и начал по новой: —
Меня Артуром кличут, а тебя?

— Меня Артемом.

— Замечательно. Моя фамилия — Тульский...

Приглашающей паузой, чтобы назвать свою фамилию, Артем не воспользовался, вместо этого сам задал вопрос:

— Ты с самого ОУРа?

— Нет, — удивленно ответил Артур. — С 16-го. А твоя-то фамилия — как? Как отца зовут?

Парень сдвинул упрямо брови:

— А при чем здесь отец?

Тульский утомленно пожал плечами:

— Наверное, ни при чем. Я про отчество спрашиваю.

— Решил задержать?

Артур рассмеялся, но с ма-аленькой ноткой фальши, потому что словесный поединок давался ему нелегко:

— Задержать мы всегда успеем. Мне не это надо.

— А что?

— Ну как «что?» — воздел руки к небу в притворном возмущении Тульский. — Конфликт был? Был. Людям челюсти поломали? Поломали. Золотишко — тю-тю? Тю-тю. И кто заплатит за банкет?

Назвавшийся Артемом оценивающе посмотрел на Артура:

— Так ты... с их стороны, что ли?

Тульский мотнул головой:

— Я — со своей стороны! И я — пока — хочу закрыть вопрос по-тихому. Или тебе выгоднее через руководство: протокол, сдал, принял?..

Они напоминали двух фехтовальщиков, скрестивших впервые шпаги и оттого осторожно прощупывавших слабые места в обороне друг друга ложными выпадами.

— Мне бы тоже хотелось... чтобы все по-тихому... Но кто тогда за бритву ответит?

— За какую бритву? — не понял Артур.

— За стальную, очевидно... которой всю спину... одному хорошему парню срезали.

Варшава Тульскому про бритву ничего не говорил, поэтому опер по-прежнему не понимал, о чем идет речь:

— Срезали? Ну так не надо было лезть — люди защищались. Как могли.

— Нет, — не согласился парень. — Это было еще до инцидента.

Тульский впился глазами в глаза собеседника — а ведь, похоже, не врет:

— Расскажи, интересно!

После небольшой паузы боксер начал рассказывать, тщательно подбирая слова:

— Один парень... со спортивного клуба... продавал кольцо на их месте... Те — мол, только через нас... Вышли поговорить один на один — в результате больница. Резали сзади, привычное дело для них... Законы подворотни...

— Много ты знаешь про подворотни! — чуть ли не обиделся Артур и сам понял, что обида эта в устах опера звучит по меньшей мере странно: — Сам-то откуда?

— С линий.

— Мотался?

Представившийся Артемом усмехнулся:

— Вовремя в спорт ушел.

— Кого знаешь?

— Вату, Кренделя, Отвертку, Фирю...

— Достаточно, — остановил его Тульский, вглядываясь в лицо спортсмена: — А я тебя не припомню. А на салюты ходил?

— Бывало.

На лицо парня набежала легкая тень.

— То есть за остров страдал? — догадался Артур, и парень кивнул:

— От души. И судимость за это... Можешь проверить.

— Дела-а... — протянул Тульский. — Проверить, говоришь... Ну, давай, проверим тебя на вшивость: фамилия моя, напоминаю, Тульский, 16-е отделение, телефон найдешь, парень ты, я вижу, способный... До конца недели разыщи меня. Хочу поговорить со старшим вашим.

— О чем?

— О том, какие задумки, какие творческие планы. Вопрос-то не закрыт...

— Позвоню, — коротко кивнул парень.

— Да уж надеюсь! — добавил сердитого фиглярства в голос не до конца удовлетворенный беседой Тульский. — А то вторая наша беседа может статься для тебя хлопотной!

— «Встать! Суд идет!» — позволил себе легкую иронию уже поднявшийся со стула парень.

— Чудак-человек! Если люди стоят у магазина — значит, это кому-нибудь нужно... Лично я против тебя ничего не имею, но ты мне не кум...

— А ты мне вроде бы — кум?

— Правильной дорогой идете, товарищ...

Расстались мирно и даже почти дружелюбно, руки друг другу пожали. Но когда спортсмен вышел, Артур все же досадливо крякнул, покрутил головой и... взял себе еще порцию мороженого. Энергично расправляясь с шариками (ел — будто мстил кому-то), Тульский прикидывал дальнейшие перспективы: «Позвонит? Должен позвонить... Парень-то вроде не гнилой... И вроде не врет, вроде — с Линий... Тогда я его найду, в случае чего... Через пацанов найду... Так. К Варшаве пока идти рано... Надо доработать до конца — и уж тогда — пожалте, на блюдечке»...

Артуру не столько хотелось выслужиться перед вором, сколько отблагодарить его. За что? За жизнь, наверное...

Неизвестно, во что бы вся эта ситуация вылилась дальше, если бы не понадобилось Тульскому вечером того же дня заглянуть в РУВД по пустяковому делу. В коридоре Артур столкнулся с Токаревым-старшим, и, поприветствовав начальника, не удержался от легкого хвастовства:

— Василий Павлович, помните, я у вас вчера выспрашивал про спекулянтов?

— Как ни странно при моей жизни, но помню. — Токарев остановился и тоже решил щегольнуть перед молодым оперской памятью: — Теневики сломали руку спортсмену, который полез на их кусок. Так?

— Так.

— И чего такой довольный? Наши форсировали Клязьму?

Артур, гордый собой, действительно — только что не улыбался во весь рот:

— Нет... в смысле — да... Я нашел одного из налетчиков... вернее, не то чтобы налетчиков... в общем, из тех спортсменов, что нападали... Он живет у нас на линиях...

— Ну-у? — хмыкнул с иронией, но поощрительно, Токарев. — Фамилия?

Артур слегка смутился:

— Я только имя знаю...

— Адрес?

— Где-то на линиях, — чувствуя, что получается неубедительно, зачастил Тульский. — Но это точно, он старую шпану знает...

Василий Павлович цыкнул зубом и развел руками:

— Ну, тогда ты его не нашел, а нащупал...

— Практически.

— Значит, не успокоился? Это хорошо... Помнишь заповедь: сделал дело... как дальше?

— Гуляй на хер?

— Нет, — начальник ОУР прищурился и воздел указательный палец к потолку: — Гуляй смело. А дело наше — я тебе вчера уже говорил — борьба за раскрываемость. А ты, значит, решил заодно и с преступностью побороться... Ну, что же, — лишь бы не надоело. И что за спортсмен?

Артур, чувствуя тщательно скрываемую за словами начальника похвалу, возбужденно затараторил, стараясь не размахивать руками:

— Судимый, боксер... Рука, кстати, у него не сломана, а только подбита... Он моего возраста, зовут Артемом, парень, кстати, по-моему — неплохой...

— Только ссытся и глухой, — механически кивнул Токарев, уже собираясь идти дальше. — Приметы, конечно, не так, чтобы... но работать можно... Но таких Артемов — если он Артем, конечно — знаешь, сколько? Взять хотя бы...

Василий Павлович вдруг осекся, будто налетел на невидимую стенку. Лицо его чуть дернулось. Словно он ощутил легкий укол в сердце: судимый, боксер, Артем, плечо разбито, одного возраста с Тульским.

— Погоди-ка, погоди... Стоп, машина! Ты его видел? Как он был одет?!

Артур, не ожидавший такой реакции, даже чуть качнулся спиной к стенке:

— Обычно был одет, не так чтобы фартово: курточка такая польская, светло-синяя на молнии с гербом каким-то на рукаве, джинсы с ремнем офицерским... А что, приметы «в цвет» с кем-нибудь?

Токарев открыл рот и снова закрыл его молча, как будто воздух глотал, задыхаясь.

— Василий Павлович, я не понял — этот Артем, он что — нам сильно нужен?

— Нужен, Артур, — смог наконец выговорить начальник угрозыска. — Ох, как нужен, ты даже не представляешь себе...

Приобняв Тульского за плечи, Василий Павлович увлек его к себе в кабинет, усадил на стул, разрешил курить и закурил сам. Артур чувствовал, что что-то происходит, — вот только не мог до конца врубиться — происходит со знаком «плюс» или же, наоборот, «минус»? Странно как-то начальство реагирует...

А Василий Павлович молча курил и лихорадочно соображал, что делать... Конечно, все еще не точно установлено и бывают разные совпадения, но... Но если никакие не совпадения? Если действительно «в цвет»? Токарев плохо знал Тульского — младший лейтенант работал у него в отделе меньше года, но старые опера о нем отзывались хорошо. В целом, хорошо. Цепкий, говорили, парень, и не дурак, и не жополиз... вот только малость приблатненный какой-то... Василий Павлович в упор посмотрел на молодого опера и подумал про себя: «Какой же ты, Вася, к хренам собачьим, старый сыщик, ежели не чувствуешь людей?» Вслух же он сказал медленно, словно до конца еще не решаясь на что-то очень важное:

— Вот что... Ты... Ты подожди меня.. Я сейчас... добью тут кое-что... А потом сходим ко мне домой... чаю попьем.

Артур ожидал чего угодно, но только не приглашение на чай:

— Спасибо, а... зачем?

Токарев ответил, глядя в сторону и продолжая напряженно думать о чем-то своем:

— Я тебе... покажу кое-что... Документы у меня дома припрятаны... Секретные. Совершенно.

— Понял, — не поняв, естественно, ни черта, кивнул Артур. — Спасибо!

Василий Павлович хмыкнул все так же загадочно:

— Сначала глянешь, а потом — благодарить будешь. Если будешь.

Тульский заерзал на стуле, ожидая, пока начальник соберется, а Токарев прошелся по кабинету, затем вышел в коридор и оттуда голос его загремел с прежней силой:

— Петров, ты что по кабинету, как по камере, туда-сюда?..

— Да так, чего-то колено отсидел..

— Как ты можешь чего-то отсидеть, если тебя за стол не загнать... Я тебя просил рапорт на твое же, кстати, поощрение написать? Ты и этого не можешь!

— Мое дело ловить, а не писать...

— Тьфу ты! Пиши, я сказал! Так, опа — Хабибулин, ну-ка — ты долго сочинял постановление?

— А что? На пяти листах — мало?

— Да такую глупость можно было уместить и на одном! «Обстановка в квартире практически не нарушена. Ответственный квартиросъемщик не может припомнить — было ли выбито окно на кухне и были ли разбросаны простыни по квартире перед уходом!» Квартиросъемщик-то, может, и запамятовал, да вот прокуратура тебе живо напомнит! Переписать!!! Так, Лаптев, Лаптев!!!

Но Лаптев, делая вид, что вчитался в бумаги и поэтому, будучи в думах, ничего не слышит, мелькнул в проеме открытой двери Токаревского кабинета и скрылся в конце коридора...

Наконец Василий Павлович собрался (непривычно рано для себя и сотрудников), и они с Артуром пошли к нему домой. По дороге почти не говорили — так, перебросились несколькими дежурными фразами. Тульский почти физически чувствовал, что начальник в напряжении и что это напряжение почему-то растет — но совершенно не понимал, из-за чего...

Наконец, дошли. Вводя гостя в коммуналку, Василий Павлович сразу предупредил:

— Не разувайся. Ноги, вон, вытри, и хорош.

В коммуналке (очень похожей на ту, где жил Тульский) было тихо, вечерние движения еще не начались. Артур начал обтирать ноги о половичок, покрытый влажной тряпкой, которая, разумеется, тут же скомкалась, засуетился, хотел было расправить, но Токарев подпихнул его в спину:

— Давай, проходи в комнату, я сейчас чайник заведу. У меня сушки есть мировые, маком присыпанные...

...Тульский с любопытством разглядывал стены и мебель. На большом письменном столе стояли рамки с фотографиями — у него дома были такие же, мать говорила, что такие рамки называются «модерн». На одной из фотографий он увидел парня, завязывающего кеду и лукаво улыбающегося... «Необычная фотография, — подумал Артур. — Странно, какое лицо... Лицо-то!!!..» Остолбеневший Тульский беспомощно оглянулся и увидел на батарее черные перекрученные бинты, какими обычно пользуются боксеры. Артур подошел и потрогал их — бинты давно просохли, они были жесткими от въевшегося в них пота.

— Не сомневайся, бинты боксерские...

Тульский обернулся — в дверях комнаты стоял с чайником Василий Павлович.

Несколько секунд они молча смотрели друг на друга, наконец Токарев вздохнул и сказал:

— Ты садись. Давай-ка, действительно, — чайку попьем. Полагаю, ты все мои «секретные документы» увидел?

Артур молча кивнул.

— Он?

Еще один молчаливый кивок.

— Та-ак, понятно... Ну, как ты понял уже, мы с Артемом Васильевичем немного родственники. А посему — расскажи нормально, что происходит. Или уже поздно?

— Да ничего не поздно! — чуть руками не замахал от всех этих перипетий изрядно ошалевший Тульский. — И «жары»-то особо никакой нет...

...Артур рассказал все, утаив, разумеется, лишь про Варшаву. Начальник ОУРа дослушал, покачал головой, потом спросил почти без вопросительной интонации:

— Как я понимаю, информация ни от какого не от агента?

— Не от агента... А откуда вы?..

Токарев лишь вздохнул и посмотрел на опера, как на дебильного:

— Кто-то из пострадавших — знакомый... Просил жалом поводить? Да ты не жмись, я же вот — не стал перед тобой ваньку валять и втемную тебя расколбашивать да запутывать... Так что — знакомый?

— Примерно так, — выдавил Тульский.

— Тогда все сходится, — почесал в затылке Василий Павлович.

Артур не понял, что, собственно, «сходится», но для солидности кивнул: да, дескать, действительно сходится... Потом они пили чай, грызли сушки и долго говорили — о жизни вообще, об Артеме и о самом Тульском. Единственно что — не выпивали.

Токарев из этой беседы многое если не узнал, то понял про жизнь Артура, поражавшего тонким знанием преступного мира в сочетании с полным непониманием основ оперативно-розыскной работы. Второе было намного естественнее первого...

После рассказа с подробными эмоциональными нюансами о судимости Артема Тульский даже зауважал его — Артур ведь и сам в молодости сколько раз проделывал такое, — а вот не попался! И если бы только «такое»!

«А парень — надежный, — подумал про себя начальник розыска. — Такой не сдаст, будет молчать».

«А мужик-то — мировой — решил в это же время Артур, и они не сговариваясь вдруг улыбнулись друг другу... Напоследок Василий Павлович коснулся дела:

— Ты своим знакомым передай, что у «Аметиста» драк больше не будет... Я... Я сам решу этот вопрос.

— Хорошо, — кивнул Артур. — Конечно, Василий Павлович...

— Так, теперь с Артемом... Как, ты говоришь, с ним договорился?

— Ну, — чуть замялся Тульский. — Ну, что он позвонит мне в конце недели, и мы...

— Считай, что он уже позвонил, — перебил его начальник ОУРа, — звонил тебе, а попал на меня... Я с ним сам... поговорю! Лады?

— Лады...

Артур подумал о том, что самое время бы было сейчас заявиться домой и Артему — сценка сложилась бы сильная... Видимо, о том же самом подумал и Токарев-старший, явно не хотевший, чтобы встречу отца и сына наблюдал кто-то еще — пусть даже и такой клевый парень, как младший лейтенант Тульский. Артуру вообще показалось, что начальник розыска не хотел бы каких-либо дальнейших контактов между молодыми людьми. Ну, что же — нет так нет... Тульский засобирался, вспомнив вдруг про срочные неотложные дела. Провожая его до дверей, Василий Павлович сказал:

— Я теперь с тебя на службе спрашивать вдвое буду — но научу! А тебе — спасибо за понимание. Если сам поскользнешься — или из друзей кто — я руку подам!

И протянул Артуру руку.

...Спускаясь по лестнице, Тульский гордился — и собой, и вообще. Ему нравилось, что в его жизни есть настоящие и очень интересные люди. Варшава и Токарев... Они такие разные... и похожи друг на друга, как две противоположности...

Отправляясь прямиком к Варшаве, Артур четко решил, что ничего про Токарева говорить не будет. Иначе — это было бы предательством... В конце концов, ведь и Варшава не сказал ему всего — про бритву, например, которой парня в больницу отправили...

Вору Тульский отрапортовал коротко:

— Вопрос закрыт. Если дело не в самом золоте...

Варшава аж чуть пивом не поперхнулся (их встреча происходила в «Бочонке»:

— Не столько в золоте... Есть силы откусить себе — без стеснений.

Артур мотнул подбородком:

— Не ради этого старался... Я обещаю — не будет больше ни боксеров, ни конфликтов!

Вор дернул бровями так, как умел только он:

— Да что ты говоришь! А не рано ли гарантировать?!

Тульский посмотрел Варшаве в глаза и упрямо повторил, выдерживая сверлящий взгляд:

— В данном случае — могу!

Вор понял, что за словами опера не пустое бахвальство, более того, почувствовал он и некую тайну, некий секрет, от которого Артур старательно и очень неуклюже старался отвести разговор. Варшава хмыкнул:

— Ну, а что за люди-то эти лиходеи — подскажешь?

Тульский кивнул:

— Это... молодежь, за ними никого нет.

— Команда «Гидраэр» против «Торпэдо»?

— Где-то так...

— «Где-то» — у бабки на огороде, а нам нужно в самый аккурат... Ну, ладно... Пока счет 1:0 в твою пользу. Не стану лгать, ожидал, что будет 0:5.

В этой похвале была спрятана насмешка, Артур ее услышал и буркнул в ответ:

— Тоже кое-что умеем.

Варшава с энтузиазмом закивал:

— Да-а, в уголовке копошиться — это тебе не шапки ондатровые срывать.

— Учусь помаленьку...

Посидели несколько минут молча, прихлебывая пиво. Наконец Варшава, разряжая еле заметное напряжение, возникшее за столом, сказал:

— Ну, что же... Тебе видней. Поживем — увидим. Но — запомни: ты никому не был должен, а сейчас — ответственность на себя берешь. Есть в жизни рубеж, когда шутки заканчиваются... Что же касается нюансов — я же не настаиваю, чтоб ты мне их пересказывал... так, любопытно...

Артур отставил кружку в сторону и старым шпанским жестом зацепил большим пальцем свой верхний клык:

— Не мой секрет... И я не от тебя скрываю... Была бы хоть капля опасности тебе — Родину бы продал! Веришь?

Вор улыбнулся, маскируя легкую досаду на то, что у Артура появились-таки какие-то тайны, которые он даже после прямого намека не хочет раскрывать. Но давить на парня Варшава не хотел, а потому ловко начал сворачивать на шутки:

— Родину продать нынче трудно, практически невозможно. Предлагали тут надысь одному резиденту — так не берет, вплоть до мордобоя! Ушли времена... Помнишь: «Стоял я раз на стреме, держал в руке наган, как вдруг ко мне подходит незнакомый мне граждан...»

Тульский с облегчением рассмеялся и подхватил — даже с несколько нарочитым энтузиазмом:

— «Мы сдали того фраера войскам НКВД, с тех пор его по тюрьмам я не встречал нигде»...

Вор вскоре ушел домой, на прощание, как обычно, потрепав Артура по загривку. А Тульский еще долго сидел в пивбаре, разглядывая пиво в кружке. Он знал, что все сделал вроде бы правильно, но — старик немного обиделся... Артур это почувствовал, а потому — маялся....

ТОКАРЕВ

Ночь с 13 на 14 апреля 1985 г.
Ленинград

...Артем пришел домой поздно, бросил сумку в шкаф, сморщил нос на табачное облако, витавшее в комнате, и открыл форточку.

— Здорово, батя... Ну, накурили-то... Заходил кто?

— Заходил...

Токарев-старший раздавил «беломорину» в пепельнице, глянул исподлобья на сына, устраивавшегося перед телевизором, и тяжело, по-медвежьи, выбрался из-за стола.

— Отец, а пожевать чего-нибудь есть в хате? — спросил, обернувшись к нему, Артем и, поймав его взгляд, осекся. Василий Павлович стоял посреди комнаты, засунув руки в карманы брюк, и слегка покачивался с пяток на носки.

— Пожевать?.. Сейчас я тебя покормлю... Тема, сынок, а я ведь тебя спрашивал вчера про ребят из твоего клуба... И что ты мне ответил? Припоминаешь? — елейно-ласково спросил Токарев сына. Артем мгновенно все понял — и похолодел. Трудно было не сложить два и два в уме — разговор с опером в мороженице... с этим, как его... Тульским, кажется... А накануне отец действительно спрашивал, не ищут ли часом бойцы из его клуба конфликта со спекулянтами. Надо сказать, что Василий Павлович задал тогда вопрос чисто машинально, даже не из желания действительно что-то узнать, а просто по оперской привычке проверить любую информацию всеми имеющимися средствами. Но Артем тогда отреагировал не совсем адекватно:

— Откуда ты знаешь?

Отец от неожиданности даже руками по коленям себя хлопнул:

— Во, молодежь дает сегодня! Я, ебить твою мать, что: в Зоологическом институте работаю зав.отделом парнокопытных?! Мне государство платит за то, чтобы я знал. Я бы сказал — деньжищи платит... Что-то я не понял... значит, информация у тебя проходила?

— Да так, — с деланным безразличием ответил Артем. — Болтают разное...

— Не мудри, — сдвинул брови отец. — Ты не фантик. Расскажи-ка, что знаешь, мне вот подчиненные докладывают, что парню какому-то руку сломали...

При этих словах Артему словно наждачной бумагой по спине провели... Он тогда еле отвертелся, и отец «купился», так как, естественно, и предположить не мог, что его сын замешан в сумбурной информации молодого опера. Получилось, что Василий Павлович «проговорился» о том, что, как он выразился, ему «доложили» подчиненные. И Артем решил, что их ищут, хотя, по большому счету, никто их, конечно, не искал — официально, разумеется... А потом — опер в мороженице... А теперь вот — отец...

Токарев-старший в упор смотрел на сына.

— Ну, так что же ты молчишь, любимый мой сыночек?! Что же ты не хочешь рассказать папе, как тебя занесло в славную компанию налетчиков?! А?!!

— Отец, я случайно, — забормотал в панике Артем. — Я из Универа выходил, а ребята мимо ехали, говорят, Паше спину бритвой срезали, я и не думал, что так обернется...

— Не думал?! Ах ты...

Василий Павлович даже задохнулся, потом покрутил головой, сглотнул с усилием и заходил быстрыми шагами по комнате, выбрасывая на ходу резкие фразы:

— Если ты, Тема, смеешь думать, что ты несчастный, а жизнь — говно, то знай: плохо мне! Мне!!! Я всю жизнь в розыске, всю жизнь в вонючих кабинетах! Мне для счастья не хватало тебя! Тебя! Счастье — это когда седые волки сыска смотрят на тебя и говорят: «А, это сын самого Токарева! Далеко пойдет! Настоящий легавый!» Вот это счастье! Но, похоже, ветераны, которые видели то, от чего тебя бы просто вырвало, ухмыльнутся по-другому: «А, это сын Токарева! Нормальный парень — три судимости!» Да мне удавиться надо будет после этого! Стыдно... И дело не в карьере! Меня дальше фронта не пошлют, а в окопах без нас — хана! Стыдно! За себя стыдно... Сука, что ж ты творишь?!!

Артем стоял уже по стойке смирно и молчал. Ему хотелось плакать. Токарев-старший носился по комнате, подходил ближе к сыну с желанием ударить, но убирал руки в карманы, хватал пепельницу, но пугался, что швырнет и попадет... Слова отца хлестали Токарева-младшего наотмашь:

— Хули вы барыг грабите?! Давай сразу на сберкассу! Хочешь жизнь закончить — так умри в перестрелке!!! Хоть поступок. Пусть ужас, но мир запомнит надолго. Хоть внутренне уважать будут. А мы хотя бы молча напьемся!!! Я понимаю — нужны средства... Но я, блядь, хоть одну взятку взял?!! А?! Да, приворовываем. И будем!!! Но взяток не берем!!! А ты что?! Сломанный-переломанный своей условной судимостью? Хуй на рыло!!! Ты еще

горюшка не хлебал!!! Ты битый на ринге, а это —
тьфу и растереть по жизни!!! А видел, как в мясо
ногами в кабинете забивают блатных?! А?! Такое
лукоморье!!! Вор кишки выплевывает, а его бьют
до тех пор, пока не поймет — убивают!!! Как тебе
такие ратные подвиги? А те тоже отвечать умеют!
Арцыбашева вправду зарезали в трамвае, а не по
еблу в парадняке!!! Шесть ножевых и через все
лицо — На! Хрясь!!! Мать в гробу его поцеловать
не могла, потому что харя напополам развалена!!!
Это нынче — зуботычина, и — пошел в цугундер...

Токарев-старший остановился, будто забыл
что-то, потом вспомнил: достал из тумбы стола бутылку водки, свинтил пробку и засадил несколько глотков прямо из горла, одновременно растирая себе левой рукой грудь, видать, жгло там и ко-
лоло. Водку он глотал, как воду, даже не
поморщился. Отдышался и продолжил:

— Палитра сказочная! Обоссанные парадняки,
холодные батареи. И днями ждем «Прорву». А тот,
знаем, бритву из рук не выпускает... Пришел! Так
пока сзади держали, он успел все руки порезать!
На, дывысь!

И Василий Павлович сунул под нос Артему
свои руки со старыми белыми шрамами — хотя тот
и так знал историю их происхождения.

— ...А потом пили взахлеб! Сначала страшно, а
потом весело!!! Я хотел тебе этой густой жизни! Ну,
судьба не так повернулась... А ты — к налетчикам?
Что вспоминать будем? Я за сыск страдаю, а ты за
что? Мы воруем — так это у нас трофеи! А ты?! Я
понимаю — не у бабушек. Но это — единственное
смягчающее!!! А потом — лагеря вспоминать будем?! А?! Да я любой пожар потушу, не в этом

дело... Дело в том, с каким настроением тушишь. Знаешь, с какой бы я радостью на тебя орал, если бы ты опером влип из-за приписок или сокрытия? Вот это — твои должны были быть дела...

Подумав, что отец начинает выдыхаться, Артем попытался вставить реплику:

— Отец, я ничего не брал там — у магазина... Я даже не знал, что Рустик... Что я сделал непорядочного?

Своим вопросом он лишь подлил масла в огонь:

— Ни хуя! А это — не обсуждается! Еще бы — непорядочное!!! Но это — не довод. Я посадил роту порядочных людей! В лагеря послал! Помнишь Гулю-наводчицу? А она попорядочней всей банды была! Никого не сдала! Ребенок двух лет остался... Я ее посадил — самому тошно было! Хочешь, чтобы другому тошно было?! Так посадят!

Василий Павлович наконец откричался, сорвав себе голос. Садясь за стол и наливая водку уже в стакан, сказал сипло, но почти спокойно:

— Жить не хочется, но будем... Запомни, когда в камеру сядешь, — меня сразу назовешь ПАПОЙ! Вот какие там эмоции. «Не «батя», не «отец», а «папа»!

Токарев-старший опрокинул в себя треть стакана, закурил папироску, потер глаза. Он выглядел смертельно измученным, будто целую неделю без сна и отдыха разгружал вагоны с картошкой. Артему, хоть он стоял еще и не посреди камеры, захотелось закричать: «Папочка, папа, прости меня! Я не хотел, я больше всего на свете не хотел сделать тебе больно!» В горле у него что-то пискнуло, образовавшийся несглатываемый комок не дал вылететь изо рта этим рвущимся из сердца словам...

Василий Павлович вздохнул, вытащил зачемто из висевшего на спинке стула пиджака авторучку, посмотрел на нее, усмехнулся:

— Вот, ручку купил себе с золотым пером — 9 рэ 40 коп.! Все ж таки — начальник... Да, немного мы с тобой государевой службой да ночным разбоем нажили... Да, сынок?.. И вот еще что — ты со спортсменами не рви, но и совсем внутрь к ним не залезай. Рядом будь. Чую, их скоро сила. Государству скоро — пиздец. Чую, объяснить не могу. Но — советуйся, советуйся! Я в омутах моченный... Устал я, а ты меня еще в один омут тянешь... Дай посопеть в подушку... мне тебя еще лет сорок на себе переть... А завтра заслушивание на коллегии — врать целый час этим «павлинам» министерским... Чай свежий есть, квартира убрана, есть уверенность в партии и правительстве, есть свежее белье и рубашка, ты на свободе... Прикорну я...

Токарев-старший добрался до кровати, разделся ватными руками, упал в подушку и, мгновенно засыпая, успел пробурчать-пропеть:

— Настал тот день, и кончился ваш срок...

Откуда была эта строчка? Артем не знал... Он накрыл отца пледом и по привычке сел рядом со спящим. Во сне лицо Василия Павловича становилось моложе и добрее. Токарев-младший догадывался, что, вернее, кто ему снится...

ТУЛЬСКИЙ

*11 ноября 1986 г.
Ленинград*

Утро после Дня милиции выдалось для лейтенанта Тульского, как и положено, хмурым. Выпивали накануне крепко — в уголовном розыске по-другому было как-то не принято — а тем более по такому поводу...

Артур очнулся в своем кабинете и с интересом присматривался к своей одежде, пытаясь понять: был ли он дома, а если нет — то, собственно, где же был?!

Из тяжких раздумий его вырвал телефонный звонок.

— Слушаю, — сказал, сняв трубку, Тульский, таким голосом, что и сам немного испугался.

— Да здравствует Краснознаменный имени Сутулого милицейский флот Ленинградских облисполкомов! — Варшава на том конце провода имитировал речь Ленина, но Артур его все равно узнал:

— Привет. Как ты?

Вор помолчал немного, а потом сказал уже безо всякого ерничества:

— Да... По-всякому. Давай-ка поболтаем.

Тульский, несмотря на похмелье, встревожился: Варшава никогда на жизнь не жаловался, и если он на вопрос «как дела?» отвечает вдруг уклончиво, то...

— Что-то случилось? Я что-то не разжевал...

— Жуют в стойле фраера под уздой! — не скрыл своего раздражения вор. — Мне поговорить с тобой надо.

— Ща нарисуюсь...

«Нарисовался» он действительно быстро. В квартире Варшавы остались следы гостей. Судя по замызганному закусону — разговаривали в сердцах, а к приходу Артура вор всех сдул. Он казался сильно выпившим и каким-то нервным.

Тульский подсел к столу — Варшава налил полный стакан себе и такой же — Артуру:

— Просыпайся, хмурое утро! Слышал я, Ваша Благородие, что Вам наконец-то очередное звание присвоили — к праздничку, с учетом снятия ранее наложенных взысканий и обещаний впредь не допускать? Так что — цельный лейтенант уже?

— Да, — Тульский чуть более торопливо, чем следовало бы схватил свой стакан. — Вчера как раз... все вместе и отмечали. Мокруха, правда, двойная не ко дню случилась, но хоть не на моей земле... Ну, будем!

Артур молодцевато поднес было стакан к губам, но выпить не успел.

— Поставь стеклотару!

Тульский непонимающе заломил бровь и чуть опустил руку.

— Поставь на стол!

Артур со странным выражением на лице пододвинул свой стакан к тарелке с недоеденным минтаем. Варшава между тем хлопнул свою водку, понюхал хвост рыбки горячего копчения и со злостью швырнул его на стол:

— Вот что! Я с тобой сколько раз калякал? Долго-долго! Увещевал! Тебя в ментовку зачем засунули — чтобы ты нам помогал? Дурень! Чтобы ты человеком стал приличным! А я чую, что дворовый дух еще в башке витает!

— Что-то я не... — начал было Тульский, но Варшава перебил его:

— Не разжевал? Так сейчас разжую!!! Быть может, старая тюрьма центральная меня, парнишечку, по новой ждет? Не терпится?!

— Да что случилось-то? — не выдержал не ведавший за собой никакой особой вины Артур. — В чем дело?

Нахохлившийся вор искоса глянул на него:

— Что случилось... «Разжевал», «нарисуюсь», «мокруха»... А какие интонации! Ты офицер или приблатненный? Косо не смотрят еще? И опять нам не в шах у ментов — они вломаны ловко вздыгают. А ну-ка, шкура, продерни по натуре, наховеру карась растусуй, а коль не в кипешь — канайка, профура... Нравится такой язык?.. Ты тогда на нем и говори! Между ебаных протиснуться не удастся! Либо — либо. Заплутал? Прибыль в упор не видишь!

Тульский подпер рукой чугунную голову, подумав, что старик просто опять решил его повоспитывать:

— Да что ж такое приключилось?!

— Настроение я твое почувствовал! Е-мое! Как ты сидишь? Ты себя вот сейчас со стороны видишь? Два урки — если со стороны глянуть. А должны быть: лягавый и вор! Нюхай мнение! Знаешь, когда я пойму, что был прав? Когда выправку увижу, когда взгляд увижу, какой я через столы у оперов наблюдал! А пока ты только уркаганские искорки рассыпаешь! У меня вот тут кореша сейчас сидели, они тебя на улице видели — и ни один не сказал: «опер». Почему? А у них глаз с прищуром! А потому что не опер! Обидно?

— Нет!!!

— Хуево!!! Значит, ты еще наших замесов! «Мойку»* до сих пор во рту гоняешь, как пустышку дитятя...

Тульский одеревенело помотал головой:

— Я хотел сказать... что это не обидно, это... дурно... А бритва... это же просто талисман — ты сам мне подарил.

Варшава кивнул, но обороты наезда сбавить не торопился:

— Вот! Я о чем! А ты глаза вылупил, как кассирша в сберкассе при появлении Гоп со Смычком... Не ожидал?.. Чего развалился? Походка вора должна быть не хамская, а почтенная. Кум же бродит упруго и с наглецой! Выбирай — в какой руке? А у тебя манэры, как у кронштадтского морячка, нахватавшегося блох... дело не в «мойке», а... Выбирай — ты курящий или нет?

Несмотря на то что подобные разговоры уже случались, Артур снова чувствовал себя, как будто ему поставили финку к груди и давят, давят — вот сейчас проткнут рубашку и потечет кровь... Тульский был не из пугливых, но взгляд Варшавы, скребущий по его мыслям и бьющий в самую сердцевину его амбиций и комплексов, — был страшен... А еще — Артуру показалось, что за агрессией вора скрывается и какая-то собственная растерянность.

— Я хочу тебе жизни — тяжелой и спорной, но порядочной, людской... Ладно, выпей за свое лейтенантство... Повод есть... Только не до конца хлебай — тебе ж еще работать...

---

* Мойка — бритва.

Тульский, дергая кадыком, споловинил граненую тару, зажевал огурцом и почувствовал, что действительно стал просыпаться. Варшава оценил его выступивший румянец и вздохнул:

— У нас под Воркутой ндравы были тяжелые, поскольку там — круг заполярный. Короче — даешь уголь! Переплюнем Интинские лагеря. Был у нас там один такой — сержант Уболесков, умел вытаскивать зубами гвозди из столба с рельсой. У него присказка была: «Наш «Боевой листок» — самый жесткий, хуй подотрешься». Н-да... Его потом кто-то при выходе из шахты распилил поперек... Как? Нравятся такие истории?

Артур закрыл глаза.

— Лежу на пляжу я и млею и жизни своей не жалею! Хорошо ли тебе, Артур?

— Плохо мне, Варшава...

— А как ты решил жить, Артур?

— По совести, Варшава...

— По совести? Ну так вот тебе еще: когда втыкаешь нож в живот, да надавливаешь — тот дергается, и получается, что с проворотом. Пацаненок тогда завсегда хлюпать начинает, да привставать, что ли... тогда надо наваливаться, чтобы это приглушить...

— Зачем ты?..

— Зачем... Затем!!! Хочешь честно о счастье? Лови! Так вот — после забоя идешь и думаешь, есть горячая вода или нет? Приплелся, а она есть! Хозявой мелкий ежик на голове потер, вышел, а в раздевалке тепло и с построением не гонят. Посидишь, поулыбаешься... Дошел до столовки — рыба! И твоей смене — последней — весь противень достался! В отряд пришел через морозец, а жулики не спят, но и не горланят! Чайку — тяп, перекурил и на чистую простынь. Через секунду она уже теплая, и ты засыпаешь, зная, что завтра на развод не вставать... Вот оно — счастье! Зачерпнуть тебе такого? Услышал ли ты меня, Артур?

— Да. Наверное... — опустил голову Тульский.

Вор удовлетворенно кивнул, плеснул себе еще водки в стакан, посопел в него, однако пить не стал, отставил в сторону. Вздохнув тяжко, поднял глаза на Артура:

— Ну, если услышал — тогда давай о деле поговорим...

— О деле? — встрепенулся Тульский. — Значит, все же случилось что-то?

— Случилось.

Варшава замолчал, закурил, сделал две глубокие затяжки и спросил глухо:

— Раз ты про двойную мокруху вчерашнюю помянул, значит, за Курлисова Вячеслава Сергеевича — в курсе?

— Конечно, — Артур ожидал чего угодно, но только не этого. — С главка двое приезжали, опорник* заняли... Меня как молодого им в подсобные выдали... А откуда ты...

— Оттуда, — перебил его мрачно вор. — Это Славка-Проблема. Ты его, кстати, даже видел както раньше, давно, правда. Он в тот вечер со мной был. Знай это. Не то, что делов каких — концерт, посвященный Дню милиции, смотреть шли — ко мне же... Поверь...

— А... — сказал Тульский, совершенно охренев, но чувствуя, как хмель выветривается из головы,

---

* Опорник — опорный пункт милиции, место работы участкового.

будто выдуваемый ледяным сквозняком. — А как же тогда...

Варшава жестом оборвал его:

— Пионэра своего не забыл еще? Из-за которого Чирканѝ с Бестом в зону пошли?

Артур уже даже и не пытался ничего спрашивать. Голова у него пошла кругом. Вор затушил окурок и начал рассказывать такое, отчего лейтенанту милиции, уже многое повидавшему, стало знобко между лопатками.

...В тот вечер Варшава и Слава Курлисов по прозвищу Проблема стояли в очереди в гастроном с чеком на триста граммов косхалвы. Ноябрь — время неуютное, тем более, что и праздники уже прошли — но нынче вся страна отмечала День милиции, так что повод под хохотунчик выпить был. Тем более, что Слава обожал концерты в День милиции — смотря их, он добрел и раздавал хорошее настроение окружающим. Юморил он в эти часы от души, и вообще для Проблемы этот день был вместо дня рождения. Дело в том, что свои настоящие дни рождения Слава не справлял уже десятилетия, потому как аккурат в шестнадцатилетие был арестован, и осадок остался на всю жизнь.

В магазине пахло слякотью вперемешку с опилками, рассыпанными на мраморной плитке пола. Кореша уже затарились всем необходимым, осталось достоять до косхалвы, которую очень любил Варшава. В честь праздника они не стали лезть без очереди, но ехидные характеры брали свое — стоять просто так им было скучно. Слава аккуратно продавил мизинцем крышечку на бутылке кефира в сетке стоявшей перед ними женщины:

— Ой, гражданочка, а у вас кефир просрочен-
ный!

Полная женщина в демисезонном пальто обернулась:

— Спасибо...

Она кокетливо улыбнулась, решив, что к ней
пристают, но приятели уже переключились на хму-
рую продавщицу. Искоса поглядывая на нее, Слава
громким полушепотом начал свое концертное вы-
ступление:

— Ишь бумаги ложит на весы! Грамм шестьдесят на ум пошло!

— Согласен, — подыграл ему Варшава. — Страх
совсем люди потеряли!

— Помнишь, с нами чалился продавец сельхоз-
мага?

— Тот, что цынгу уже на этапе подхватил?

— Он самый! Так вот, дали ему четыре года...

— За шо, не припомнишь?

— А он из каждого ящика по нескольку гвоздей
вынимал. По мелочи тырил, расхититель. Так при
обыске все гвозди у него в хате повыдергивали как
вещественные доказательства, потом эксперты
колдовали-мудрили, какие откуда. И ведь доказа-
ли. Да-а, БХСС может, когда захочет...

Очередь зашелестела смешками. Продавщица
начала злиться и путаться.

— Очень смешно! — парировала она через головы покупателей, приподнявшись на носочки.

— Обхохочешься, — согласился Слава. — За
гвоздь по году!

Какой-то мужчина в добротном галстуке решил
назидательно возмутиться:

— Чем хвастаетесь?

— Свят-свят-свят, — испуганно перекрестился Проблема. — Мы вот вчерась планировали зубило с арматурного цеха умыкнуть — всю ночь мозговали...

— И очень правильно, Славик, что вовремя отказались от преступного умысла, — скроив лицо куриной попкой, подхватил Варшава. — Во-первых, совестно. Совестно и стыдно. А во-вторых, опасно.

— Еще бы! В местах скупки зубил у уголовки агент на агенте козлом погоняет!

Вот так, шутя и дурачась, очередь достояли и косхалву получили. Настроение было фартовое. Поскольку до концерта еще оставалось достаточно времени, решили заглянуть в «Бочонок», размяться пивком с солеными сушками. В пивбаре, как всегда под вечер, было тесновато. Слава похозяйски подвинул сидевшего с недопитой кружкой молодого человека:

— Братишка, задницей вильни в сторону!

Варшава ухмыльнулся и, продолжая беззлобно хохмить, назидательно сказал:

— Слава, следи за базаром! Паренек привыкнет, потом по «шоферской статье» загремит! [*]

Парень юмора не понял. Это было видно по его злому лицу, с которым он вынужден был прижиматься к чужой компании. Слава глянул на него и пояснил добродушно:

— Мы говорим, что неправильно задом сдавать — иногда накладно выходит...

— Хотя в трудную годину недостатка в барбарисках не будет!

———————

[*] Шоферская статья — статья за гомосексуализм. Выражение возникло от шоферской идиомы «неправильно сдал задом».

Варшава и Проблема захмыкали над своими же остротами. Молодой человек сжал зубы и отвернулся, уставившись в пасмурные очертания Среднего проспекта за окном...

Между тем приятели переговаривались. Тема была проста: годы мчатся, жизнь ломала и свободу отнимала, но память — не зла, она выбирает только хорошее, а надежду можно разделить на сколько угодно друзей...

А парень продолжал прислушиваться к их разговору, и прислушивался он недобро. Интуитивно он, видимо, понимал, что его обстебали — к тому же легко и запросто так. Амбиции его просто распирали, но открыто вступить в конфликтный диалог он не мог — упустил темп, да и дядьки были явно языкастее его.

— А пивко-то — дрянь сегодня, — заметил Варшава.

— Ну! — согласился Проблема. — Колямба-бармен, наверное, его водой из-под крана бодяжит, супостат. Нет, чтобы кипяченой!

— Построение социализма в нашей стране не означает еще, что сознание всех советских граждан стало социалистическим...

— Да, верткий народец у нас обитает... Верно?

И Слава тыкнул локтем сидевшего рядом парня. Тот медленно повернул голову:

— Вам чего?

Проблема с грустным лицом Пьеро повернулся к Варшаве:

— Не хочет с нами общаться.

— Да ладно тебе, не приставай, — махнул рукой вор, но в этот момент молодой человек медленно и раздельно произнес:

— Мужики, зачем вам проблемы?

Слава слегка поперхнулся пивом:

— Это что за мужики рядом с ним?*

Варшава не был настроен конфликтовать и потянул приятеля за рукав:

— Пошли-ка домой, к телевизору — в нарды катанем...

— Нет, я по поводу проблем, — не согласился Слава и полностью развернулся к незнакомцу. — Ну, я — Проблема, и что?

— Идите играйте в нарды, — с заметной долей брезгливости в голосе посоветовал парень.

— А, — сказал Проблема. — На большее мы, судя по интонации, не тянем, да?!

— Я этого не говорил.

— А я это услышал. А мы, может, и в шахматы могем?

— Могете? — презрительно дернул губой парень.

Слава цыкнул зубом:

— И всю дорогу молю я Бога... Придется в шахматы обучиться — позорют. Сегодня же купим.

— Ага, — негромко с издевкой сказал, глядя в свою кружку, парень. — Купите. С клеймом Ланга.

Последних слов парня Проблема не понял, но поднявшийся уже Варшава потянул его за рукав и вытащил из-за стола. Отойдя от бара метров на сто и поправляя сверток с косхалвой в глубоком кармане своего пальто, Слава пробурчал:

— Я чего-то не понял... Это он про каторжанское клеймо, что ли, намекнул, жабеныш?

---

* «Мужики» — на лагерном жаргоне — работающие заключенные, не принадлежащие, как правило, к миру профессиональных уголовников.

— Да нормальный парень, — отмахнулся Варшава. — Чего ты?

Но Проблему, видимо, зацепило:

— Глаза у него... как у слепого — бельмастые какие-то... неживые... И еще про клеймо мне вкручивает...

— Про какое клеймо? — Варшава финала пикировки с парнем не слышал, так как уже вставал в тот момент из-за стола, а молодой человек говорил очень тихо.

— Дескать, на лбу у меня — клеймо Панга!

Вор улыбнулся:

— Пошли-пошли, скоро Кобзон тебе споет...

Слава фыркнул, и, соглашаясь с тем, что проблема не стоит выеденного яйца, свернул на другую тему:

— А я вот не понимаю, почему в День милиции не славят вертухаев? Впадлу, что ли?

— Так они же ВВ*.

— Ну и что? Тогда пусть учредят День часового!

— Хорошо. Так и напишем указ — День Часового на вышке!

И тут Варшаву будто в сердце толкнуло что-то, он даже остановился:

— Погоди, погоди... Какое клеймо?.. Панга?.. А может быть, Ланга?!

Слава посмотрел на него недоумевающе:

— Ну, Ланга... и что теперь?

— Так «ну» или Ланга?!

Проблема пожал плечами и, не дожидаясь Варшавы, снова побрел вперед.

— Стоять, Зорька!

_____
* ВВ — внутренние войска.

Слава даже вздрогнул от окрика вора и удивленно оглянулся — глаза Варшавы лихорадочно блестели в отсветах фонарей, казалось, что они горят, как у почуявшего кровь волка:

— Клеймо мастера Ланга стояло на тех шахматах!

— На каких «тех»?

— На которых Бест с Чиркани́ спалились!

Проблема был в курсе той странной старой темы, поэтому врубился быстро:

— Ебить твою мать! А ты точно помнишь?

Вор оскалил зубы:

— Точнее некуда. Специально интересовался... Я ж туда сам пацанов и послал... Вопросы были... и ко мне в том числе...

Слава облизал в волнении губы:

— А может, жабенок этот — образованный просто?

— Ни хуя не «просто»!!! — мотнул головой Варшава. — Это надо спецом быть... или саму вещь знать хорошо. Так бывает, Славик, земля имеет форму чемодана! Побежали, главное, не шухарнуть его...

Они добежали рысью до «Бочонка», вор сделал жест ладонью, и Проблема остался на улице.

Чуть запыхавшийся Варшава заглянул в зал — парня там уже не было. Вор на всякий случай проверил туалеты — тоже никого. Варшава выскочил на улицу и нервно закурил:

— Так, Слава, — у нас четыре стороны, мы выбираем две. А это — половина.

Проблема кивнул.

— Я по Семнадцатой к Большому, ты по Семнадцатой к Малому[*].

---

[*] 17-я линия на Васильевском острове идет через Малый, параллельные друг другу Средний и Большой проспекты).

— Делаем!

Варшава побежал в свою сторону, вынюхивая тени по сторонам, за десятки метров вглядываясь в спины прохожих. Примерно так же поступил и Проблема, увидеть которого живым вору было уже не суждено...

(То, что случилось со Славой дальше, Варшава видеть уже, естественно, не мог. А случилось вот что: пройдя немного к Малому, Проблема решил проскочить вдоль проходными дворами. Нырнул в темень и, выскочив на Донской переулок, увидел в сумраке медленно идущего парня. Издали было не понять — тот ли это «знакомец» из бара или какой-то «левый» прохожий.

— Товарищ Ланге! — окликнул по-простому Проблема.

Парень мгновенно остановился, оглянувшись, всмотрелся и так же мгновенно прыжком ушел в подворотню. Слава ощетинился, мимоходом оценив отточенность движений незнакомца. Раздумывать было некогда, раз масть пошла, — Проблема ощутил прилив адреналина в крови, втянул ноздрями азарт погони — и бросился следом...

Слава был опытным уголовником, поэтому, вбежав во двор, резко остановился, затем прижался к стене дома, присел на корточки, отдышался и закурил. Подворотня была удачной, она выходила во двор-колодец, заканчивающийся тупиком. «Амба тебе, шахматист!» — подумал Проблема, еще не совсем понимая, что делать, когда он найдет парня. А с другой стороны, он был уверен в своих силах и планировать ничего специально не собирался, полагал, что достаточно будет дать пару раз сучонку в горло, взять его за ухо и уже вместе идти искать Варшаву...

Докурив папиросу до половины, Слава услышал скрип окна прямо над собой. «Ах ты, шпиен!» — подумал Проблема и рывком открыл дверь в парадную. Вторая дверь была полузакрытая. Слава резко остановился и потянулся телом вперед, как при команде «Ша-а-гом...». В этот момент ему в грудь вошел металлический прут. Проблема осел на колени, широко раскрыл удивленные глаза и умер...

Вот так Слава дожил до своей смерти. Он был настоящим преступником — настоящим в том смысле, что являлся органичной составной частью мира разбоев, краж, изоляторов и колоний. С четырнадцати лет он это ни от кого не скрывал и не врал себе. А кликали его Проблемой за то, что он всегда приходил в гости не вовремя и, если большая кодла уезжала куда-то с вокзала, то, единственный, опаздывал и постоянно терял свои и чужие вещи. В общем, с ним постоянно случались всякие проблемы. Наверное, у него было нарушено чувство такта с жизнью. Он даже на допросах умудрялся все переврать так, что потом у подельников переспрашивал: «Слушай, я чего-то запамятовал, а как оно на самом деле было?» Но Проблема был не ломовой, он спокойно и без подвыва никогда никого не сдавал, а если что и отчебучивал, то отчебучивал по-доброму. Все это знали и не обращали на его вечные «истории» внимания. Жил он у своей бабушки, и опера, когда приходили за ним, всегда давали ему спокойно собраться, не задавая лишних вопросов, — все равно отшутится.

— Бабуля, где пальто, в котором я сижу?— спрашивал Слава и уходил на несколько лет. Его очень любила бабушка и замужняя соседка по коммуналке, учительница младших классов. Про любовь соседки он ничего не знал.

— Вы уж, касатики, его не бейте! Посадите, но не бейте! — причитала бабушка при арестах.

— Да что вы, бабуля, как можно! — отвечали сотрудники и уводили его всегда по-людски — спокойно. Проблема никогда никого не убивал и даже не собирался...

Теперь он лежал в странной позе между дверями парадной: тело его не смогло упасть с колен грудью из-за железного штыря и завалилось набок.

...Убийца ногой перевернул Славу на спину, обшарил карманы и нашел перочинный ножик. Он стянул с мертвеца шарф, протер рукоятку, открыл лезвие и вложил нож Славе в руку, потом помял его сжатый кулак так, чтобы на ноже остались отпечатки. А потом перевернул Проблему в то положение, в котором застигла его смерть.

На третьем или четвертом этаже загремела раскрывающаяся дверь, однако убийца не выскочил из парадной. По шагам он понял, что спускается молодая женщина. Убийца специально пару раз распахнул дверь парадной и вскрикнул:

— С ума сойти! Пьяный, что ли?!

Женщина между тем уже спустилась со второго этажа на первый.

— Вечер добрый. Во допился! Не ваш сосед?

— Боже сохрани! Ой, что это?

Женщина нагнулась к трупу. Молодой человек очень резко носком ботинка ударил ей в лицо. Женщина мгновенно потеряла сознание и завалилась на убитого. Убийца выдохнул сквозь зубы и шарфом Славы удушил ее. Женщина не хрипела и не сопро-

тивлялась, она умерла через минуту... Парень быстро и сноровисто расположил оба трупа так, что внешне казалось, будто бы они умерли в какой-то возне друг с другом. Результат его удовлетворил, он улыбнулся. Напоследок убийца сдернул с женского трупа сумочку, достал оттуда записную книжку с десятками каких-то листочков и отшвырнул ее на метр. Оглядел картину, как художник, ищущий место для последнего мазка — и, словно опомнившись, надорвал на женщине блузку. Увидев белое тело, он залез рукой за бюстгальтер и потрогал грудь — она ему не понравилась...

...Домой он пришел минут через тридцать, включил телевизор и услышал здравицы в честь милиции от двух известных ведущих. Настроение у него было приподнятое...

А Варшава еще побродил по 17-й линии, изрядно продрог, разозлился, устав волноваться, и пошел навстречу Проблеме. Пройдя пару раз до Малого и обратно, начал было уже сетовать на кореша, но вдруг услышал характерный звук «канарейки». За ней с сигналом сирены проехала в сторону Донского переулка «скорая». Вор прибавил шагу, предчувствуя беду и не понимая, что же могло случиться? Почти добежав уже до подворотни, вор осторожно заглянул в нужный двор — перепутать было трудно из-за суеты, шума и мрачных отсветов мигалок. Так как зевак во дворе собралось с избытком, Варшава подошел вплотную к подъезду. Он никого ни о чем не спрашивал, лишь слушал, а люди наперебой делились версиями друг с другом. Если опустить живописные детали, то вырисовывалась следующая картина: в парадной убили женщину, а она сама (или, как версия, — ее приятель) убила нападавшего. Варшава даже головой покрутил и решил, что ошибся, заподозрив недоброе, что надо идти дальше и искать Славу... Но тут он услышал, как поддатый дежурный опер кричит в газике в радиостанцию:

— ...Документы на Курлисова Вячеслава... Курли-со-ва!!! «Константин» первая!.. С нашей земли... Женщина — Гороват Алла... «Григорий» первая... живет в этом же подъезде! ...Какая разница, если установлены... Оба криминальные... Дай пару участковых!.. А у меня тоже праздник, между прочим!!! Даже два теперь праздника в парадной...

«Скорая» уехала через несколько минут. Потом приехала оперативная машина с пьяными в хлам по случаю Дня милиции куражливыми операми. Вор еще немного послушал, кто что говорит, и ушел со двора.

Он пошел, не контролируя себя, в сторону Смоленского кладбища. Мыслей не было, потому что все случившееся напоминало бред, галлюцинацию, сонный морок... Варшава понимал, что анализировать ему пока нечего — слишком много непоняток и слишком мало реальной информации...

Добредя до телефонной будки, вор стал звонить за десять копеек (двушки не нашлось) Артуру домой, но, набирая шестую цифру, вспомнил про праздник, и перезвонил на работу. На том конце трубку сняли, но Варшава свою повесил, так как по голосам и реву магнитофона понял, что в кабинете Тульского все уже «никакие».

Решив отложить разговор с Артуром на утро, вор пошел к себе домой. Он знал, что не будет спать всю ночь. Он шел и думал: как же так, и при чем здесь некая гражданка Гороват? Несколько версий он сразу же отбросил, потому что мысль об изнасиловании вызвала у него тошноту, а вариант неудачного разбоя — дерганье левого века. Варшава слишком хорошо знал Проблему...

Придя домой и заварив себе чифиря, вор позвонил нескольким своим корешам и стал ждать их. Шоковое отсутствие мыслей сменилось вдруг лихорадочной работой мозга: «Может, женщина тоже узнала этого шахматиста? Такие случайности... А если?!» Наконец до Варшавы дошло, он вскочил и забегал по квартире: «Господи, как же я сразу-то не подумал... Я же теперь его в лицо знаю... Мне жить еще лет тридцать да осталось... неужели за тридцать лет ни разу не встречу?! А ежели не встречу — как помирать-то? Убил — он!!! И женщину — он!!! Ничего... Чуть добавить информации... Должен встретить. Мы тоже не последние люди... Наверняка — он обоих... да! А молодой ведь, как в кино — культурный... Я заставлю его шахматные фигуры глотать!!! Белую пешечку, черную... Не сдохнет — станет от доски откусывать... мы же не звери — я ее маслом намажу... Ну, сука, тварь перхотная!..»

Варшава сам себе не врал, он уважал себя и страшно жаждал встречи, понимая, что раньше времени он на нее не попадет, но и не опоздает. Вор это знал. Он боялся пока сказать себе только то, что враг — умный, ловкий и не из их мира. Он вообще... непонятно, из какого мира... Пока только тень от него изменяет жизнь всех вокруг...

...Варшава говорил долго — у Артура успело пройти все похмелье, и голова начала болеть теперь уже от другого. Вору Тульский поверил сразу же — по интонации, по дергавшемуся кадыку, по

чувству. Да и вообще, Варшава ему никогда не
врал — хитрить, не договаривать чего-то мог, а
врать — не врал.

Когда вор замолчал и устало снова расплескал
остатки водки по стаканам, Артур шумно выдохнул, будто вынырнул из проруби, и спросил:

— А ты думаешь, что это тот... как его... Никита, кажется?.. Я лица-то его не помню теперь...
Только улыбочку странноватенькую и глаза... Такие — неприятные... Я тебе говорить тогда не
стал...

— Ничего я не думаю, — зыркнул Варшава вос-
паленными глазами. — Все, что знал — тебе рассказал, в деталях... Однако же по возрасту маль-
чонка этот аккурат тянет на того пионэра, что велосипед хотел... Глаза, говоришь? Вот и Славка,
покойник, разглядел, что глаза у Шахматиста, как
у слепого...

Тульский, не чокаясь, выпил во помин Проблемы и даже занюхивать не стал — водка глоталась,
как вода, алкоголь мгновенно пережигался адре-
налином. Вор молчал, словно ждал чего-то от Артура — тот напряженно думал о чем-то, наконец,
прервал тягостное молчание:

— Честно говоря, не знаю, что и сказать... Боюсь, опыта у меня не хватит сработать такое...
Ужас какой-то загадочный...

— И по мне — загадочный, — кивнул Варшава. — Хотя я, ты знаешь, много случайного и за-
индевевшего видывал... Но чтоб такое?!! Сыскать
его надо, сынок, этого Шахматиста-Невидимку...
Из-за этой гниды нет Славы — в лагере бы за
Славку жулики и невинную душу на небеса уго-
ворили... Да к тому же... Хлопчик-то этот навряд

ли остановится в делах своих пакостных, на комбайнера переучиваться не пойдет... Чую я — не простой это парнишка. Кто — понять не могу, но не простой...

Артур потер лоб, пытаясь конкретизировать мысль, внезапно пришедшую ему в голову, потом глянул на вора, начал было уже говорить, но сглотнул слова.

— Ну, не менжуйся, опер! — рыкнул на него Варшава. — Ежели натумкал чего — выкладывай, обсосем!

Тульский осторожно начал:

— Я не знаю, как ты к этому относишься...

— Ну, говори, говори!

— А если поговорить с начальником ОУРа?

Вор аж голову вскинул:

— С Токаревым? Кому поговорить?

— Тебе, не мне же... Я все равно убедительную легенду не слеплю — откуда весь расклад знаю...

Варшава досадливо скривился, как от зубной боли:

— Ты че, парниша, сдурел?!

— Да ты погоди, не спеши...

— Сдурел, говорю? Мы с ним друг про друга знаем столько всякого... однако ж не выпивали... Как ты себе это представляешь? Он удивится, мягко говоря, да и мои не поймут...

Поняв, что при всем внешнем возмущении вор начал-таки размышлять над предложенным вариантом, Артур насел на него:

— А зачем об этой встрече по радио объявлять?

Варшава попытался дать Тульскому, азартно перегнувшемуся через стол, щелбан в лоб, но опер ловко увернулся.

— Да ты знаешь, как подобные встречи тайные называются? Я — вор! У нас, если узнают...

— Погоди, погоди, — выставил вперед ладони Артур. — Я тебе что предлагаю?

— Что?

— Просто поговорить.

— О чем?!

— О том, что случилось... Как ты это видишь. Ты же не информацию сдавать пойдешь...

— А я это вообще никак не вижу, — ворчливо и, в общем, нелогично, огрызнулся Варшава. Тульский понял, что зерно сомнений упало на благодатную почву, и продолжил убеждать:

— Однако, ночью не спал?

— Не спал.

— Значит, надо всем переговорить... Потому что в этой истории если кто и сможет что-то реальное сделать, так это Токарев. Я — по-честному — не вытяну... И еще... я могу его попросить... подготовлю позиции... у меня есть с ним отношения... думаю, он мое мнение учтет.

Вор помолчал, поскреб затылок, спросил уже спокойнее:

— А ты не молод, чтобы сам Токарев твои мнения учитывал?

Артур уверенно покачал головой:

— Поверь, была небольшая история... В общем, я могу.

Варшава, подперев щеку рукой, закрыл глаза так надолго, что казалось, будто он заснул. Тульский терпеливо ждал. Наконец, вор, так и не открывая глаз, пробурчал:

— Ладно, иди служить Родине, лейтенант. Старайся сажать только злых и гнилых. Я тебе перезвоню... скоро. Надо пожить малеха с ентими мыслями.

Когда Артур ушел, Варшава тоже засобирался — ему надо было еще со многими переговорить...

За этот день он повстречался со многими блатными и наслушался много разных глупостей. Кое-кто, впрочем, говорил дело, но в основном — общими фразами. Донесли до Варшавы и мнение некоего Жоры-Туры — тот вечно находился во Всесоюзном розыске и, надо отдать ему должное, не залетал, хотя Питер посещал исправно. Жора давно шипел на Варшаву и показывал свое жало. И не то чтобы между ними какая ссора была — они просто были разными, разными по всему. Жора был по своей природе подл, но — далеко не дурак, и на кровь способный, особенно если кинут оскорбление в глаза и при всех. Так вот, Тура припомнил Варшаве все — не в глаза, но некоторые вещи крыть было нечем. Среди жулья он вел такие разговоры:

— Редеют ряды. «Шива» сел непонятно как, хотя мешок беличьих шкурок так и не нашли. Менты — ладно, но и Варшава — не нашел! А Шиву порезали на пересылке, а потом в больничке залечили до смерти... А Чиркани́ с Бестом — когда их с поличным взяли? Кто б сомневался?! Теперь Проблему решили с телкой приблудной... И снова Варшава — ни ухом ни рылом...

Варшаве всю эту гниль передали быстро. Вору некогда было разбираться с Жориным языком, тем более что по-быстрому это все равно не получилось бы. Варшава только сопел зло и думал, что если при таких раскладах еще и о встрече с Тока-

ревым узнают — тут уж не отрешишься, мол, свой
мент на прикормке — слава-то за начальником розыска устойчивая...

Но вор был характерным. Поняв, что обстоятельства и, в частности, Жорины мутиловки, дик-
туют ему отказаться от встречи с Токаревым, Варшава позвонил вечером Артуру и сказал коротко:

— Согласен. Когда ему будет удобно, но не у
него в кабинете...

...Тульский не любил потом вспоминать, что он
мямлил начальнику розыска — но, главное, Токарев тоже согласился на разговор. С легкой руки
Артура вор и начальник ОУРа встретились на следующий день на набережной Лейтенанта Шмидта возле памятника Крузенштерну. Тульский в разговоре, естественно, не участвовал, он переживал
у себя в 16-м.

...Токарев и Варшава здороваться за руку не стали, но друг другу улыбнулись — слегка. Беседу начал Василий Павлович:

— Что ж это мы, Май Любнардович, через молодежь списываемся? Я бы твой голос и по телефону узнал...

Вор откашлялся и «отбил подачу»:

— Ты, Василь Палыч, знаешь — я по таким телефонам не звонарь.

— Да ладно, — хмыкнул Токарев, закуривая на ветру. — У меня дури бы не хватило — тебя вербовать.

— А я не хочу серьезных людей посылать куда
подальше, — ответил Варшава.

Со стороны забавно, наверное, выглядело, как
оба тщательно «соблюдали протокол». Но их никто не видел, кроме случайных прохожих. По крайней мере, оба на это надеялись.

Покончив со «вступительной частью», Василий Павлович предложил перейти к сути:

— Но иногда ведь есть о чем потолковать?

— Ох, есть, — вздохнул вор.

— Слушаю тебя внимательно.

Варшава кашлянул и заломил бровь:

— Тебе обстоятельства известны намного лучше моего...

— Смотря что ты вкладываешь в определение обстоятельств.

— Я в тот вечер был со Славиком...

Токарев кивнул:

— Тебе видней. И — ?..

— Если б что было в тот вечер, так не пришел бы разбираться...

— А ты разбираться пришел?

Вор чуть нахмурился, уловив попытку «прихватить за язык», но сдержался и ответил вежливо:

— Не пришел бы объяснять... сам бы хвостом подмял, ты б через месяцок через шпиенов исковерканную маляву получил и...

— Ничего бы не доказал?

— В таких делах — нет. Ты извини — я тебя задеть не хочу.

— Я понимаю. Но по-всякому бывает.

— По-всякому! А в этот раз — я сам не знаю, как... Веришь?

Токарев ответил через короткую паузу:

— Больше да, чем нет.

Вор удовлетворенно кивнул, чуть разжался и уже спокойнее рассказал про весь тот вечер, упомянув даже про косхалву и День милиции. После некоторых колебаний он рассказал даже о шахматах с клеймом мастера Ланга:

— Токарев, я о тебе много знаю, ты с языком дружишь. Сейчас я тебе рассказал, как сам лично посылал Беста с Чиркани́ на хату... Я это не к тому, что, мол, статья — доказать невозможно, да и не нужна тебе эта перхоть... Но нам жить, надеюсь, еще долго...

— И я надеюсь...

— Так вот: если Бест и Чиркани́ узнают, что я сам тебе об этом эпизоде рассказал — то поверят, что я их сдал. А я их не сдавал.

— Я знаю.

— Не финки боюсь — у меня репутация...

— У меня — тоже.

— Поэтому и рассказал.

Василий Павлович задумался, походил туда-сюда по набережной, наконец сказал:

— Кое-что я припоминаю о тех шахматах... Дело там действительно было гнилое... Дай-ка мне чуть подумать, бумажки поднять... Считай, что я тебе поверил. Но... Но даже если я и установлю, сам еще не знаю — как, убийцу, то... Тебе ведь о нем сказать, это — как его же и кончить... Зарежете ведь...

— Зарежем, — голос Варшавы прозвучал глухо, но твердо. Токарев вздохнул и развел руками:

— За откровенность спасибо, но тут я вам не помощник.

Глаза вора вспыхнули:

— Ну, а девку-то безвинную он на небо... Как с этим?

Токарев чуть отвел взгляд:

— Я тебе вот что скажу: День милиции действительно был. Сам знаешь — мои приехали на место происшествия невменяемыми. К тому же — они молодые, им — все ясно. Посему — общее мнение: Проблема на девку напал, а она успела защититься, чем могла, а могла и заостренной арматуриной, которая там от ремонта осталась...

— Василь Палыч, ну — бред же!..

Начальник ОУРа хмуро кивнул:

— Ну, бред... А если я докажу, не знаю как, что это — бред, то на районе повиснут два трупа, притом — вечно «глухих»... Так что менять я ничего не буду. Юридически — Курлисов совершил покушение на разбойное нападение, при этом был убит гражданкой Гороват.

— Которую он же потом и убил?

— Ну... доубил... На бумаге все сходится.

— Ага, — язвительно ухмыльнулся вор. — Шито-крыто!

Токарев прищурился:

— Откуда это у тебя такая гражданская позиция — ментов мухлежом попрекать?

Варшава сморщился, как от внутренней боли:

— Я не попрекаю... Но мокродел этот — не из блатных...

— Может, спортсмен?

— Нет.

— Это почему? — заинтересовался такой убежденностью начальник ОУРа.

Когда мы говорим: «валим!», то — режем. А когда спортсмены говорят: «валим!» то — сваливают*. Они еще духа не набрались.

Токарев выслушал аргументацию внимательно, но скепсиса своего не скрыл:

— Не спортсмен, не блатной... Стало быть — маньяк-оборотень? Где-то я уже слышал что-то подобное... И — не раз.

---

* Имеется ввиду, что не убивают, а убегают, уходят от конфликта.

— Не язви.

— Кто из нас — «особо опасный»? Тебе и видней, — отшутился Василий Павлович и тут же добавил, уже серьезно: — И приметы — честно говоря, слабенькие.

Вор, словно вспоминая убийцу, медленно кивнул:

— Приметы... да... он весь такой — обычный... Вот только... он знаешь — без эмоций... даже когда злился... не знаю, как объяснить...

Токарев несколько раздраженно махнул рукой:

— И глаза, как у слепого, — алюминиевые... Слышал!

Варшава, будто его и не перебивали, так же медленно добавил:

— Я его в харю знаю.

— Найдешь — мне скажешь?

— Сам не сдюжу — скажу.

— Вот и поговорили, — заключил начальник ОУРа. — Ладно, давай перемозгуем. Через недельку позвони мне сам, без посредников. Кстати, а откуда ты Тульского знаешь?

Вор прищурился и впервые за весь этот напряженный разговор по-доброму улыбнулся:

— А может, это он меня знает?

— Не надо, Варшава! Молод он.

Варшава посмотрел на Токарева серьезно и сказал, будто слово честное дал:

— Ты не думай, парень будет вашинских кровей!

— Да знаю я! — успокоил его Василий Павлович. — В бой все время рвется!

Вор и не заметил, как «продал» себя ласковой гордостью интонации:

— Ишь ты!.. Это хорошо... Мать его я знавал... но то было на Пасху. Не бери в голову...

Токарев же все нюансы тона ловил профессионально, однако удивление свое скрыл, переведя разговор на еще одно очень важное для обоих направление:

— Как ты понимаешь, мое руководство тоже не будет в ладоши хлопать, если донесут о наших беседах...

Варшава понимающе кивнул, однако от вопроса не удержался:

— А что в нашем разговоре дурного?

— Ничего. Просто соображаем, как найти человека, которого, если ты не сможешь убить, то я попробую посадить. А так-то все нормально...

Крыть вору было нечем, и он лишь головой покачал:

— Жесткий ты человек, Токарев.

— Можно подумать, что ты — приятный, как шелк, — немедленно парировал Василий Павлович.

Похмыкали, пощурились друг на дружку, ежась на холодном ветру — разговор-то их длился почти час, а на дворе не лето стояло.

— Ну, бывай!

— До встречи!

Они разошлись, и руки снова не жали друг другу. Но буквально через секунду Токарев снова окликнул Варшаву:

— Май!

— Оу?

— А ведь мы с тобой уже седые!

— Сила не в цвете, а в сухожилиях, — назидательно ответил вор.

Когда Василий Павлович уже перебегал по диагонали набережную, то услышал гулкое и знакомое:

— Эй, Токарев, я тебя не бою-юсь!

— Конспиратор! — рассмеялся начальник розыска и пошел в 16-е отделение.

У входа в это историческое здание, в котором жил некогда сам Шмидт, участковый Мтишашвили комментировал действия некоего, судя по всему, задержанного гражданина, пытавшегося открыть дверь совсем не в ту сторону, куда она вообще-то открывалась:

— Сильнее можешь?

Гражданин пробовал сильнее, но «пещера Алибабы» не открывалась.

— Еще разок попробуй!.. Ну... Я за тебя врата в рай открывать не буду... Ну... Вах! Никакая мысль тебе в голову не идет, да? Тогда попробуй рогами и с разбегу!

Василий Павлович, подойдя, отодвинул гражданина и открыл легко дверь на себя.

— А по какому праву?!.. — взвился вдруг ни с того ни с сего задержанный. Токарев молча ухватил его за шиворот и дал пендель, так что гражданин кособоко влетел в дежурку.

— Мтишашвили! Ты что маешься?

— Хотел избежать насилия, да!..

Начальник ОУРа вздохнул аж с пристоном и прошел в помещение местного розыска. Там было пустынно, заместитель начальника отделения по УР куда-то свинтил вместе с большинством оперов.

Лишь в одном кабинете находились опер по прозвищу Боцман да составлявший ему компанию маявшийся Тульский.

Боцман свое прозвище получил еще лет двадцать назад, когда пришел в милицию из речного флота. Он всегда под рубашкой носил тельняшку, образованием не блистал, поскольку закончил всего шесть классов — это потом уже ему в личном деле подделали документы на десятилетку. Боцман всю жизнь проработал в 16-м, начинал с постового и дошел до старшего оперуполномоченного в звании капитана. Выше ему ничего не светило, да он и сам это понимал и не стремился. Орфографические ошибки в объяснениях и постановлениях он делал умопомрачительные, но территорию свою знал так, что мог дать такой, например, совет операм: «Когда к Верке зайдете, то не прислоняйтесь в темноте к правой стенке — там обои лет шесть назад отвалились, можете в известке перепачкаться!» Боцмана практически не видели трезвым, но его терпели, потому что он был всегда и был незаменим, как гвоздь-сотка. Если с ним говорили по-хорошему, то он мог «последнюю рубаху на бинты порвать», а ежели по-плохому...

Пару лет назад в кабинет Боцмана влетел на развевающихся фалдах модного кожаного плаща опер из главка и швырнул на стол листок с записанными фамилиями:

— Пробей по ЦАБу!..

Сотрудник Управления имел в виду, что надо дозвониться до Центрального Адресного Бюро и сверить точность фамилий, имен, дат рождений и т. п. Со стороны это выглядело самоуверенно, похабно, а для Боцмана и оскорбительно. Поэтому он привстал из-за стола, схватил своей ручищей телефонный аппарат и действительно пробил, но не по ЦАБу, а прямо в голову вошедшему. Шуму было много, пока все бегали, созванивались, матерились и удивлялись, Боцман спокойно собрал осколки пластмассы в ведро, досочинял постановление об отказе в возбуждении уголовного дела, любовно прошил белыми нитками материал и лишь после этого открыл дверь своего кабинета, в которую уже минут десять отчаянно стучались коллеги:

— Валера, открой, твою мать! Окабанел, что ли? Майору главка лоб разбил, между прочим! Открой, хреново закончится!

«Пробитому» майору Боцман вместо извинений сказал дословно следующее:

— Стажера во мне увидел? Скажи спасибо нашему старшине, что он вовремя старые телефонные аппараты на польские поменял — я то бы так и остался майором навечно!

Конечно, на Боцмана был написан рапорт, но оргвыводов, как и всегда, не последовало... Вот у такого «интересного» человека в кабинете и сидел Тульский, когда к ним заглянул Токарев-старший. Надо сказать, что Артур и Боцман не бездельничали — у оперского стола еще притулился немолодой мужчина с лицом, похожим на сдувшийся и потертый футбольный мяч, по позе которого было ясно, что он не сам явился в отделение и явку с повинной писать не собирается. На столе перед Боцманом стояли бутылка «Агдама» и блюдце с красиво нарезанным яблоком.

— Хоть бы раз я что-то новенькое увидел, — обреченно проворчал Василий Павлович, заходя в кабинет.

Тульский, увидев начальника, вскочил, а Боцман, не изменив позы, пробасил уверенно:

— Работаем, Палыч, ничего новенького.

Токарев жестом усадил Артура обратно на диван и спросил:

— Долго ли беседа длится?

Начальник розыска, конечно, не знал, кто этот задержанный, по какому поводу — но сделал осведомленный вид, — подозреваемый должен был осознать, что начальство в курсе всего, а стало быть — деваться некуда...

— Ой, долго! — засокрушался Боцман. — Плетет себе лапти и плетет... Андрюшенька, портвешку хочешь?

— Не откажусь, — затравленно прошепелявил задержанный.

— А за что же я тебе, Андрюша, налить должен? За то, что заснул на унитазе и не слышал, как в твоей квартире Остроумова расчленили?

— Не слышал! — по-прежнему не хотел сознаваться мужик. В игру вступил Токарев:

— Ну, хорошо — не слышал... А может, просто видел?

— Я же спал!

— А кровь зачем затирал?! И откуда такая чистоплотность? Аж выскоблил все, даже на плинтусах пыли нет! — продолжал давить на психику Боцман.

Василий Павлович посмотрел на мужичка внимательно и попытался «купить» его — как уже «покупал» десятки других душегубов и их подельников:

— Слушай, мил человек, я только что из квартиры — мы повторный осмотр делали — так вот, эксперты трубы под раковиной в ванной отвинтили — и знаешь, какой результат невооруженным глазом?

— Винца плесни... — судорожно сглотнул задержанный. Психологически он уже «треснул», хотя сам еще не осознавал этого.

— Нет проблем, не хватит — еще сбегаем, — чувствуя, что начальник попал в точку, засуетился Боцман.

— Так кто тебе приказал кровь замывать? — уже строго спросил Токарев.

Мужичок, дурея от страха, от обреченности своей всем телом тянулся к бутылке и, казалось, думал только о ней:

— Так вы же знаете... Мне сказали, что Боря уже все написал...

— А я от тебя хочу услышать! Ну!!! — балдея от интонации «раскола», гаркнул Токарев.

— Боря, — одними губами прошелестел задержанный .

— И убивал Боря? — ласково́ спросил Боцман.

— Я не видел!!!

— Опя-ять двадцать пять!

— Расчленил Боря, а кто убивал — я не видел!!!

Тут в процесс решил вмешаться Тульский, которому очень хотелось показать начальнику, что он уже тоже кое-что умеет и понимает:

— Хорошо, так и запишем: Боря, и ты не при делах! Искать будем убийцу, а тебя — отпустим...

Задержанный обалдело мигнул и прижал руки к груди:

— Как вызовете — я сразу приду!

Артур ощерился и пнул ногой по колену задержанного:

— Ну, ты баран! Ты на конкурсе баранов второе место займешь, потому что ты — баран! Ты, похоже, без пиздюлей не понимаешь!

Тульский наотмашь ударил мужика по затылку. Тот ткнулся лбом в стол. Бутылка портвейна зашаталась, но Боцман судорожным движением успел ее подхватить.

— Хорош! — замахал он на Артура. — В своей конуре давай!..

Токарев тактично взял Тульского под локоть и вывел из кабинета:

— Артур, тут уже и без нас с тобой разберутся... Давай, веди к себе.

До кабинета Тульского было ровно три шага. Василий Павлович положил Артуру руку на плечо и сказал тихонечко:

— Слушай, мы, конечно, все через это прошли, но ты бы не увлекался мордобоем, а?

— А что такого? — нахохлился Тульский.

— Ничего, кроме того, что это все-таки — статья!

— А с некоторыми иначе не получается!

— Так, значит, с некоторыми все же получается?

Артур, нервно ждавший возвращения Токарева со встречи с Варшавой и получивший еще один «воспитательный процесс», не удержался и брякнул язвительно и с обидой:

— Вы, Василий Палыч, говорите сейчас, как будто всю жизнь в отделе кадров проработали. Даже странно слышать такое — от вас!

Начальник розыска понял причину возникшей интонации и усмехнулся устало:

— Я, парень, начал работать тогда, когда били так, что потом кровь на стенах приходилось известкой замазывать... Работал и тогда, когда партия крикнула: «Бей ментов, спасай Россию»...

Жене Жаринову четыре года дали за пощечину... А потом снова на рукоприкладство глаза закрыли. История, знаешь ли, развивается по спирали. Чуйка подсказывает, что скоро у нас снова «колуны» отберут. Ладно, ты вот что мне скажи: Варшава — твой родственник?

Не ожидавший такого вопроса Тульский вздрогнул:

— А откуда... С чего вы взяли?!

— Просто... мысль в голову пришла... Ладно... В общем, мы с ним принципиально договорились.

— По убийце? — обрадовано встрепенулся Артур.

— И по убийце — тоже.

— Вы ему поверили?

Токарев по интонации догадался, что Тульский спрашивает для передачи ответа Варшаве и, спрятав улыбку, кивнул:

— В этом вопросе — да! Не переживай.

— А я и не переживаю, — спохватился Артур.

Василий Павлович хотел было сказать, что в возрасте Тульского сложно перехитрить седого майора, но промолчал со вздохом. Надо сказать, Тульский догадался, что примерно обозначал этот вздох, чуть покраснел и спросил почти по-детски:

— А вы сможете это раскрыть?

Токарев посмотрел на опера с иронией:

— Э-эх, Морозова!* Ты прямо как та жена убитого доцента-нейрохирурга: «Товарищ начальник уголовного розыска, дайте мне слово, что найдете этих мерзавцев!» Я давно уже ничего не раскры-

---

* Фраза из известного советского к/ф «Вызываем огонь на себя».

вал... Моя задача — вас, охломонов, в узде держать, да отмазывать, когда припрет, да создавать условия, чтобы вы хоть как-то работали на Государя! Тебе бы треть моих бумаг — через неделю был бы самострел! Зато, в отличие от большинства из вас (Боцман, Лаптев, Петров и еще парочка — не в счет), — я могу посоветовать. Раскрыть... Раскроем, если вы постараетесь... Эх, твою бы, Артур, наглость бесшабашную, да к смекалке Артема моего...

— Это что — на мою смекалку намек? — чуть надулся Тульский.

Василий Павлович рассмеялся и по-отечески взъерошил оперу волосы:

— Это мечты... Вас спаривать нельзя, вы ребятки такие, что каждый и сам по себе пряник... А если бы вас еще и вместе сложить...

— И что тогда? — улыбнулся Артур.

Токарев сделал суеверный жест, будто отгонял черта:

— Тогда... Тогда очень скоро на столы инспекции по личному составу легли бы очень интересные бумаги, прости Господи... И на тебя, и на меня. И на Артема... Варшаву, я думаю, тоже до кучи пристегнули бы... Ты думаешь, я шучу? Так в каждой шутке — только доля шутки...

Тульский еле справился с улыбкой и спросил снова о серьезном:

— Василий Павлович, а с этим... с Невидимкой-то... все же — что делать?

— Что делать, что делать... Ну, можно, конечно, (и даже нужно!) в «Бочонке» порасспрашивать, еще один поквартирный обход в том подъезде сделать... Я кое-какие бумаги старые поворошу...

Только, сдается мне, пустыми хлопотами все это обернется... Это не означает, что делать ничего не надо... Но... По большому счету, надо ждать, когда он еще раз проявится, и быть готовыми к этому — вот тогда, может, что-нибудь и срастется...

— А вы считаете, что он проявится? — с надеждой спросил Артур.

— Должен проявиться... Вопрос: где и когда?..

...Тот, кого они стали называть Шахматистом или Невидимкой, действительно проявился — достаточно быстро и совсем не так, как подсказывали опыт и интуиция Варшавы и Токарева...

...Совсем недалеко от 16-го отделения милиции, в хорошо обставленной трехкомнатной квартире с окнами, выходившими на Румянцевский садик, сидел молодой человек и спокойно делал пометки на отрывном норвежском календаре с выставки «Инрыбпрома». Молодым он был только по документам, душой же он сам себе казался старше египетского Сфинкса, Отца Ужаса, как его называли арабы... Парень наслаждался покоем и одиночеством. Одиноким он, впрочем, был всегда, даже тогда, когда еще живы были его родители...

Молодой человек разбил листок на графы и ставил в них крестики и звездочки. Крестики означали отрицательные баллы, звездочки — положительные. Наименования граф были не совсем обычными: «повод», «причина». «скорость принятия решения», «хладнокровие», «нестандартность», «ошибка», «вывод», «дальнейшее развитие событий».

Он делал своего рода «работу над ошибками», причем был беспощаден к самому себе и крестики обводил карандашом по многу раз.

Молодой человек молча разговаривал сам с собой, эту способность он считал одним из важных показателей развития интеллекта: «Ну что, сыронизировал над быдлом? Мир оказался тесным, а быдло — лагерным... Это не неосторожность, это амбиции — следовательно, ошибка... Профессионализм — это когда можешь съязвить, но хладнокровно молчишь, а получаешь от молчания дополнительное большое удовольствие... То, что я нарвался, — не случайность, географически «Бочонок» расположен рядом с теми местами, где разворачивались старые истории, плюс — именно там всякое отребье и собирается... Я понял, что прокололся, но понял поздно... А должен был — сразу! А если бы вовремя не ушел?.. Это — ошибки. Но — зато быстро, нет — мгновенно отреагировал, когда окликнули. Тут — браво! В парадной, слов нет, грамотно, практически великолепно, нет — гениально! Услышал, как разговаривают в прихожей на третьем этаже... Увидел арматурину... Проанализировал двор, правильно решил, что этот стоит под парадной, что войдет при постороннем звуке... На втором этаже подергал рамой и успел тихо спуститься к дверям... Бил правильно, практически через дверь... Единственно — ставим крестик — надо было обмотать носовым платком тупой конец железки... Еле воткнул! А если бы только задел — тогда пришлось бы телом поднажать, и поранил бы руку... А как среагировал на бабу — это талантливо. Тут — звездочка, даже две. Разложил я их красиво, нормальный мент не усомнится...

Вот только второй... Второй меня теперь знает и не забудет... Если встретит... Но информационно дойти до меня у них не хватит в головах их пропи-

того серого вещества... С шахматами — дело старое, утопшее, как Лиза Бричкина в болоте... Надо бы второго... Хотя нет, интереснее ему глаза выколоть... Может узнать по голосу? Нет, это — чересчур... Как претворять мысль в практическую плоскость — пока непонятно»...

Молодой человек этот будто рожден был уже с чувством ледяной ненависти ко всем. Ненависть эта произрастала от брезгливости, от гадливого отношения ко всем, все были виноваты, каждый по-своему. Он всегда был трезв мыслями и очень рано увидел внутри себя зверя. При первом осознанно-глубоком взгляде в себя он ужаснулся. Затем он сделал усилие над собой — и привык к виду зверя. Привык, присмотрелся и полюбил его. Комплексы и мотивации чудовища стали ему не только понятны — он оправдывал их, считая их справедливыми и уникальными. Зверь был умен, терпелив, неоднообразен и умел ждать, умел бежать на долгую, очень долгую дистанцию... С ним было не скучно...

Молодой человек любил иногда поразмышлять об аде и рае, особенно об аде. Он был более чем начитан, поэтому, конечно, не думал о банальных котлах, всепожирающем пламени и прочей ерунде. Такие примитивные фантазии он оставлял черни.

Ад ему представлялся переполненным трамваем, в котором вечно должна ехать настоящая личность, вечно передавать талоны за проезд рядом стоящему. И все вокруг знают, что ты — такое же серое животное, как и они, и теснота обрекает на невозможность поступка, и нет выхода, и надо дышать общим воздухом с этими... с остальными...

О Рае молодой человек думал реже, и какой-то устойчивой ассоциации с этим понятием у него ни-

как не возникало — это несколько раздражало, как бесполезное стояние перед закрытой дверью. Он не знал, что там. Рай же грезился ему ощущением заслуженного, комфортного и никогда не надоедающего одиночества...

ТОКАРЕВ

15 февраля 1988 г.

Уставший Артем возвращался после тренировки домой. Зайдя в парадную, он быстро огляделся и прислушался на всякий случай, потому что времена уже были стремные, пацаны из разных коллективов потихоньку учились «встречать» друг друга в подъездах. На лестнице было тихо. Расслабившись, Токарев-младший пошел наверх, но когда он начал отпирать дверь квартиры, чья-то крепкая рука ухватила его за ворот куртки. У Артема екнуло в груди, но среагировал он мгновенно — резко присел и начал чуть разворачиваться для уходящего кувырка и последующей атаки. И непонятно, чем бы все это закончилось, если бы неизвестный не сказал издевательским тоном:

— Да все уже, все... Поздняк метаться!

Голос оперуполномоченного Лаптева вкупе с непередаваемо ернической интонацией трудно было не узнать.

— Фу-у ты... Серега! Ну, ты даешь! Так ведь и до приступа сердечного... Ниндзя хренов!

В полумраке лестничной клетки Артем увидел, как Лаптев довольно улыбнулся, блеснув зубами, — гениальный опер по карманникам, он действительно как никто умел прятаться и тихариться — причем даже в таких местах, где, казалось, спрятаться было по определению невозможно. Сергей протянул Токареву руку и хмыкнул:

— Учишь вас, молодых, учишь... А что с нервишками? Али совесть нечиста? Законопослушным гражданам бояться нечего, пока советская милиция бдительно охраняет их труд и отдых!

Артем усмехнулся и начал было открывать дверь:

— Заходи, охранитель...

Но Лаптев помотал головой:

— Не, Артем, Васильевич, после чаю попьем... Батюшка за вами послать изволили... Час уже, как вас поджидаю, барин.

Токарев изменился в лице:

— Что с отцом?!

Лаптев как-то странно отвел глаза:

— Да нормалек все... В общем-то... Если не считать стопроцентного строгача с занесением... А может, и до неполного служебного соответствия дойдет... Там с пацанами «труба»!

— С какими пацанами?

— Ну, с Вадиком Колчиным и Толей Гороховским.

Сергей вздохнул — Колчин и Гороховский, неразлучная парочка, были молодыми оперуполномоченными. За веселый нрав, работоспособность и правильное понимание чувства товарищества их любили все в Василеостровском РУВД — кроме конченых «додманов», разумеется.

— А что с ребятами? — непонимающе помотал головой Артем. — И почему отец тебя послал, а не позвонил просто? Ты чего темнишь, Серега?

Лаптев пожал плечами:

— Вот ты сам у батюшки и поспрашивай. Наше дело маленькое: таскай, куда прикажут... А с пацанами там... Непонятка получилась.

— Какая непонятка?! Да говори же ты толком, е-мое.

Сергей посмотрел Токареву-младшему в глаза:

— Тема, ты такого боксера бывшего Леху Суворова знаешь?

— Прекрасно знаю, — удивился Артем. — Отличный парень!

Лаптев кивнул:

— Ему вроде бы когда-то в парадной кастетом в башку дали, и он из-за этого из спорта ушел?

— Ну, — Токарев нахмурился, — было такое, только не кастетом, а ведром с кирпичами его на лестнице отоварили... Ниндзя какой-то, вроде тебя... Леха его даже увидеть не успел... А в чем дело-то?

Сергей замялся:

— Ну, вроде как... Ребята говорят, что этот твой Леха их подставил круто...

— Бред какой-то, — помотал головой Артем. — Леха? Ерунда... Как подставил?

— Ну... Долго объяснять... Лучше уж на месте, в отделе переговорить... Василий Павлович очень бы хотел с тобой и с Лехой этим повидаться...

Токарев-младший ничего толком не понял, но встревожился.

— Хорошо, пошли к Лехе. Он сейчас дома должен быть...

Суворов действительно оказался дома. Артем, сильно смущаясь на предмет того, что, мол, не сдает ли он товарища, начал что-то путано объяснять. Леха совсем ничего не понял и поэтому очень разволновался. Лаптев бесцеремонно отодвинул Токарева в сторону и сказал по-простому:

— Слушай, парень, давай дойдем до отдела, там и выясним все, а?

Суворов кивнул и молча начал одеваться. В паршивом настроении все трое добежали до РУВД. В кабинете Токарева-старшего сидели рядышком Колчин и Гороховский — непривычно тихие. Василий Павлович хмуро глянул на вновь прибывших и, не поздоровавшись с сыном, спросил у оперов:

— Ну, узнаете кого?

— Это... Артем, — удивленно ответил Толя Гороховский, а Колчин сказать ничего не успел, потому что Токарев-старший почти заорал:

— Если ты, Вадик, сейчас скажешь, что рядом с ним — Лаптев, я сяду за убийство двух мудаков с мерой пресечения «подписка о невыезде»!!! Глумитесь?! Это кто?!

И Василий Павлович ткнул пальцем в инстинктивно съежившегося Леху. У Суворова аж закружилась голова — неизвестность и непонятность, как правило, пугают. Леха решил, что если его кто-нибудь опознает — то все, — расстреляют, а он даже и не узнает, за что, собственно...

— Я не знаю, — опустил глаза Вадим.

— Я тоже, — чуть осмелел Толя.

Повисла нехорошая долгая пауза. Токарев-старший встал, вышел из-за стола, отвернулся к окну и наконец сказал с тяжелым вздохом:

— Плохи наши дела, ребята. Наши — плохи, а ваши — и вовсе дрянь. Единственное, что радует, — так это настоящий Леша Суворов. Берите его и все ступайте в кабинет, кумекайте — откуда фантом нарисовался... Может, общий знакомый, может... Хер его знает...

Василий Павлович опустил голову. Лаптев, Гороховский и Колчин, сопя, вывели из кабинета охреневшего уже абсолютно в ноль Леху. Отец и сын остались одни. Артем выждал с полминуты и осторожно кашлянул:

— Батя, я, конечно... Но, может быть, ты хоть как-то объяснишь, что случилось?

Токарев-старший вздохнул, как паровоз перед отправкой, закурил и покачал головой:

— Случилось... И самое поганое, что из-за прошлых твоих художеств я уж испугался — а вдруг ты снова, со своими приятелями-спортсменами при делах окажешься... Извини...

Артем чуть было не сорвался в крик на отца, но тут Василий Павлович начал рассказывать все по порядку — подробно и обстоятельно, видимо успев уже проработать детали. То, что он рассказывал, действительно вырисовывалось в картину маслом с известным названием «Приплыли».

...В это утро в дежурную часть 16 отделения зашел молодой человек. Ничего нового от него дежурный Сомов не услышал. С первых же слов парня: «Куда я могу обратиться по поводу ограбления»... дежурному захотелось вздохнуть:

«Во-первых, здравствуйте»... но вздыхать он не стал, а, изображая настороженность и заинтересованность, посоветовал:

— К дежурному оперу. Сразу направо, там увидите дверь с кодовым замком.

И дежурный показал рукой, куда надо завернуть. При этом из «обезьянника», именуемого в официальных документах «комнатой для временно задержанных», раздался крик:

— У меня мать в исполкоме на распределении жилья! Ты, наверное, в ментовку пошел, чтобы квартиру получить?

— Угадал, — не оборачиваясь к задержанному, кивнул Сомов.

— Так вот — пролетаешь ты с квартиркой! Я уж постараюсь!

В это время второй задержанный умудрился расковырять себе кожу на руках и затребовал «скорую»:

— Я вскрылся!!! Я предупреждал! У меня свидетели! Тебя, мудака, посадят!

Дежурный вздохнул и мотнул головой:

— Коля, глянь клиента!

Помощник дежурного вскочил и распахнул толстую дверь из полупрозрачного пластика:

— Кто тут самоубийца?!

В открывшуюся дверь попытался было выскочить сын ответственной работницы исполкома, но сержант тихонько шлепнул его ладонью в лоб:

— Ку-да, хозяин жилплощади русской?! Мы теперь отпустить тебя ну никак не сможем!

— Это почему?! — возмутился сынок.

— Так ведь если отпустишь — вся наша жилбронь накроется. Сам ведь угрожал, — усмехнулся сержант. — Поэтому придется тебя придушить. Тем более, что один суицидник уже есть. А один или два — разницы не вижу.

Второй задержанный протянул сержанту руки с закатанными рукавами рубашки. Руки были сильно расцарапаны, однако кровь ручьем не лилась.

— Э-э, нет, — зацокал языком сержант. — Ты уж давай, режь себя по-настоящему. На тот свет — значит, на тот! А то чего зря «скорую» гонять!

И дверь в обезьянник с грохотом захлопнулась. Дежурный уже углубился в чтение рапортов, написанных солдатами полка внутренних войск, переданных ему на усиление, — накануне нелегкая принесла их цельный грузовик.

Коля, ты читал эти опусы? «...Мною задержан гражданин Тролкисон, который, шатаясь, заходил в туалет на рынке, который не вызывал законного подозрения. При обыске в туалете при нем обнаружился том № 4 писателя Короленко»... А?

Сержант Коля рассмеялся:

— Предлагаю сохранить для истории... А где, кстати, гражданин из туалета?

— Очевидно, пишет заяву в прокуратуру. Оказался доцентом из университета. Я, конечно, извинился, но он, по-моему, не понял юмора.

— Ну, так... Солдатикам-то их «летеха» приказал по три «шкурки» на рыло до вечера — иначе увольнительные накроются, вот они и остервенели. Две трети-то — с деревень, их в первый раз в город выпустили... Чего же ты хочешь?..

В этот момент Сомов поднял голову и столкнулся взглядом с заявителем — он, оказывается, задержался, с любопытством слушая интересные диалоги. Дежурному показалась странной его улыбка — она была нехарактерной для терпил, — как будто бы молодой человек услышал то, на что рассчитывал, и остался этим доволен...

Сомов еще раз показал рукой, где находятся кабинеты уголовного розыска, и парень направился туда. Позже дежурный припомнит, что вроде бы именно ему за полтора часа до визита он сказал по телефону, кто в этот день дежурит от розыска.

А дежурил в этот день не кто иной, как оперуполномоченный Колчин.

Вадик Колчин работал в розыске меньше трех лет и аналитическим складом мышления не отличался. Вопросы он решал так: «А че тут думать — трясти надо!» Его корешом во всех начинаниях был Толя Гороховский, они и в милицию пришли вместе. Толя на жизнь смотрел с юмором и больше всего шутил сам над собой. Именно ему принадлежала культовая фраза: «Вадик, у меня деньги кончились! Я могу пойти на преступление!» По большому счету, эти двое были разгильдяями, однако при этом они не жаловались, что работать приходится без выходных и «в говне по пояс». От них немного отдавало псиной и хамским шинельным шармом, как от героя анекдотов поручика Ржевского.

Дверь молодому человеку открыл Колчин.

— Простите, вы дежурный следователь?

— Заходи, — пригласил Вадик, повернулся и зашагал по коридору. Позже он догадается, что «потерпевший» прекрасно понимал разницу между следователем и сотрудником розыска... Но это будет позже, а тогда Колчин шагал к своему кабинету и привычно бурчал, не глядя на «терпилу»:

— Украли? Отняли? Ущерб?

Присев за свой стол, Вадик жестом пригласил вошедшего вслед за ним молодого человека присаживаться:

— Рассказывайте.

Парень сглотнул комок в горле и, кашлянув, начал:

— Вчера двое... отобрали у меня старинные часы...

— Так и запишем! — привычно крякнул Колчин, открывая засаленный Уголовный Кодекс. —

Статья 195 — открытое хищение чужого имущества... так-так... во! Наказывается лишением свободы...

— Извините, но вы уже знаете, о ком я говорю?

Вадик оторвался от кодекса и шлепнул себя ладонью по лбу:

— О, е-тыть, зарапортовался я чуток! Вообще голова не соображает... Так что, вы говорите, утеряли?

Посетитель чуть скривился и раздраженно заметил:

— Я могу рассказать... если вам, конечно, интересно...

— Очень интересно, оч-чень! А главное, я тут и посажен, чтобы выслушивать все, что у народа накопилось...

— Знаете... Я, наверное, пойду...

— Ладно, извини, дружище... Чаю хочешь?

— Нет.

— Ну и хорошо, — улыбнулся Колчин. — А то чай-то у меня со вчерашней ночи — тю-тю... Нет, ты представляешь, — нахлобучили тут одного засиженного. Так он говорит — дайте чаю! Мы — заваривать. А он говорит, мол, не надо. Оказывается — он его так жрет и холодной водой запивает! Пока мы дивились — он всю пачку индийского и умял. Во, люди! А мы их решеткой пугаем!

Молодой человек вежливо выслушал эту ахинею, не перебивая, и сказал, когда возникла пауза:

---

* Оперативники и следователи никогда не предлагают сесть, — только присаживаться.

— Дело в том, что я случайно знаю, кто меня ограбил, более того, знаю, где они живут и у кого.

— Обожди... — Вадик повел шеей. — Это дело надо перекурить... Куришь?

— Нет, я бывший спортсмен.

— Жаль. А то у меня и курево тоже кончилось...

Колчин быстро схватил местный телефон и елейно попросил три-четыре сигареты у дежурной части. Когда его там послали, он сник, сделал серьезно-заинтересованное лицо и спросил:

— Каким спортом занимался?

Наставником у Вадика был Боцман. А Боцман говорил, что «отбивание» заявителя — это целая наука. Сразу к делу переходить никак нельзя — надо сначала поговорить с ним о жизни, показать, что он на свете не один, но «вопреки и несмотря» его делом все же займутся. Опять же, надо доходчиво объяснить, при необходимости, что регистрировать — не всегда полезно, потому как иногда расследование надо держать в тайне, а если зарегистрируешь, то все будут допущены к информации. Произойдет «утечка», которая может спугнуть злодея... Боцман вообще знал очень много полезного...

— Так каким, говоришь, видом спорта?..

— Боксом.

— Дожили! — хлопнул себя по ляжкам Колчин. — Боксеров грабят! Куда ж тогда обычным гражданам деваться?!

Молодой человек иронию понял, но не обиделся, лишь наклонил немного голову и сказал тихо:

— Дело в том, что я практически не вижу... Зрение слабое, в глазах — одна муть, у меня — травма...

И парень дотронулся пальцем до головы, — на лбу действительно нездорово белел кусок как будто прикрепленной кожи, казалось, что когда-то ему словно стесали бровь.

— Дела, брат, — смущенно хмыкнул Вадик. — На ринге?

— Нет, в парадной... Железкой какой-то... Из-за соседки...

— М-да... Ладно. Валяй — что случилось, где красавцы живут и почему ты считаешь, что это — они...

— Вчера...

— Погоди, тебя звать-то как?

— Леха. Суворов.

— Вадим, — протянул руку через стол Колчин.

А дальше «Леха» поведал достаточно банальную историю: дескать, мать у него болеет второй месяц, на конфеты врачам хватает, а на лекарства — увы... Врачи посоветовали, что надо купить, а одна только упаковка тридцать шесть рублей стоит... Пришлось нести в антикварный магазин на Наличной часы каминные, позолоченные, с лошадкой. Нес их в спортивной сумке, на автобусной остановке сумку снял с плеча — может, часы оттуда «выглянули». Неожиданно сзади подошел парень и ткнул в спину пистолетом: «Не дыши, калека!»

— Погоди, а с чего ты решил, что пистолетом?

— Понимаете, я почувствовал... ну, тяжесть такую... как будто настоящее оружие... не спутаешь...

— Дальше...

— Спереди подошел второй, взял меня за ремень, а первый, нагнувшись, подобрал сумку. И предупредил напоследок: «Поднимешь шум —

пуля в животе! Сдохнешь некрасиво». Я как стоял, так... стыдно... я бы не пришел к вам... Я, честно, плохо вижу совсем, а очки не ношу, не идут
они мне... комплексы, наверное...

— Херня это все, — махнул рукой Колчин. — У
меня знакомая есть — достанем тебе очки фарто-
вые... Как ты узнал, кто они?

Парень близоруко захлопал прищуренными
глазами:

— Соседка... Она считала, что я часы продал, а
сегодня утром говорит: продешевил, наверное, раз
их так быстро в магазине купили... Она случайно
увидела их на серванте в окне на Пятой линии.
Представляете...

— Класс! — подпрыгнул на стуле Вадик, начиная чувствовать азарт. — Я всегда говорил, что в
жизни все просто! Адрес знаешь без соседки?

Парень кивнул:

— Я уже попросил ребят с клуба, они разведку
провели... Я вместе с Артемом Токаревым занимался, его, говорят, вся милиция Острова знает...
Я, правда, ему не говорил ничего — стыдно было,
что так... Ребятам сказал, они соседей обошли,
якобы девчонку одну ищут... Соседи сказали, что
квартира приличная, но живут в ней последние несколько дней не хозяева, а два парня, вроде бы из
Челябинска... Ребята из почтового ящика вынули
газеты... там были квитанции за межгород. Вот!

Молодой человек протянул Вадиму слегка на-
дорванный, но разглаженный листок уведомле-
ния.

— Когда вытаскивали — надорвали...

На квитанции стоял код города. Карандашом
было написано «Челябинск».

— Я по справочнику перепроверил... — «Леха» смущенно улыбнулся и оглянулся на дверь — там, оперевшись о косяк, стоял Толя Гороховский, он слушал беседу где-то с середины и в тему врубился.

— Давай по-быстрому запрос в межгород организуем, выясним, что за адрес, — предложил приятелю Толя. Вадик только рукой махнул:

— Чего тут организовывать! Какая разница, что у них за фамилии и на какой улице они там живут?

— Может, они в розыске?

— Да хоть в двух! — Колчина уже несло. — Через час ласты скрутим — там и разберемся!

«Потерпевший» деликатно кашлянул в кулак:

— Вадим... вам виднее, но... соседи точно говорили, что квартира непростая...

— ...А золотая?..

— Ну... вдруг там какие-нибудь шишки — их знакомые.

— Шишки? Это будет замечательно! Знаешь, на чем будут стоять шишки, когда в их квартире изымут ствол, антикварные часы и двух гоп-стоповцев?

Молодой человек улыбнулся, словно перед ним, измученным, наконец-то забрезжила надежда:

— Вадим... Вам виднее...

Колчин усмехнулся покровительственно:

— Да что ты мне все «выкаешь»... Будь проще, не в райкоме, чай... Опознать их сможешь?

«Леха» кивнул:

— Одного — точно смогу.

Вадим глянул весело на Гороховского:

— Толя, твои предложения?

Гороховский рубанул воздух ладонью:

— Атакуем!!!

— Заряжай!!! — Колчина аж затрясло с азарта. Он достал из сейфа ПМ и несколько картинно передернул затвор.

«Потерпевший» напрягся и вдруг сказал твердо:

— Я с вами!

Вадим одобрительно хмыкнул и подмигнул приятелю:

— Нравятся мне боксеры, Толя!

Гороховский для вида вроде как попытался возразить:

— Ты же говоришь, что у тебя со зрением неважно?

Парень набычился, как мальчишка, которого старшие братья не хотят брать с собой в поход:

— Я вас подбил, а сам тут отсиживаться буду?!

Колчин махнул рукой:

— Толя, да пусть с нами идет. Мало ли — жалобы потом, а он — лицо гражданское, отбрехаться поможет...

— А опознание? — почти сдался Гороховский. — Следователь вопить будет, как обычно...

Но Колчину уже море было по колено, он чувствовал себя боевым командиром на горячем коне, который нетерпеливо бьет копытами и рвется в атаку:

— Да кто им даст возможность вякать, что терпила с нами был? Ежели без шума возьмем...

Его азарт накрыл волной и Гороховского:

— Понеслось! Тем более, что за ними — наверняка серия!

Вадика и Толю закружило и понесло — и донесло ровно до угла 5-й линии и Среднего проспекта. Пока шли, они наперебой рассказывали «Лехе» разные истории — как катались в лужах при задержаниях, как получали сковородками по загривкам на ночных вызовах. Опера были нервны и веселы, а «потерпевший», казалось, разделял их настроение. Вот только взгляд его поймать было трудно... Ну, да он ведь сам же говорил, что с глазами — беда, потому, наверное, и взгляд не фокусируется...

— Мужики, если все получится, я часы продам и... с меня — причитается.

Колчин замотал головой на ходу:

— Лех, ты это брось. Во-первых, купишь матери лекарства, во-вторых... А что, Толя, во-вторых?

Гороховский улыбнулся:

— Во-вторых, может, найдем что-нибудь, не подлежащее учету...

Колчин подмигнул «Лехе»:

— Ты ведь «свой» человек?

— Надеюсь...

Вадим рассмеялся заразительно:

— Свой-свой... Он же, Толя, Темку Токарева, Палыча сына знает — рекомендация исчерпывающая... Так что — если лишнее изымем... короче, сами поделимся.

Гороховский кивнул и даже предвкушающе облизнул губы:

— А те шишки нам еще коньяк носить будут, чтобы мы не обнародовали их гостей. А то — зашлем представление в соответствующие инстанции...

— А если шибко партейные — то можем и в соответствующие органы! — поддержал коллегу Колчин, и оба опера снова рассмеялись. О том, что
«Леха» даже не успел заявление написать, они не
думали. Да и зачем время впустую тратить на
«...прошу привлечь к уголовной ответственности
двух преступников...». Вадим как решил — мол,
возьмем, так сразу и материал создадим, пока следователь едет. Потому что бывает, что и «не
возьмем», а заявление уже написано, приходится
его не регистрировать, а это уже сокрытие — то
есть, уголовное между прочим, преступление.

Когда троица подошла к парадной, молодой человек ткнул пальцем на окна второго этажа:

— Первое, второе, третье — от лестничной пло-
щадки.

Вадим присмотрелся и через прозрачную, не до
конца задернутую тюлевую занавеску действительно разглядел часы на серванте. Разглядел и
рассмеялся:

— Я же говорил — все просто в жизни... Значит, так: Леха, если они добром в плен будут сдаваться, ты их не бей в сердцах. А то у тебя удар не
простой, поставленный, потом будем рапорт писать, что они на нас с топорами кидались, а мы
приемы «самбо» применяли. Ну, а если по-хорошему не получится, тогда уж...

— Тогда как придется. Пошли! — перебил приятеля Толя.

Втроем они быстро поднялись на второй этаж.
Гороховский прильнул ухом к двери и поднял руку,
призывая всех к тишине:

— Кажись, кто-то дома. Значит, так: мы вдвоем под залегендированным предлогом заходим,

ты, Леха, — туда, — он показал на пролет между вторым и третьим этажами. — Когда нужно будет — позовем, чтобы ты аккуратно глянул на их хари... Поехали!!!

Вадим по-милицейски смело позвонил в дверь — звонок красиво защебетал иностранным птичьим голосом. Дверь открыл парень в тренировочных штанах и футболке.

— День добрый, уголовный, знаете ли, розыск вас беспокоит, — представился Колчин, сунув парню в нос удостоверение и быстро его спрятав. Парень даже рот не успел открыть, как Вадим уже оказался в прихожей. Анатолий юркнул между коллегой и открывшим дверь парнем и сразу же бесцеремонно пошел по коридору.

На кухне он увидел второго парня — в махровом халате, доскребавшего яичницу со сковородки. В раковине лежала гора грязной посуды, а на подоконнике стояли пустые бутылки из-под крепленого марочного вина.

Парень у двери наконец-то среагировал:

— А в чем, собственно говоря, дело?

Колчин его вопрос проигнорировал, заглянул в комнату и скороговоркой начал спрашивать сам:

— Документы есть? Вы здесь прописаны?

В гостиной он увидел часы на серванте.

— Так как насчет паспортов?

— Ради Бога... только... по какому праву? Почему вы без разрешения... — остолбенело бормотал парень, следуя за Колчиным по пятам.

Вадим осторожно обнял каминные часы и вынес их на кухню:

— Старинная вещь! Давно по ней время определяете?

— Во-первых, это — хозяев... — начал было первый парень, но Колчин не дал ему договорить:

— А во-вторых, — вы из Челябинска?

— И что из этого?! Что происходит?! Поставьте часы откуда взяли, немедленно!!!

Вадим вплотную придвинулся к парню и тихо, но весомо сказал:

— Ебало закрой!

Второй парень возмущенно вскочил и сделал было движение по направлению к Колчину:

— Что?! Да как вы...

Договорить ему не дал Гороховский — он схватил парня за шиворот махрового халата и отшвырнул к подоконнику:

— Не дергайся! Тебе по-русски объяснили — уголовный розыск!

Парень осекся и оторопело прижался к холодильнику.

Колчин победно огляделся и поддернул штаны:

— Вот что, гаврюши, быстренько одеваемся, берем документы, все вещи, мыльно-рыльные принадлежности и гуськом двигаем в отдел!

— На вашем месте я бы показал, где хранится ствол, чтобы потом, при обыске, мебель хозяйскую не двигать, — добавил Толя.

— Ну, знаете!!! — снова вспыхнул один из парней, и Вадим сразу же хватил его за шиворот и вытащил в коридор. Гороховский проделал ту же операцию со вторым.

— Стоим ровно, нюхаем обои!!!

Озираясь на двух прикрепленных к стенке, Толя выглянул из квартиры на лестничную площадку и махнул рукой «Лехе». «Потерпевший» спрыгнул с подоконника и через мгновение оказался в прихожей. Увидев Леху, Колчин заорал:

— Прижались лбами толоконными!!!

Потерявшие дар речи от ошаления парни беспрекословно выполнили команду. Толя подвел «Леху» на метр к задержанным. «Потерпевший» аккуратно осмотрел парней, будто обнюхал, и уверенно указал пальцем на одного. Толя жестом показал ему, чтобы шел на кухню. Через полминуты туда же выглянул Колчин:

— Так, Леха, забирай «клоки» и дуй в отделение, там у кого-нибудь из оперов жди нас. Домой не спеши — тут геморроя еще часа на четыре...

«Леха» молча поклонился, восторженно потряс руку Колчину, схватил часы и вышел из квартиры. Потом Гороховский вспомнит, что, уходя, он как-то странно улыбался, прикусывая зубами верхнюю губу...

Вскорости двое оперов и парочка задержанных гостей Ленинграда прибыли в отделение. Начав опросы и проверки, сыскари очень быстро растеряли весь свой азарт, потому что выяснились следующие обстоятельства: братья Смирновы приехали пару дней назад к своей тетке. Ее муж работал ни много ни мало проректором Университета по работе с иностранными учащимися. Хотя это-то как раз еще не очень смущало — настораживало то, что часы эти, с лошадкой, французские, конца XVIII века, стояли на серванте в квартире около двух лет. А до этого они еще Бог знает сколько лет стояли в той же квартире на фортепиано. Проректор по работе с иностранцами, вызванный срочно с работы, очень нервно все это написал в заявлении. Ну, а самое хреновое было в том, что заявитель «Леха» с часами до отделения, естественно, не дошел. А его данных не было не только на отсутствующем и, следовательно, не зарегистрированном заявлении, их вообще не было, потому что с нервяка Колчин забыл фамилию, которой представлялся «терпила», а Гороховский ее вообще не расслышал...

С учетом связей проректора шум, конечно, поднялся нешуточный. Приехали и из главка, явился, естественно, начальник РУВД и иже с ним, срочно разыскали и находившегося на выезде начальника ОУР Токарева. Когда в районную прокуратуру легли жалобы от племянников и от проректора, всем стало не до смеха.

Заместитель прокурора района Яблонская, посоветовавшись с городской прокуратурой, сказала жестко, что в отношении двух оперуполномоченных возбуждает уголовное дело. На состав хватало с лихвой и без пропавших часов, о стоимости которых и об исторической ценности их механизма думать просто не хотелось...

Так что Колчин, конечно, ошибся, когда обещал «Лехе» геморроя часа на четыре — геморроя было намного больше. Через шесть часов Вадик и Толя сидели очень тихие в кабинете Токарева с предъявленными обвинениями по нескольким статьям и с подписками о невыезде. За подписки Токарев лично бился в кабинете Яблонской и победил, хотя начинал он с «...оставим все материалом, через день-два возместим ущерб, и по отсутствию в их действиях состава преступления...» Яблонская же визжала, что берет их под стражу. Токарев тоже орал, охрип даже, разосравшись совершенно с заместителем прокурора и понимая, конечно, что она, по сути, совершенно права...

Потом уже у себя в кабинете Василий Павлович материл двух погасших и по-мальчишески шмыгавших носами оперов. Некоторое время в разборе полетов поучаствовал и начальник РУВД, сказавший коротко, но для всех абсолютно понятно:

— Это же, блядь... Это же, сука, твари... Блядь, гамадрилы какие-то! Палыч, мы ведь с ними, блядь, в угар уйдем...

В таком духе начальник РУВД говорил минут пять, а потом ушел к себе в полной прострации...

...Когда все эмоции выдохлись, Токарев, переглянувшись с заместителем по УР начальника отделения, начал спрашивать по существу:

— Так, давайте, что о Лехе знаем? Вспоминайте приметы, брошенные фразы, как одет... Короче, как «терпилы» вспоминайте!

Колчин и Гороховский напряглись, вспомнили, что «Леха» — боксер, что плохо видит из-за травмы, полученной в парадной железкой, что у него больная мать, вспомнили и еще кой-какие мелочи...

Василий Павлович нахмурился, почувствовал холодок на спине и впился вдруг в глаза Колчина:

— Все, назад! Боксер с травмой головы — получил в парадной... Где-то я это уже... Еще что-то есть?

— Есть, — тихо сказал Вадик.

— Ну! — в бешенстве рявкнул Токарев. — Ну, рожай же, мать твою бабушку!!!

Колчин искоса глянул на молчавшего Гороховского и почти прошептал:

— Он сказал... что приятель вашего Артема... ну, сына... что занимались вместе... Суворов его фамилия!

Василию Павловичу показалось, что у него пол уходит из под ног, вспомнил он сразу про то, как Артур Тульский случайно «вышел» некогда на Артема, вспомнил и про свой тогдашний разговор с сыном.

— Так, — скрипучим деревянным голосом сказал Токарев. — Так, приехали.

Непослушными негнущимися пальцами он стал набирать номер домашнего телефона, потом бросил и заорал:

— Лаптев! Сергей!!!

Лаптев нарисовался через секунду — после имевших место событий все опера сидели на своих местах тихо, как мышки, и «на всякий пожарный» приводили в порядок документацию.

— Да, Василь Палыч!

Токарев выскочил к Лаптеву в коридор и быстро, нервно стал обрисовывать задачу...

...Артем выслушал долгий рассказ отца, ни разу не перебив и мучаясь от того, что ему ужасно хотелось закурить, а при отце он еще немного стеснялся. Да и курил-то Токарев младший мало — больше так, баловался...

Повисла звенящая пауза. Наконец Артем улыбнулся и ехидно спросил:

— И ты, стало быть, решил, что я — при делах? Спасибо вам за доверие, папенька... И потому Лаптева послал — сам испугался сорваться... или — что не сможешь не покрыть?

— Да ничего я не решил! — взорвался Василий Павлович. — Подъебывать меня еще будешь! Но нервяк, конечно, словил... Сыночек... А прецеденты были. Были, были!

Несмотря на раздраженный тон, Артем видел, что отец рад, но скрывает это, — потому что у ребят-то, у Вадима и Анатолия, дела, действительно, — швах... Когда кто-то из знакомых гибнет, порядочному человеку трудно радоваться тому, что его самого не «зацепило»...

Помолчали еще. Потом сын уже без улыбки внимательно посмотрел на отца и осторожно спросил:

— Ты думаешь, это как-то связано с той Лехиной историей? Вы же с Петровым-Водкиным сами говорили мне тогда — ерунда, мол, случайность...

— Говорили, — Токарев-старший как-то странно вздохнул, и Артем понял, что отец ему что-то недорассказал. — Говорить-то говорили... Ладно, пойдем глянем, как там Леху твоего мучают...

А Алексея действительно «мучили» — в тесном кабинете громкий разговор на пятерых шел неровно и нервно. Суворова заставляли вспоминать — он и пытался вспомнить. Но как вспомнишь то, чего не видел?! Леха все уже понимал, но помочь ничем не мог и потому злился:

— Чего вы меня грузите, как ишака?! Неужели бы я не сказал?!

Резюме было правильным, но неутешительным — конечно, о том, что Суворова уделали в парадной, знал тот, кто, собственно, и уделал... И еще несколько десятков человек...

Через пару часов абсолютно вымотавшиеся Токаревы побрели домой. Василий Павлович долго молчал, а потом вдруг сказал:

— Между этими выходками есть какая-то связь... Логику я не ищу — это дело неблагодарное... Информации — ноль... Ну, почти ноль, но... Наш мозг фиксирует все, но вытащить из него мы не всегда можем то, что нужно... Не умеем грамотно пользоваться этим компьютером... Но иногда кажется... Наверное, это интуиция... Помнишь, на прошлый День милиции было двойное убийство?

Артем наморщил лоб, действительно что-то смутно припоминая:

— Да, что-то такое ты мне говорил, что дело мутное... А что?

Василий Павлович пожал плечами:

— Была серьезная информация, что в той истории один интересный молодой человек проявился... Проявился — и исчез. Но его один очень серьезный человек видел. Говорит, что видел. И не верить ему у меня оснований нет никаких... Так вот — тот фантом крайне нестандартно вопросы решает. Необычно действует. А Леху твоего нестандартно ведром отоварили. И ребят сегодня развели — просто блеск! И та мокруха двойная... А еще с шахматами история...

— С какими шахматами? — не понял Артем.

Токарев-старший помотал головой:

— Да так, была история с дорогими шахматами, когда двое блатных по странному набою сели... Были такие — Чиркани́ и Бест, кореш его... Скоро откинуться должны, если уже не откинулись... А терпилу, хозяина шахмат, шишку горкомовскую, потом «комитет» сжевал вместе с обкомом...

— И что? — все равно не врубился Артем, и Василий Павлович начал злиться сам на себя — потому что сам понимал — говорит путано... Собственно, он хотел не столько сына проинформировать, сколько просто рассуждал вслух. Посопев еще немного, Токарев-старший сказал нечто совсем уже странное:

— Есть, есть какая-то связь... Плюс — я никому этого не говорил, потому что считал, что я головой двинулся, — но тебе скажу: на ту мокруху двойную выезжали как раз Колчин с Толей... Понимаешь, про что я?

Артем медленно кивнул:

— То есть ты хочешь сказать, что во всех этих историях некий Фантом... Но ты же сам говорил, что монстры бывают только в детективах, что в реальной жизни ты таких никогда не встречал?

— Не встречал, — согласился Василий Павлович. — Потому и говорю это все тебе, а не сотрудникам на работе. Понимаю, что бред... Но количество странных историй накапливается... А один из основных законов философии гласит, количественное накопление всегда приводит к изменению качества или что-то в этом роде... Это брат, марксизм, а не кот чихнул...

Артем заулыбался:

— Ну, если марксизм — тогда, конечно...

Токарев-старший без улыбки посмотрел на сына и с тоской сказал:

— А может, просто устал я, вот и лезет в голову херня какая-то? Так хочется заняться чем-нибудь здоровым — какой-нибудь серией разбоев квартирных... Я уж и не помню, когда врывался в хату с налетчиками. А по идее — должен первым туда заходить... Тьфу ты, что за жизнь — то отписываемся от честных мещан, то — сами обвиняемые...

Дома отец с сыном молча попили чаю с булкой и легли спать. Когда Артем уже погасил свет, он не удержался и спросил:

— Отец, а как ты собираешься... Ну, есть идеи какие-то, как этого Фантома ловить?

Токарев-старший молчал так долго, что Артем решил, будто отец уже заснул, — но все же ответил тихо:

— Не знаю.

Артем аж привстал на локте — отец редко не знал, что надо делать, если требовалось найти кого-то или что-то.

— Количество не накопилось еще?

— Выходит, что не накопилось... Посоветоваться надо кое с кем, подумать... Ну и — как это тебе ни смешно — ждать, пока необходимое количество накопится... Спи давай...

...Утром неприятности в Василеостровском розыске продолжались. Следователь прокуратуры, которому было поручено дело Колчина и Гороховского, взял да и выписал обыски на местах работы каждого из подозреваемых. Смысла в этом особого не просматривалось, но так уж было заведено — формальность, тем более, что накануне-то времени не хватило, то есть все могли уже все подчистить и перепрятать, но... Один следак на вопрос: «Что вы, собственно говоря, ищете?» — ответил сакраментально: «Я, голубчик, ничего не ищу, я произвожу обыск». То есть смысл в том, что обыск — не обязательно для того, чтобы что-то найти, просто любой обыск всех сотрудников отделения милиции заставляет задуматься о том, кто этот обыск санкционирует. Это отрезвляет и имеет положительные воспитательные последствия.

Заодно с обыском приехали и проверяющие из инспекции по личному составу — эти начали копать секретную документацию — так тоже положено.

Оба мероприятия дали неожиданные результаты. При так называемом обыске на рабочем столе Гороховского был обнаружен позолоченный зажим для бумаг фирмы «Норг». А так совпало, что потерпевший проректор успел в незатейливой беседе со следователем упомянуть о его пропаже. Сказал он это «к слову», а следователь запомнил... В общем, когда это дошло до Токарева, он даже не стал пытаться в прокуратуру звонить. Он-то понимал, что Толя зажим прихватил в квартире, а потом просто забыл о нем... В общем, появились основания усомниться уже не только в чистоплотности, но и...

А дальше — больше. Через два часа грянула еще одна «информация»: в книге регистрации агентурных сообщений проверка обнаружила двухмесячной давности агентурную записку № 561 от источника Пень. И хрен-то бы с ней, с запиской, да вот источник в ней указывал на неустановленную группу некоего Гани, которая якобы собиралась совершить нападение на богатую квартиру по адресу 5-я линия, дом 64, квартира 8. Нюансик заключался в том, что в этой квартире как раз и проживал потерпевший проректор... А второй нюансище был еще хуже: агент со спорным псевдонимом Пень состоял на лицевом счету оперуполномоченного Колчина.

Токарев не стал сомневаться во «вновь открывшихся обстоятельствах». Он ежедневно сталкивался в своем теремке с чудовищным бардаком, головокружительной липой и смешными совпадениями. О «влетевших» операх Василий Павлович думать хуже не стал, понимая, что пошла непруха — результат большой загруженности, совпадений и разгильдяйства...

Конечно, с агентурным сообщением надо было разбираться — не липовое ли оно, откуда взялся точный адрес и т. д. Однако с Колчиным Токарев переговорить нормально уже не успел — опера активно расспрашивали уже другие люди. Зато Василий Павлович срочно связался через Тульского с Варшавой, встретился с ним на старом месте и коротко и довольно сухо обрисовал новости с упором, однако, не на оперские неприятности, а на возможную причастность к ним Невидимки-Шахматиста. Вор выслушал все внимательно и уважительно, однако Токарева за все время беседы не покидало ощущение, что Варшава давит в себе недоверчивость к его словам — точно так же, как и он, Токарев, давил в себе это чувство во время их предыдущей встречи. Впрочем, справки о Гане и о его группе вор не без внутреннего колебания все-таки пообещал навести...

Не успел Токарев вернуться в свой кабинет, как ему позвонили из Управления Комитета Государственной Безопасности по Ленинграду и Ленинградской области — ежу было понятно, что проректор по работе с иностранцами обязательно проинформирует о своих неприятностях это уважаемое и, в общем, не чужое ему учреждение.

Состоялся следующий разговор «слепого с глухим».

— Василий Павлович?

— Павлович.

— Управление госбезопасности вас беспокоит.

— Есть такое дело.

— Что есть, простите?

— Что беспокоит.

— А! Моя фамилия Шептунов, третья служба.

— Готов ответить.

— За что?

— И за что, и за кого... Вас как величать?

— Артем Сергеевич.

— О, у меня сына тоже Артемом зовут... Внимательно, Артем Сергеевич!

— Я, как вы понимаете, по поводу двух ваших сотрудников.

— Чего уж тут не понять...

— Посему хотелось бы услышать ваше отношение, только не то, которое вы изложили в рапорте на имя начальника РУВД, а действительное...

— Не телефонный немного разговор.

— Не телефонный, но вас вызывать — вроде несолидно, а нам приезжать... хотя мы можем.

— Был бы рад поговорить с вами «глаза в глаза». Я понимаю, сколько глупостей натворили мои сотрудники, и наказать их надо, но... Знаете, как раньше говорили — «умысла у них не было».

— Мы имеем несколько другую информацию, уважаемый Василий Павлович. Ладно, к концу рабочего дня мы подъедем.

Токарев только вздохнул, понимая, что эти если пообещали — то точно приедут. Очень не понравилось Василию Павловичу употребленное Шептуновым в конце разговора слово «уважаемый», поэтому он и не стал просить никого из своих прикупить печенья и лимон к чаю — понимал, что даже зефир в шоколаде уже ни на что не повлияет.

К 18.30 появились двое сотрудников УКГБ — точные, подтянутые, вежливые — в общем, сразу видно, что не из ментовки. Токарев почему-то вспомнил, как когда-то в молодости проводил какой-то обыск и им по каким-то неведомым соображениям был представлен сотрудник райотдела КГБ под легендой оперуполномоченного уголовного розыска. Так вот, после обыска пожилая хозяйка квартиры потеребила Токарева за лацкан пиджака и утвердительно сказала, округляя глаза:

— А этот, в белоснежной рубашке, — он из КГБ.

— С чего вы взяли? — удивился Василий Павлович, тогда еще просто Вася.

— А он единственный безукоризненно вежливый, — с убийственной женской логикой ответила хозяйка.

— А мы что — грубили вам?

— Вы не грубили, вы — грубые...

Токарев знал, что когда чекисты о чем-то рассуждают, то бывает практически невозможно придраться к какому-то конкретному предложению или фразе. Все умно́. В их речи сверкают такие университетские слова, как «ортодоксальный» или «схоластика». Ты соглашаешься, умиротворяешься, а потом чувствуешь, что тебя объегорили, но не можешь понять, в чем... Впрочем, нынешний разговор обещал быть иным по накалу и динамике.

Гости представились: тот, что помоложе, оказался Шептуновым, а второй, постарше, представился Сергеем Петровичем — без указания фамилии и должности. Удостоверений «комитетчики» не предъявили, держались уверенно, но без хамства, и этим раздражали еще больше.

— Проходите, — повел рукой Токарев, вставая из-за стола. — Чай-водку не предлагаю... Слушаю вас.

— Извините, Василий Павлович, — чуть улыбнулся Шептунов. — Это мы вас слушаем.

Начальник розыска хмуро кивнул:

— В общем, история следующая. Уж не знаю, какие у вас данные...

— Уверяю вас — исчерпывающие.

Кажется, говорить настроился только Артем Сергеевич, а второй собирался лишь слушать и наблюдать. Василий Павлович как мог задавил в себе раздражение и продолжил:

— Никогда не сомневался... Так вот: состав преступления, говоря строго по закону, в действиях моих сотрудников, конечно, есть, но ведь надо же рассматривать все в комплексе. Что они хотели, чем руководствовались, какие выводы в конце концов сделали... Честно хотите?

— Потому и пришли.

Токарев уже все понял, но все равно отчеканил:

— Считаю необходимым и обязательным — любой ценой возместить ущерб потерпевшему... Считаю также возможным прекращение через некоторое время уголовного дела...

— Когда страсти улягутся? — Шептунов почти не скрывал иронию, но Василий Павлович сделал вид, что не почувствовал ее:

— ...И необходимым также переведение их на самую тяжелую территорию... Такая есть — тридцатый отдел, Смоленка, там коммуналки... Каждый день праздник, головы сотнями утюгами бьют...

— Только не надо, Василий Павлович, а то мы сейчас договоримся до метафор типа «искупление кровью»...

Токарев опустил плечи и сказал вяло:

— Я искренне считаю, что ребята — достойные и...

Шептунов не дал ему договорить:

— Я вас перебью, извините, — для того, чтобы выразить нашу позицию. Прежде ответьте, пожалуйста, на следующий вопрос: писал ли Колчин месяца два назад заявление на увольнение по собственному желанию?

— Это не так было! — вскинулся Василий Павлович. Было действительно не так. Заместитель начальника отделения по розыску Петров-Водкин приковал Колчина наручниками к батарее, так как у того скопилась огромная кипа «незакрытых» входящих, а требовалось до утра их срочно «закрыть». Колчин, естественно, весь изорался, брызгал слюной, заявлял, что и он не пацан сопливый, и в сердцах бросил заявление секретарше начальника РУВД. Токарев лично это заявление разорвал и матюками помирил коллег, встав на сторону Петрова-Водкина. Но как комитетчикам разжуешь такие тонкие милицейские материи?

— Так писал или не писал?

— Ну, писал... но... сгоряча...

— Принимал ли Колчин агентурное сообщение по поводу готовившегося нападения на квартиру потерпевшего по их делу?

— Принимал.

— Украл ли Гороховский, его близкий приятель, зажим для бумаг?

— Украл, украл, только...

— Не мелковато ли?

— Согласен, крыть нечем... Но я их знаю, они ребята не гнилые...

— Не довод. Имеются ли у них обоих грубейшие нарушения режима секретности и сроков исполнения материалов — по итогам проверки?

Подивившись чекистской оперативности, Токарев не стал даже говорить, что проверка-то, строго говоря, еще не окончена. Вместо этого он усмехнулся:

— Вот у меня в сейфе сейчас нарушений столько, что и в тюрьму не примут!

— А не о вас речь, — неожиданно вмешался в беседу второй комитетчик, представившийся Сергеем Петровичем. — Так «да» или «нет»? Имеются нарушения?

— Формально — да.

— Я не буду комментировать мотивацию районной прокуратуры при избрании меры пресечения «подписка о невыезде», — продолжил Шептунов.

Василий Павлович начал закипать, но все еще пытался сдерживаться:

— А никто и не скрывает — я лично просил.

— Лично просили Яблонскую? — уточнил Артем Сергеевич

— Ах вот оно в чем дело?! — Токарев уже не очень контролировал свой тон, но чекист постарше успокаивающе поднял руку и сказал мягко и почти доверительно:

— Василий Павлович, разговор не об этом... По нашим, поверьте, тщательно собранным данным, нынешний потерпевший проректор Университета Лесков хранил у себя крупную партию иностранных пластинок. Которую и сбыл недавно по цене 45 рублей за штуку...

— В этом — тоже мы виноваты?!

— Не надо! Мы полагаем, что кто-то из связей перекупщиков навел на квартиру, и смысл всей репризы ваших подчиненных был в том, чтобы найти крупную, очень крупную по сравнению с их зарплатой сумму денег и банально похитить ее... перед предстоящим увольнением...

Токарев даже задохнулся, а комитетчики пристально смотрели на него, ожидая, пока он перевернет информацию. Краска бросилась Василию Павловичу в лицо и, уже не сдерживаясь, он откровенно издевательски усмехнулся:

— Во как вышили! А зачем же тогда сообщенки писать, часы тащить?

Шептунов улыбнулся с еле заметной добавкой снисходительности в обаятельной, в общем-то, улыбке:

— Вы, Василий Павлович, задаете такие вопросы, как будто мы гражданские лица и статейку в газете во время перекура почитываем. Уж вам-то ли не знать, какие бывают промахи, какие химеры в головах... Да и молоды еще, перемудрили. Хотя, судя по вашей реакции, они все рассчитали точно...

— Ой ли... И — что же, бешеные деньги взяли?

Чекисты переглянулись, и после короткой паузы старший нехотя ответил:

— Возможно, что денег на квартире уже и не было...

— Слава Богу!

— Не стоит иронизировать, — мягко, но убедительно посоветовал Шептунов.

Токарев кивнул:

— А что ж этот проректор... ваш — с таким добром, да на воле?

Старший чекист парировал даже без тени смущения:

— А вот уже эти вопросы находятся в компетенции соответствующего Главного Управления КГБ СССР.

— Поня-ятно... Нужен, стало быть, для обороноспособности страны...

— Да, нужен.

Василий Павлович понимал, что помочь Толе и Вадику не сможет — но все равно сказал твердо:

— Мне нечего добавить. У вас мнение перпендикулярное, а свое я менять не буду...

Вечером того же дня оперуполномоченные Колчин и Гороховский были взяты под стражу...

На следующий день Артем забежал к отцу на работу — Василий Павлович куда-то выскочил. Решив дождаться отца, Токарев-младший по старой привычке забрался в его кресло — он очень любил в нем сидеть когда-то давно, когда еще мечтал стать опером... Потом Артем редко разрешал себе такое — слишком болезненно переживая... Но годы шли, и боль несколько притупилась... К тому же отцовское кресло было действительно самым удобным сиденьем в его кабинете.

Неожиданно зазвонил прямой городской телефон, и Артем машинально снял трубку — мало ли, какая-то срочная информация — надо будет передать. К тому же голоса отца и сына были настолько похожи по телефону, что даже близкие знакомые их путали.

— Слушаю, Токарев.

— Василий Палыч? — жестко уточняющий голос в трубке показался Токареву-младшему странно знакомым, и он, поколебавшись секунду, ответил:

— Нет, это Артем Токарев, его сын. Василий Павлович вышел. Если нужно что-то срочное передать — я могу записать...

Мембрана шелестнула холодным смешком — коротким. Но все равно каким-то... очень неприятным. Потом, после короткой паузы, голос произнес отчетливо:

— Ну, что же, Артем Васильевич — передайте... Передайте своему папе, что настоящий опер должен быть не только смелым и решительным, но и внимательным. Рассудительным, я бы сказал. Прививать надо личному составу такие качества...

Опешивший Артем хотел было возмутиться, но в трубке снова раздалось что-то похожее на смех, а потом запикали короткие гудки... Токарев-младший от растерянности чуть было тоже не повесил трубку, но потом опомнился и осторожно положил ее на стол.

Пришедший минут через пятнадцать Василий Павлович так и застал сына — глядящим в глубокой задумчивости на пищавшую трубку на столе.

Токарев-старший внимательно выслушал доклад сына и тут же отдал необходимые распоряжения на предмет установления номера звонившего абонента. Пока устанавливали (достаточно быстро, через АТС), что звонили из таксофона, расположенного у университетского общежития на Малом, Токаревы ничего между собой не обсуждали. Артем видел, что отец — в препоганейшем настроении. А каким же ему еще было быть, если Василий Павлович только что вернулся со встречи с Варшавой, на которой вор сообщил ему установочные данные Гани, имевшего якобы намерение «поставить» квартиру проректора. Рассказал Варшава и о том, что видели разок рядом с Ганей странного парня с немигающим взглядом, от которого вроде и шел набой. Только это все было давно — до того, как Ганя пропал. Совсем пропал, то есть без вести, почитай, месяца два уже... И вор не исключал такой вероятности, что Гане могли помочь покинуть суетный земной мир... А с парнем тем вроде больше никто, кроме Гани, и не общался... Что уж там промеж них вышло — Аллах знает, но только к Невидимке эта информация никак не приближала... Василий Павлович догадался по мрачному виду вора: тот слил данные Гани только потому, что считал его почти наверняка покойником...

Артем наконец не выдержал молчания и спросил в лоб:

— Думаешь, это он звонил? Фантом?

Токарев-старший лишь тяжело вздохнул в ответ.

— Ну неужели ничего нельзя предпринять? Активного? — не унимался Артем.

— Активные розыскные мероприятия, — промурлыкал, как пропел про себя Василий Павлович. — И как их мотивировать? И на кого ориентировать?

— Но, может...

— Не может! Расслабляться нельзя, смотреть вокруг себя максимально внимательно... И ждать.

— Чего ждать?

— Если бы я знал... Эта сволочь, если он действительно существует, — не повторяется... Ты вот лучше скажи мне — в твоих планах женитьба не значится?

Артем аж поперхнулся от такого неожиданного перехода и даже головой помотал:

— Ты... Ты чего это, бать?

— Да так, — пожал плечами устало Василий Павлович, посопел и вдруг сказал тихо: — Сдается мне, что попьет еще у нас кровушки этот Невидимка... Да как бы и всю не выпил... Вот я и спрашиваю тебя — не хочешь ли ты мне внука подарить? И мне бы как-то приятнее было, что род наш продолжается. Спокойнее, знаешь ли...

Такого закидона от отца Артем никак не ожидал. Обалдело всмотревшись в родное лицо, он вдруг заметил, как оно постарело, почувствовал мгновенный страх и от этого почти заорал:

— Да ты что — сдурел, что ли? Отец, что с тобой?

Токарев-старший вздрогнул и вроде как очнулся от своих мрачных грез — прищурился и сказал нормальным тоном:

— Ты чего это в моем кабинете разорался? Ишь...

...И уже дома, за вечерним чаем, Василий Павлович, посмотрев на Артема, сказал серьезно:

— Мне уже сорок пять. Для меня уже каждый год — особо ценен. Потом поймешь. А Невидимка этот — противник серьезный. Если он есть. У меня такого никогда не было. Его спугнуть нельзя — особенно не имея практически никакой информации. Дорого может обойтись. Знаешь, говорят — не буди лихо... Хотя оно и так не спит... Ладно, не бери в голову... Устал я просто... ребят жалко... А этого упыря... Ничего, Бог даст — появится он, никуда не денется . У меня почему-то такое ощущение, что он все время где-то рядом, словно мы с ним в одной банке бултыхаемся... Так что он, конечно, проявится — вот только в радость ли это нам обернется, сынок... И нам, и еще... кое-каким хорошим людям...

Артем слушал отца и старался не думать о том, что Василия Павловича очень редко подводила его оперская интуиция...

РАЗОСЛАТЬ:
Привалихин Г. Л.
Беркутов О. Д.

<u>СЕКРЕТНО</u>

п.11 пр.КГБ №234дсп — 85г.
экз. един.

СВОДКА №1 *Рег.№ 677*
По объекту 88/1-РР 301-88
за 17.02.1988.
Количество листов: 12

*** 087 ***

20:20:09 — 20:20:59
Исх. 217-00-09 Ленинград,
15 линия, д. 56, кв. 178.
(Токарев — «Т» разговаривает
с Яблонской — «Я»)

«Т» — Ларисон, угадай, с чего
это я тебе звоню?

«Я» — Очевидно, полная жопа…

«Т» — Хуже. Из-за этого бы не
позвонил! Две полные жопы, и обе в
ДОПРе*!

«Я» — Помнится, ты мне пел песню, что ДОПР — не тюрьма, не горюй,
товарищ.

«Т» — Лариса, милая, вот и я про
то же!

«Я» — Про что?

«Т» — Лариса, уже серьезно…

«Я» — У-у… значит припекло…

«Т» — Ты дружна со следователем... не перебивай — я знаю! Если следователь по-настоящему въедет, то...

«Я» — То что?

«Т» — Следователь может развалить любое дело!

«Я» — Василий, ты сто лет в сыске! Я же просила по телефону о таких вещах не говорить.

«Т» — А что, прослушивают?

«Я» — Нас раз в год по приказам положено слушать.

«Т» — И сейчас именно тот «раз» очевидно?!

«Я» — Все равно...

«Т» — Будем со следователем водку пить или нет?! Шутки в сторону! Скажи прямо мне и товарищу старшему прапорщику технической службы УКГБ!

«Я» — Да!

Примечания:
Начальник
мн 677с_____
отпечатано в единственном
экземпляре
без черновика
без дискеты
рабочий файл уничтожен
исполнил
печатал
18.02.1988

**Копий не снимать,
аннотаций не составлять.**

Конец второй части

P.S. В сентябре 1988 года состоялся суд над бывшими оперуполномоченными Вадимом Колчиным и Анатолием Гороховским — бывшими, потому что еще до суда они были уволены из органов МВД. Гороховский получил «пятерик», а Колчин — семь лет лишения свободы с отбыванием наказания в колонии общего режима...

Из письма Вадима Колчина Сергею Лаптеву:

...Освободился в 1994, видел Анатолия на вокзале, передавал тебе привет, поговорили, он спешил на автобус. Заехал к «заочнице» в Малоярославец Калужской области, оттуда и залетел во второй раз по мелочи. Рядом и третий. Сейчас определили особый режим, как рецидивисту. Смяшно, да.

Сидим в камерной системе, как в СИЗО. Выходим только на прогулку на полтора часа, даже есть в камеру приносят. Уже полтора года. Осталось меньше 15 лет, как сам понимаешь. И это хорошо. Плохо, что работы нет, время шло быстрее бы, да и на ларек хоть что-то было бы. Короче, свою первую командировку в Тагил на тринадцатую вспоминаю со слезами умиления. Ты, это — станешь генералом — двинь мысль, чтобы только в Нижнем Тагиле мы сидели, независимо от судимостей. Хотя здесь народец тертый — не нападают. Местный смотрящий сказал: раз мент сюда попал, значит, человек стоящий. Какой я стоящий! Пропади оно все пропадом. Вот так, братец Лис, один раз из-за какого-то ублюдка поскользнулся, и всю жизнь в лохани с дерьмом. Сам тоже я хорош — понесло «печки-лавочки».

Хоть и разменял уже сороковник, надеюсь дожить и увидеть своих.

Обратный адрес:
612711, Кировская область,
Омутнинский р-н, п. Восточный,
учр. ОР — 216/6, отр. № 2.

Константинов А.
ТУЛЬСКИЙ — ТОКАРЕВ
Том 1

Ответственные за выпуск
Я. Ю. Матвеева, Е. Г. Измайлова
Оформление *И. И. Кучмы*
Корректор *А. С. Лобанова*
Верстка *Е. М. Беляевой*

Подписано в печать   13.03.2003
Формат 84×108^1/$_{32}$. Печать офсетная.
Бумага офсетная. Гарнитура «Ньютон».
Уч.-изд. л. 11,7. Усл. печ. л. 20,16.
Тираж 100 000 экз. Изд. № 03-0016-РП. Заказ № 3825

Издательский Дом «Нева»
199155, Санкт-Петербург, ул. Одоевского, 29

При участии издательства «ОЛМА-ПРЕСС»
129075, Москва, Звездный бульвар, д. 23

Отпечатано в полном соответствии с качеством
предоставленных диапозитивов
в полиграфической фирме
«Красный пролетарий»
127473, Москва, Краснопролетарская, 16